# 심장재활
# CPX
# 핸드북

【編著】安達 仁

역자 **백상홍·강석민**
**김범준·장민옥**

Real World of
Cardiac Rehabilitation

군자출판사

# 심장재활 CPX
# 핸드북

첫째판 1쇄 인쇄 | 2017년 11월 3일
첫째판 1쇄 발행 | 2017년 11월 10일

편집위원회 백상홍 외 3인
발 행 인 장주연
출 판 기 획 김도성
편집디자인 조원배
표지디자인 김재욱
제 작 담 당 신상현
발 행 처 군자출판사(주)
　　　　　등록 제4-139호(1991. 6. 24)
　　　　　본사 (10881) **파주출판단지** 경기도 파주시 회동길 338(서패동 474-1)
　　　　　전화 (031) 943-1888　　　팩스 (031) 955-9545
　　　　　홈페이지 | www.koonja.co.kr

CPX·UNDO RYOHO HANDBOOK: SHINZO REHABILITATION NO REAL WORLD 3RD
EDITION by Hitoshi Adachi
Copyright ⓒ Hitoshi Adachi 2015
All rights reserved.
Original Japanese edition published by Chugai-Igakusha.

This Korean language edition published by arrangement with Chugai-Igakusha, Tokyo in care of
Tuttle-Mori Agency, Inc., Tokyo through A.F.C LITERARY AGENCY, Seoul.

ISBN 979-11-5955-254-0
정가 28,000원

# 심장재활
## CPX
## 핸드북

# 집필진

- **편저**

  **아다치 히토시**   군마현립 심혈관센터 심장 재활 부장


- **번역편집위원회**

  **편집위원장**
  **백 상 홍**   가톨릭의대 서울성모병원 순환기내과, 교수

  **편집위원**
  **강 석 민**   연세의대 세브란스병원 심장내과, 교수
  **김 범 준**   가톨릭의대 서울성모병원 순환기내과, 교수
  **장 민 옥**   가톨릭의대 서울성모병원 순환기내과, 임상조교수

# 개정 3판 서문

세월이 빠르게 흘러 이 책 초판이 출판되고 나서 벌써 6년이 지났습니다. 그 동안 순환기 질환의 병태 해석이나 치료 기술의 놀라운 발전으로, 침습은 적고 효과는 최대라는 이상적 목표를 달성할 수 있는 치료법이 속속 등장했습니다. 따라서 순환기 내과나 심혈관 외과의 업무량이 크게 증가했으며, 함께 일하는 다른 의료인의 귀가 시간도 자꾸 늦어지고 있습니다.

이런 말을 들으면 발전된 치료 기법으로, 저침습적 경피적 카테터 치료나 EVAR, TEVAR, TAVR을 먼저 떠올립니다. 이것은 확실히 훌륭한 치료법이며, 이미 혜택을 받은 사람이 많이 있습니다. 그러나 정말로 침습이 적고 게다가 가장 근본적으로 순환기 질환을 고치는 치료법은 심장재활입니다. 노작성 협심증의 70%는 심장재활로 고칠 수 있고, 만성 심부전에서 예후를 개선하는 최선의 치료법이며, 심방세동의 심박 제어에도 효과적입니다. 운동 요법이나 식사 요법에 대한 사회적 요구도 높아지고 있으며, 심장재활의 보급도 눈부십니다. 2008년 5,000명이던 일본 심장 재활학회 회원수가 2014년에는 10,000명에 이르렀습니다.

그러나 심장 재활에 필수적 기둥의 하나인 운동 요법에 필요한 운동 생리 이해는 여전히 깊어지지 못하고 있습니다. 그 결과 과학적 운동 처방이 되지 않고, 어딘지 모르게 걸음마 수준의 심장재활이 시행되고 있기도 합니다. "심장재활을 받아 이렇게 좋아졌다"고 기쁜 얼굴로 말하는 환자를 보기 위해서는 병태를 올바르게 파악하여, 올바른 운동 처방을 작성하지 않으면 안됩니다. 잊으면 안 되는 것은 심 질환은 움직일 때 증상이 나타나며, 어느 정도 움직일 수 있는지의 판단이 중증도입니다. 좌심실이나 관동맥 좌전하강지를 열심히 치료해도 예후는 개선되지 않습니다. 안정시에 열심히 검사해도 올바른 병태를 파악할 수 없습니다. 운동 부하를 걸어, 어느 정도의 운동 부하에서 어떤 변화가 생기는지를 알지 못하면 재활을 시작할 수 없습니다.

3판에서는 단순한 운동 처방을 구하는 방법에 머무르지 않고, 운동 중의 병태를 되도록 자세하게 기술했습니다. 심폐 운동부하 검사를 통해 심혈관 질환의 병태를 어느 정도 깊이 이해할 수 있게 된다면 다행입니다.

2015년 6월
군마현립 심혈관센터 아다치 히토시

# 역자서문

심장재활, 국내에서 아직은 완전 정착되지 않은 진료 프로그램입니다. 2009년 일본 도쿄에서 개최된 제15회 일본 심장재활학회 학술대회중 '세계의 심장재활' 심포지엄에 본인이 초청 연자로 참석하여 미국, 유럽, 일본, 중국등 세계의 저명한 심장재활 전문가들과 정보 교류를 하는 유익한 시간을 보내고 일본의 심장재활의 수준이 높은 것에 느낀바가 있어서, 당시 2009년도 판이었던 본 서적을 구입하였습니다. 이후 심장재활에 관심을 가지고 해외 심장학회 참석때마다 관련분야 전문가들과 접촉하여 정보교류를 하고, 우리 기관에 심장재활 프로그램을 적용시키려고 하였으나 국내 의료보험제도 등 현실적 여건의 미성숙으로 제한이 많았습니다.

마침 2017년도 국민건강보험 요양급여의 기준에 관한 규칙중 심장재활 급여기준이 신설되어, 국내에 심장재활프로그램이 정착 및 발전하고, 궁극적으로 심장재활이 필요한 많은 심혈관환자들에게 도움이 될수있는 좋은 여건이 조성되었습니다. 그러나 일선 진료현장에서 활용할 국내 전문서적이 부족한 실정이므로, 본 서적을 번역하여 국내 심장재활의 기반조성 및 활용에 도움이 되고자 합니다. 향후에는 국내 임상경험을 토대로 이 분야 서적이 많이 발간되기를 기대합니다.

어려운 여건이지만 본 서적 출판에 흔쾌히 동의한 군자출판사와 특별히 자료정리에 많은 도움을 주신 김영설 박사님, 장민옥 선생님, 장재혁 선생에게 깊은 감사드립니다.

2017년 가을중 하루에
대표 역자 백상홍 드림

# 역자주

*국내 (2017년 5월 현재) 주요 병원에 설치되어 있는 CPX는 주로 Quark 社 (Italy)의 제품이며, 모델명의 상세한 정보는 개별확인 요망함.

# 목 차

## Chapter 07  파라미터의 종합적 분석

## Chapter 08  질환, 병태별 CPX

## Chapter 09  운동 처방

Chapter 10   임상 현장에서 운동 요법 실시

Chapter 11　CPX 실례

Chapter **12** 호기 가스 분석 장치; 미나토 AE310S 분석 순서

부록 **심전도**

# 1장
# CPX의 목적

## 1 CPX로 무엇을 알 수 있는가? 누구에게 시행하는가?

　CPX (cardiopulmonary exercise testing, 심폐 운동 부하 검사)는 호기 가스 분석을 병용하여 시행하는 운동 부하 검사다. '운동 부하 검사'에 의해 얻을 수 있는 소견을 '호기 가스 분석'에 의해 얻을 수 있는 소견과 더불어 평가하며, 'Ramp(경사도) 부하 검사'를 이용하여 운동 강도별 반응을 알 수 있다. 심장, 폐, 혈관 등을 단독으로 평가하는 것이 아니라 전신의 종합적 기능을 평가하므로 한 장기의 기능저하가 전신의 기능에 어느 정도 영향을 미치고 있는지 알 수 있는 동시에, 전신의 건강도 즉 운동 수용능(exercise tolerance)으로 환자의 예후를 평가할 수 있다. CPX를 시행하는 모습은 **그림 1-1**과 같다.

　호기 가스 분석에 의해 얻을 수 있는 정보는 **그림 1-2와 같으며**[1], 골격근 기능과 대사 상태, 심 기능, 호흡 기능, 말초 순환, 폐 순환, 자율신경 기능, 산소 운반에 관여하는 혈액 성분 상황 등이다. 또 가스 분석 이외에 호흡의 속도나 깊이도 측정하며, 이것은 심부전의 병태 파악에 유용하다.

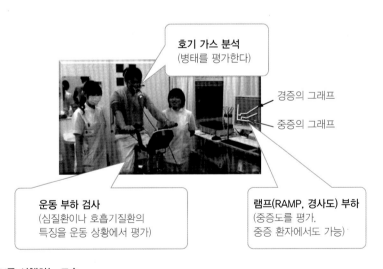

호기 가스 분석
(병태를 평가한다)

경증의 그래프

중증의 그래프

운동 부하 검사
(심질환이나 호흡기질환의
특징을 운동 상황에서 평가)

램프(RAMP, 경사도) 부하
(중증도를 평가.
중증 환자에서도 가능)

**그림 1-1**　CPX를 시행하는 모습

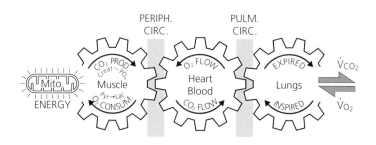

**그림 1-2 호기 가스 분석의 모식도** 호기 가스를 분석하여 Wasserman의 톱니를 구성하는 호흡기능, 심기능, 골격근기능, 폐 순환, 체 순환, 혈관 내피세포기능, 자율신경 활성을 평가할 수 있다.
PULM CIRC: 폐 순환, PERIPH CIRC: 말초 순환, Mito: 미토콘드리아

Ramp 부하를 통해, 어느 정도의 운동 강도에서 어떤 이상 병태가 일어나는지 평가할 수 있다. 즉, 이상 반응이 일상 활동 수준에서 발현하는지, 불필요한 고강도 활동 수준에서 발현하는지 알 수 있다.

운동 부하의 장점은, 안정시에 얻을 수 없는 정보를 수집할 수 있다는 점이다. 심 질환의 대부분은 노작시에 나타난다는 점에서 운동 부하의 중요성이 강조되겠다.

CPX는 다른 부하 검사와 여러 면에서 차이가 있다. 운동 부하 심근 스캔(scintigraphy)은 심근 허혈 진단율이 90% 이상으로 허혈 검출에 뛰어난 검사이지만, 최대 부하가 걸린 이후에 촬영을 하므로, 어느 정도의 운동 강도에서 허혈이 일어나는지 평가할 수 없다. 즉 나타난 허혈의 중증도를 파악할 수 없다. 한편 CPX를 Ramp 부하로 시행하면, 심근 허혈이 어느 정도의 일상 활동 수준에서 발생하는지 알 수 있어, 그 허혈을 PCI[01]* 이나 CABG[02]* 에 의해 치료해야 하는지, 아니면 필요 없는지 판단할 수 있다. 심근 허혈은 심근 장애나 부정맥 발작의 원인이 되므로 반드시 치료가 필요하지만, 심근 허혈의 해결 방법이 PCI만은 아니다. 최대 부하에서 겨우 허혈이 나타나고 일상생활에서는 흉통이 없는 환자는 PCI가 아니라 적절한 심장재활로 치료해야 한다.

심 초음파는 안정시에 누워서 심 기능을 자세하게 평가할 수 있는 검사이며, 운동 중에 심 기능이 어떻게 변화하는지 평가할 수 없다. 앉은 자세나 선 자세의 상황도 알 수 없다. 심 질환은 노작시의 증상이 중요하므로 심 초음파만으로 병태를 판단할 수 없다. 또한 심 초음파는 전신 상태를 알 수 없기 때문에, 예후 판정, 중증도 평가 등에는 적합하지 않다.

이런 점은 심근 대사나 심근 교감신경 활성을 평가하는 BMIPP[03]* 나 MIBG[04]* 등의 심근 스캔도 마찬가지다. 이런 검사는 심장의 정보를 얻을 수 있을 뿐이며, 심 질환을 전신 상태로 평가할 수 없다.

---

역자주* ————————

01   PCI (Percutaneous Coronary Intervention,  경피적 관상동맥 중재술)

02   CABG (Coronary Artery Bypass Graft, 관상동맥 우회술)

03   BMIPP (β-methyl-p-[123I]-Iodophenyl-Pentadecanoic acid)

04   MIBG (Meta-IodoBenzyl Guanidine)

CPX는 안정이 필요한 환자뿐 아니라 증상이 매우 심한 NYHA[05]★ IV 환자를 제외하면 누구나 시행 가능하다. 안정시에는 0 Watt 부하의 자전거를 타기 시작한 후 파라미터 변화로 예후나 치료 경과를 예측할 수 있다. 0 Watt 부하에 필요한 $\dot{V}O_2$[06]★은 2 METs[07]★ 정도이며, 실내 화장실 보행과 같은 수준의 운동 강도다. 즉 이 정도의 일상 활동이 허가되는 환자이면 CPX를 통한 병태 평가로 적절한 치료 방침을 결정할 수 있다. 이것을 이해하면, "이 환자는 CPX가 필요한 상황이다"라고 자신있게 말할 수 있을 것이다. CPX로 알 수 있는 것은 표 1-1과 같다.

**표 1-1** CPX로 알 수 있는 것

중증도 진단
병태 파악
치료 방침 결정

## 2 CPX의 측정 항목

CPX에서 분석하는 호기 가스는 보통 산소와 이산화탄소이다. 흡기와 호기에 포함된 가스 농도 차이는 각각 $\dot{V}O_2$과 $\dot{V}CO_2$[08]★이라고 부른다.

호기 가스 수집 방법에는 3가지 있다. 고전적 방법은 더글라스 백(Douglas Bag)의 이용이며, 운동 중 $\dot{V}O_2$은 측정할 수 있으나 이 외의 지표가 없어 임상 현장에 이용하기 어렵다. 다른 방법은 믹싱 챔버(Mixing Chamber)의 이용이며 호기 가스를 10-15 L 용량의 상자에 모아 30초에서 1분마다 측정하는 방법이다. 3번째는 매 호흡마다 가스를 분석하는 방법이며, breath-by-breath법이라고 부른다. 임상적 이용에는 breath-by-breath 법이 바람직하다. 실시간으로 가스를 분석하므로 Ramp 부하 검사와 조합하면, 어떤 운동 강도에서 어느 정도의 $\dot{V}O_2$와 $\dot{V}CO_2$를 나타내는지 평가할 수 있다.

호기 가스 분석에서는 $\dot{V}O_2$와 $\dot{V}CO_2$ 이외에 1회 환기량[09]★과 호흡수[10]★를 측정한다. 이 4개 항목을 이용하여 분당 환기량[11]★, $\dot{V}E/\dot{V}O_2$, $\dot{V}E/\dot{V}CO_2$, $\dot{V}E$ vs. $\dot{V}CO_2$ slope 등을 계산한다.

또한 심전도와 혈압도 동시에 평가하며, 심박수와 $\dot{V}O_2$를 통해 산소맥[12]★을 구한다.

그 밖에 필요에 따라 경피적 산소 포화도($SpO_2$), 심 박출량[13]★ 및 혈관 저항 측정, 심 초음파 등을 운동 중에 시행한다. 이를 같은 시기에 시행한 폐기능 검사나 안정시 심 초음파, 관상동맥 조영술 등도 참고한다.

---

역자주★

05  NYHA (New York Heart Association, 뉴욕심장협회)
06  $\dot{V}O_2$ (oxygen uptake, 산소 섭취량)
07  METs (Metabolic Equivalents, 대사당량)
08  $\dot{V}CO_2$ (carbon dioxide output, 이산화탄소 배출량)
09  TV (Tidal Volume, 1회 환기량)
10  RR (Respiratory Rate, 호흡수)
11  $\dot{V}E$ (minute ventilation, 분당 환기량)
12  $\dot{V}O_2/HR$ ($O_2$ pulse, 산소맥)
13  CO (Cardiac Output, 심 박출량)

## 3 CPX의 목적

### A 운동 수용능 평가

몸 전체의 종합적 기능을 평가하여 운동 수용능이라고 한다. 심 질환은 노작 시 증상 출현이 많기 때문에, 운동 수용능 평가는 순환기 질환 관리에 중요한 검사다. CPX에서는 운동 수용능 지표로, 최고 산소 섭취량[14]$^*$과 무산소성 역치[15]$^*$, 최대 부하량[16]$^*$을 구한다.

산소 섭취량의 관점에서 peak $\dot{V}O_2$는 가장 좋은 운동 수용능 지표이다. 환자가 운동을 지속하기 어려운 이유에는, 하지 피로 및 통증, 호흡 곤란, 흉통, 부정맥, 혈압 상승, $SpO_2$ 저하 등으로 다양하지만, 어느 이유에서든 운동을 중단한 시점에서의 $\dot{V}O_2$ 최고치를 peak $\dot{V}O_2$로 정의한다. 순환기 임상 현장에서는 매우 드물지만, 생체 고유의 $\dot{V}O_2$최고치가 나타나는 경우가 있다. 생체 기능을 총 동원해도 그 이상 $\dot{V}O_2$가 증가하지 않는 상황을 최대 산소 섭취량[17]$^*$이라고 한다. 최고치는 하나 밖에 없기 때문에 peak $\dot{V}O_2$ 결정에 어려움은 없다.

한편 '운동이 가능한가 아닌가'라는 관점이 아니라, $\dot{V}O_2$와 $\dot{V}CO_2$의 평형 관계가 유지되는 최대 산소 섭취량을 무산소성 역치라고 일컫고, 이것도 운동 수용능의 지표가 된다. 최대 부하가 필요하지 않기 때문에 위험성이 거의 없다는 장점이 있지만, 무산소성 역치라고 생각할 수 있는 시점이 여러 개 나타나서 결정하기 어려운 문제점도 있다.

최근에는 $\dot{V}E$와 $\dot{V}CO_2$의 관계성을 나타내는 $\dot{V}E$ vs. $\dot{V}CO_2$ slope도 운동 수용능 지표로 이용하지만, V/Q mismatch[18]$^*$ 분포 영향에 골격근의 영향이 적기 때문에, 운동 수용능이라고 표현하기에 문제가 있을 수 있다.

다양한 운동 수용능 지표는 **표 1-2**와 같다.

peak $\dot{V}O_2$와 NYHA 의 심 기능 분류 사이에는 **그림 1-3**과 같은 관계가 있다[2]. NYHA 심 기능 분류는 환자가 어느 정도 움직일 수 있는가라는 관점에 주목하고 있기 때문에 CPX에서 얻을 수 있는 운동 수용능 지표와 관계가 있을 것은 당연하지만, CPX는 NYHA 분류보다 객관적으로 수치화할 수 있다는 점에서 보다 우수하다.

한편 심 기능의 대표적인 지표인 좌심실 구혈률[19]$^*$은 운동 수용능과 상관 관계를 나타내지 않는다(**그림 1-4**)[3]. 심 기능이라는 몸 일부의 기능이 저하되어도 몸 전체의 기능에 영향을 미치지 않을 가능성이 많기 때문이다. 그런 의미에서, 심장 교감신경 활성의 지표인 MIBG와도 상관이 없으며, 또 흉통 중증도의 지표인 CCS[20]$^*$ 분류(**표 1-3**)와도 상관 관계가 없다. 흉통은 반드시 심 펌프 기능과 관련이 있는 것이 아니며, 또

**표 1-2** 운동 수용능의 지표

| |
| --- |
| peak $\dot{V}O_2$ |
| anaerobic threshold |
| minimum $\dot{V}E/\dot{V}CO_2$ |
| $\dot{V}E$ vs. $\dot{V}CO_2$ slope |
| peak work rate |

역자주$^*$ ————

14 peak $\dot{V}O_2$ (peak oxygen uptake, 최고 산소 섭취량)

15 AT (Anaerobic reshold, 무산소성 역치)

16 Peak WR (peak work rate, 최대 부하량)

17 max $\dot{V}O_2$ (최대 산소 섭취량)

18 V/Q mismatch (Ventilation/Perfusion mismatch, 환기-관류 불균형)

19 LVEF (Left Ventricular Ejection Fraction, 좌심실 구혈률)

20 CCS (Canadian Cardiovascular Society, 캐나다 심장학회)

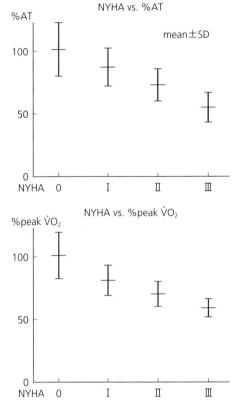

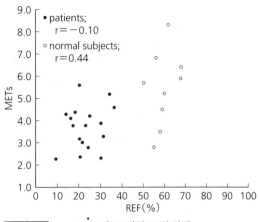

**그림 1-4** peak $\dot{V}O_2$ (METs)와 EF의 관계

**그림 1-3** AT, peak $\dot{V}O_2$ 와 NYHA의 관계

**표 1-3** CCS 분류

| Class | 상황 |
|---|---|
| Class I | 일상 생활에 제한이 없다. 일반적 보행이나 계단 오르기에서 협심증을 일으키지 않는다. 격렬하거나 급격한 부하나 레크리에이션 혹은 장시간의 부하에서 협심증을 일으킨다. |
| Class II | 일상의 신체 활동이 약간 제한된다. 빠른 걸음, 계단이나 비탈길 걷기, 또는 식사나 추위, 강풍, 정신적 긴장 또는 아침에 일어나서 2시간 이내의 보행이나 계단 오르기에서 협심증이 일어난다. 2 블럭 (200 m)을 넘는 평지 보행 또는 1층 이상의 계단 오르기에서도 협심증을 일으킨다. |
| Class III | 일상 활동이 현저히 제한된다. 보통 속도로 1-2 블럭(100-200 m)의 평지 보행이나 1층의 계단 오르기에서 협심증을 일으킨다. |
| Class IV | 어떤 동작도 할 수 없으며, 안정시에도 협심증 증상이 나타날 수 있다. |

관련이 있다고 해도 운동 수용능과 관련되지 않는 것이 많기 때문이다.

운동 수용능은 수명에 큰 영향을 미친다(**그림 1-5**)[4]. 심 기능이 저하되어도 골격근 기능을 개선시키면 예후는 좋아진다. 따라서 심 기능 지표인 LVEF은 심 이식 적응의 근거가 되지 못하고, peak $\dot{V}O_2$가 판정 기

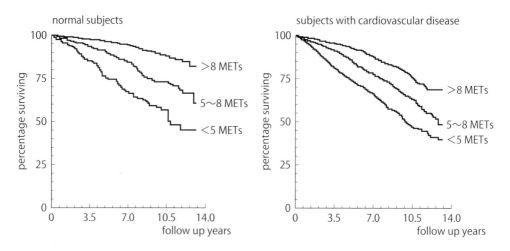

**그림 1-5** **운동 수용능과 예후** 1 METs 증가에 따라 사망율이 14% 감소한다.

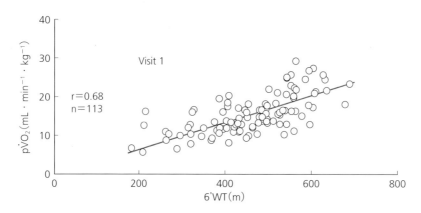

**그림 1-6** peak V̇O₂와 6분 보행 검사의 관계 V̇O₂: peak V̇O₂, 6'WT: 6분 보행 검사

준에 포함되어 있다.

6분 보행 검사(6 minute walking test)와 peak V̇O₂의 관계는 **그림 1-6**과 같다[6]. 6분 보행 검사는, 가능한 한 빠른 걸음으로 최대 부하에 가까운 준최대 운동 부하 검사다. 단순한 최대 운동 능력의 관점에서는 운동 수용능 평가에 6분간 보행 거리도 충분하겠지만, AT나 V̇E/V̇CO₂ 등 다른 중요한 지표를 평가하지 못하므로 병태를 평가할 수 없는 제한이 있다.

## B 운동 처방 작성, 일상 활동 지도

운동 요법은 심장 재활의 한 기둥이다. 운동 요법을 안전하게 시행하고 또 효과를 보기 위해서는 운동

**표 1-4** METs 표를 이용한 생활 지도 방법

일상 활동에 필요한 산소 소비량

| METs | 활동 | 취미 | 운동 | 일 |
|---|---|---|---|---|
| 1-2 | 식사, 세면<br>재봉, 뜨개질<br>자동차 운전 | 라디오, 텔레비전<br>책, 카드게임<br>바둑, 장기 | 매우 천천히 걸음<br>(1.6 km/시) | 사무 일 |
| 2-3 | 교통기관 탑승<br>조리, 간단한 세탁<br>마루 닦기(자루걸레로) | 볼링<br>분재 손질<br>골프(전동 카트 사용) | 천천히 평지 보행<br>(3.2 km/시).<br>(2층까지 천천히 오른다) | 수위, 관리인<br>악기 연주 |
| 3-4 | 샤워<br>10 kg의 짐을 짊어지고 걷기<br>취사 일반, 이불 펴기<br>창 닦기, 무릎 꿇고 마루 닦기 | 낚시<br>배드민턴(비경기)<br>골프(백 메고) | 조금 빠른 보행<br>(4.8 km/시)<br>(2층까지 오르기) | 기계 조립<br>용접 작업<br>트럭 운전<br>택시 운전 |
| 4-5 | 10 kg의 짐을 안고 걷기<br>풀 베기<br>서서 마루 닦기<br>부부 생활, 목욕 | 도예, 댄스<br>탁구, 테니스<br>캐치볼<br>골프(셀프) | 속보 (5.6 km/시) | 페인트공, 석공<br>벽지공<br>가벼운 목수 일 |
| 5-6 | 10 kg의 짐을 한 손에 들고 걷기<br>삽질(흙일) | 계곡 낚시<br>아이스 스케이팅 | 빠른 속보<br>(6.5 km/시) | 목수<br>농사일 |
| 6-7 | 삽으로 땅파기<br>눈 치우기 | 포크 댄스<br>스키 투어(4.0 km/시) | | |
| 7-8 | | 수영, 등산, 스키<br>헬스클럽에서 에어로빅 댄스 | 조깅(8.0 km/시) | |
| 8- | 계단을 10층 이상 오르기 | 줄넘기, 각종 스포츠 경기 | | |

산소 필요량을 METs 단위로 나타낸다. 검사에서 마스크를 쓰고 운동 중 산소 섭취량을 측정하여 일상 활동에서 어느 정도의 일을 할 수 있을지 평가한다. 이 결과에 의해 [＿＿＿＿]의 일까지는 심장에 부담을 주지 않고 시행할 수 있다고 알려 준다. 그러나 그 이상 수준의 일도 쉬어 가면서 천천히 시행하면 괜찮은 경우도 있고, 그 이하의 일에서도 탈수나 피로가 심하면 심근경색을 일으킬 수도 있다. 탈수와 피로에 충분히 주의해야 한다.
이 표의 활동은 6분 이상 계속했을 때 필요한 산소 섭취량이다. 예를 들어 수영을 30초씩 나누어 헤엄치면 7 METs가 되지 않는다. 계단도 천천히 쉬엄쉬엄 오르면, 2층까지는 대부분의 사람에서 문제가 없다.

처방 작성이 중요하다.

주된 운동 요법으로 유산소 운동과 저항 운동이 있다. 유산소 운동에서 운동 처방 작성법에는 몇 가지가 있으나, 가장 정확하게 결정할 수 있는 것은 어디까지나 CPX다. CPX를 이용하여 AT를 구하고, 그 시점에서 $SpO_2$ 저하, 혈압 상승, 심근 허혈, 위험한 부정맥 등이 없는 것을 확인하여, AT 1분 전의 부하량 또는 AT 수준의 심박수에 따라 운동 처방을 작성한다.

심 질환이 있는 환자는 일상 활동을 어느 정도해야 좋을지 항상 걱정하고 있다. 어느 정도 움직이면 좋은지 환자가 물었을 때, 활동 수준의 차이에 따라 몸이 어떻게 반응을 나타내는지 알고 있으면 정확하게 대답할 수 있다. 바람직한 활동 수준에서 과도한 혈압 상승이나 허혈, 부정맥 등의 위험이 없으면 허가해도 좋다. 일상 활동 수준은 산소 섭취량에서 METs의 표(**표 1-4**)를 이용하여 추정할 수 있다. 안전을 이유로 활

동을 제한하는 것은 쉽지만, 활동의 제한은 환자의 예후를 악화시킨다. 의료인은 안전하고 효과적인 활동 수준을 적극적으로 지도해야 한다.

## ⓒ 호흡곤란의 감별

순환기 외래에서 가장 많은 주소의 하나는 호흡곤란이다. '숨찬 느낌'은 심 질환, 폐 질환, 체력 저하, 정신적 요인 등 다양한 원인에 의해 나타난다. CPX에서 운동 수용능, 호흡 패턴, $\dot{V}O_2$/HR 과 폐 기능 검사나 심 초음파 검사, 혈액 검사 등과 더불어 평가하면 호흡곤란의 원인을 감별 할 수 있다. 감별 결과에 따라 기관지 확장제 사용이나, 베타-차단제 투여 또는 빈혈의 정밀 조사가 필요한지 판단한다.

## ⓓ 허혈 중증도 판정과 노작성 협심증의 치료 방침 결정

심근 허혈 중증도 평가에 CCS 분류를 흔히 이용한다. 이것은 어느 정도의 활동에서 흉통이 나타나는지에 따라 중증도를 평가하는 분류다. 심 기능의 관점에서, 어느 정도의 활동 수준에 심근 허혈이 나타나서 심 펌프 기능의 감소가 시작되는지 아는 것은 중증도를 판정하는 요점의 하나다. 또 협심증에서 부정맥 발생여부도 중요하다.

이런 소견은 관상동맥의 동맥경화 병변의 시각적 협착도나 FFR[21]* 등 국소 허혈 평가만으로는 알 수 없으며, Ramp 부하를 이용한 CPX를 이용해야 비로소 평가할 수 있다. 따라서 CPX 결과에 근거한 치료 방침 결정은 생존 예후 개선에 가장 중요하다고 생각할 수 있다.

심근 허혈의 자각 증상은 일반적으로 흉통이다. 그러나 무통성 심근 허혈은 흉통으로 판단할 수 없다. 이 때는 흉통에 동반한 심 펌프 기능 저하 및 그에 따르는 숨찬 느낌으로 흉통을 판단한다. 이것도 CPX를 시행하여 어느 정도의 활동 수준에서 심 펌프 기능이 저하되고, 환기 반응에 이상이 나타나는 것을 보면 평가 가능하다. 따라서 무증상 심근 허혈에서도 중증도 평가가 가능하다.

관상동맥 협착 병변이 있을 때 CPX를 시행하여 2-3 METs에서 허혈 징후가 나타나면 중증이므로 PCI나 CABG을 시행하고, 6 METs 정도의 부하에서 허혈 징후가 있으면 중등증 이하이므로 심장 재활로 치료하면 좋다. CPX는 심근 허혈에서 치료 방침 결정에 필수적이다.

## ⓔ 만성 심부전의 병태 규명, 중증도 파악, 치료법 결정

만성 심부전은 심 기능 저하에 따라 전신 기능이 저하되는 증후군이므로, 만성 심부전의 중증도는 심 기능에 지장 없이 어느 정도 움직일 수 있는지에 따라 평가한다. 보통 NYHA 기능 분류를 많이 이용하고 있다. 한편 CPX는 운동 수용능을 수치로 나타낼 수 있어 만성 심부전의 중증도 평가 기준이 되는 검사다.

또 CPX에서 얻은 다양한 파라미터를 활용하여, 노작시 심 기능, 혈관 기능, 골격근 기능, 자율신경 활

역자주* ——————————

21   FFR (Fractional Flow Reserve, 심근 분획 혈류 예비량)

성 등이 정상적인지 평가할 수 있어, 눈 앞의 환자에 어떤 기능이 가장 저하되어 있는지 평가할 수 있으며, 치료 방침을 세울 수 있는 장점이 있다.

## Ⓕ 인공 심박동기의 최적 모드 설정

일상 활동 수준을 결정하는 것은 산소 섭취량이다. 산소 섭취량을 증가시키는 것은 심 박출량과 심박수이므로, 운동 중에 심박수가 증가하지 않으면 산소 섭취량을 충분히 증가시킬 수 없다. CRT-D[22] 삽입 수술 후 심박수 반응 기능을 적절히 설정하지 않으면 운동 중 산소 섭취량 증가가 불충분하여 ADL[23]이나 증상이 개선되지 않는다.

또 CRT의 방실 지연(AV interval or delay)설정도 심 박출량과 관계 있다. 심 초음파로 AV delay를 설정해도 그것이 노작시 심 박출량이 가장 증가된 설정이라고 할 수 없다. ADL을 높이기 위해서는 CPX를 이용하여 심 박출량이 가장 증가하는 설정을 찾아낼 필요가 있다.

## Ⓖ 심부전에서 승모판 치환술 (MVR)/성형술 (MVP)의 치료 효과 예측

만성 심부전에 동반한 승모판 폐쇄부전(역류)[24]는 전방 심 박출량을 감소시키는 요인의 하나다. 따라서 역류 교정을 위해 승모판 치환술 MVR[25]이나 성형술 MVP[26]을 시행할 수 있다. 그러나 심근 수축력이 후부하에 미치지 못하면, 수술 후에 심 기능이 오히려 저하되어 예후가 개선되지 않는다.

CPX에서 $\dot{V}E/\dot{V}CO_2$는 혈관 확장의 지표가 된다. 따라서 CPX를 시행하여, 0-10 Watt 의 가벼운 운동시에 $\dot{V}E/\dot{V}CO_2$ 저하, 즉 유효 혈관 확장을 얻을 수 있다고 평가하며 혈관 확장 예비능이 있다고 생각할 수 있다. 이것을 확인하면 MVR 나 MVP 시행 후 심 수축력이 저하 되는 일은 적다.

---

역자주[*]

22  CRT-D (Cardiac Resynchronization Therapy-Defibrillator, 양심실조율기)

23  ADL (Activities of Daily Living, 일상생활활동작)

24  MR (Mitral Regurgetation, 승모판 폐쇄부전(역류))

25  MVR (Mitral Valve Replacement, 승모판 치환술)

26  MVP (Mitral Valve Plasty, 승모판 성형술)

참·고·문·헌

1. Wasserman K, Hansen J, Sietsema K, et al. Principles of exercise testing and interpretation. 5th edition. Philadelphia: Lippincott Williams & Wilkins; 2011. p. 3.

2. Itoh H, Koike A, Taniguchi K, et al. Severity and pathophysiology of heart failure on the basis of anaerobic threshold (AT) and related parameters. Jpn Circ J.1989; 53:146-54.

3. Higginbotham MB, Morris KG, Conn EH, et al. Determinants of variable exercise performance among patients with severe left ventricular dysfunction. Am J Cardiol.1983; 51:52-60.

4. Myers J, Prakash M, Froelicher V, et al. Exercise capacity and mortality among men referred for exercise testing. N Engl J Med. 2002; 346: 793-801.

5. Mancini DM, Elsen H, Kussmaul W, et al. Value of peak exercise oxygen consumption for optimal timing of cardiac transplantation in ambulatory patients with heart failure. Circulation.1991; 83:778-86.

6. Zugck C, Kruger C, Durr S, et al. Is the 6-minute walk test a reliable substitute for peak oxygen uptake in patients with dilated cardiomyopathy? Eur Heart J.2000; 21:540-9.

# 2장

# CPX 준비; 하드웨어

## 1 호기 가스 분석 장치(그림 2-1, 2-2)

운동 처방이나 진단 목적으로 시행하는 CPX는 breath-by-breath법에 의해 1회 호흡마다 호기 가스를 측정한다. 이것을 가능하게 하는 연속 호기 가스 분석 장치는 유량계, 산소 분석계, 이산화탄소 분석계 등으로 구성된다(그림 2-1, 2-2). 유량계에는 열선식(熱線式)과 압차식(壓差式)이 있으며 모두 안정성과 유지성이 우수하다. 각각의 특징은 표 2-1, 2-2와 같다.

압차식은 최대 환기량에 따라 크기를 바꿀 필요가 있어 선택에 주의 한다(그림 2-3). 이산화탄소 분석계는 안정성이 뛰어난 적외선 흡수식(그림 2-4)이 거의 모든 호기 가스 분석기에 적용되고 있다. 산소 분석계는 기종에 따라 다양하며, 거치형은 산화 지르코늄식과 덤벨식이, 휴대형은 전극식을 이용하고 있었으나, 최근에는 산화 지르코늄식 휴대형 장치도 등장하고 있다. 각 장치의 특징은 표 2-3, 2-4와 같다.

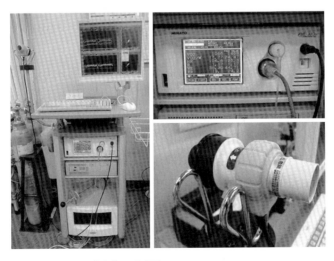

**그림 2-1** 연속 호흡 가스 분석 장치　AE-301S(미나토 의과학)

그림 2-2 연속 호흡 가스 분석 장치  Cpex-1(인터리하)

표 2-1  호흡 유량계의 비교(1)

| 종류 | 열선 유량계 | 압차 유량계 (pneumotachometer) | 와류량계 | 익차 유량계(터빈) |
|---|---|---|---|---|
| 형 | 정저항형. 정전압형 | Fleisch형, Orifice형 Venturi형 | Karman형, 와세차형 | Rotor형 |
| 원리 | 기류에 의해 빼앗기는 열선의 열량을 측정. 기체의 유속과 전류의 관계는 King의 법칙을 따름 | 기체의 점액 저항에 의해 생긴 압력 하강(압차)으로 유량을 측정. | 기체 중 물체의 하류에 와류가 생긴다. 이 와류에 의한 주파수는 유속에 비례한다 | 기류에 의해 회전하는 날개차의 회전 수가 유량에 비례하는 것을 이용 |
| 계측량 | 유속(적분하여 유량 계산) | 유량 | 유량 | 유량 |
| 장점 | • 저-고유량까지 직선성이 좋다<br>• 안정된 측정 범위가 넓다<br>• 호흡 저항이 작고, 호흡 용이<br>• 소형, 경량<br>• 점성이 없다<br>• 점도가 좋다 | • 직선성이 좋다<br>• 정밀도가 높다<br>• 관성이 작다<br>• 압차 측정이 단순<br>• 구조가 단순 | • 가스 조성의 영향이 없다. 와류 발생 주파수가 유속에 비례<br>• 기체의 온도, 습도, 가스 조성 등의 영향을 받지 않는다<br>• 전자 회로 조성이 단순<br>• Strohals 수가 일정(0.2)<br>• 와류 발생 수를 계산 | • 저-고유량까지 측정 가능 소형 메터<br>• 회전 수 출력을 위한 적립 필요<br>• 정밀도 저하하지 않음<br>• 유량을 직접 반영<br>• 펄스 출력을 얻는 구조가 간단하고 경량 |
| 단점 | • 가스 조성이 영향을 준다<br>• 기체 온도가 영향을 준다<br>• 기압이 영향을 준다<br>• 적분에 의한 오차가 있다<br>• 수증기의 영향을 받음 | • 측정 범위가 좁다<br>• 저류량에서 정밀도가 낮다<br>• 크기가 크다<br>• 온도, 가스 조성. 수증기의 영향을 받음<br>• 고류량에서 저항이 크다<br>• 점성의 영향 있다 | • 저류량의 특성이 나쁘다<br>• 저류량에서 안정성이 없다<br>• 고유량에서는 와류의 규칙성이 없고, 정밀도가 나쁘다<br>• 2 방향 측정이 곤란<br>• 와류 검출 센서 필요 | • 고유속에서 압손실을 일으킨다<br>• 빠른 유속을 따라갈 수 없다.<br>• 날개의 관성으로 반응성이 나쁘다<br>• 가스 조성의 영향을 받음. 기계에 따라 차이가 있음<br>• 베어링부의 마찰에 의한 반항 토크를 무시할 수 없다 |

**표 2-2** 호흡 유량계의 비교(2)

| 종류 | 열선 유량계 | 압차 유량계(pneumotachometer) |
|---|---|---|
| 형 | 정저항형, 정전압형 | Fleisch형, Orifice형, Venturi형 |
| 원리 | 기류에 의해 빼앗기는 열선의 열량을 측정. 기체의 유속과 전류의 관계는 King의 법칙을 따름 | 기체의 점액 저항에 의해 생긴 압력 하강(압차)으로 유량을 측정한다. |

| 측정량 | 유속(적분하여 유량 계산) | 유량 |
|---|---|---|
| 장점 | 저-고유량까지 직선성이 좋다<br>측정 범위가 넓고 안정<br>호흡 저항이 작고, 호흡 용이 | 물리적으로 안정<br>구조가 간단하여 관리 용이 |
| 단점 | 적분에 의한 오차가 있다<br>오염(침, 부착물)에 의해 영향 받음 | 측정 범위가 좁다<br>저류량에서 정밀도가 낮다<br>고류량에서 저항이 크다 |

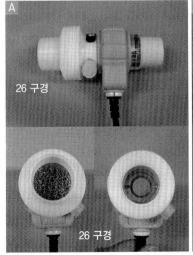 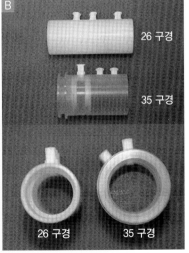

**그림 2-3** **프로세서의 비교** A. 열선식(미나토 의과학), B. 압차식(인터리하)

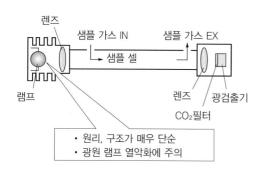

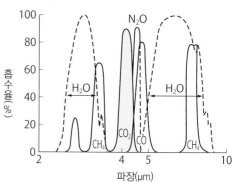

기체의 적외선흡수 특성그래프
$CO_2$는 4 µm를 중심으로 흡수되어 다른 기체와 분리된다

**그림 2-4**  $CO_2$의 측정 원리

**표 2-3**  $O_2$센서의 비교

| 종류 | 질량 분석계 | 지르코니아(Zr) $O_2$ 분석계 | 파라마그네틱 분석계 | 전극식 $O_2$ 분석계 |
|---|---|---|---|---|
| 형 | 자장형 | 지르코니아 세라믹형 | 덤벨(Dumbell)형 | 폴라로그라프형 갈바니식 |
| 원리 | 진공 하 자장에서 생긴 분자 이온의 신호를 측정 | 고온 하에서 $O_2$분자 이온 전도에 의한 기전력을 측정 | $O_2$분자의 상자성과 $N_2$ 분자의 반자성으로 덤벨의 움직임이 고정되는 전류를 측정한다 | 전극의 산화–환원 반응에 의해 생긴 전류를 측정 |
| 측정 범위 | 0–100% | 0–100% | 0–100% | 10–90% |
| 샘플량 | 60 mL | 200 mL | 200 mL이하 | 200 mL |
| 측정 가스 | $O_2$, $CO_2$, N, $N_2O$, CO 등 | $O_2$ | $O_2$ | $O_2$ |
| 반응 속도 | 100 msec | 150 msec | 250 msec 이하 | 200 msec |
| 시간 지연 | 300 msec | 700–1,000 msec | 1,000–2,000 msec | 1,500–2,000 msec |
| 직선 성능 | ±0.5% FS | ±1.0% FS | ±0.1% FS | ±1.5% FS |
| 장점 | • 반응 속도가 매우 빠르다<br>• 샘플량이 적다<br>• 여러 종류의 분자를 동시에 측정 가능<br>• 정밀도가 높다 | • 반응 속도가 빠르다<br>• 저농도에서도 정밀도가 높다<br>• 안정성이 높다<br>• 연속 측정 가능 | • 자성 이용으로 고정밀도이며 안정<br>• 열악화가 적다<br>• 재현성이 좋다<br>• 다른 가스의 영향을 받지 않는다 | • 비용 저렴<br>• 안정성이 높다<br>• 소형이고 경량<br>• 기동성이 있다. |
| 단점 | • 고가이다<br>• 진공을 일정하게 유지할 필요<br>• 장치 유지가 어려움<br>• 안정성 유지에 주의 필요 | • 측정부가 고온(700℃)<br>• 먼지나 수증기가 포함되면 정밀도 저하<br>• 다른 가스가 포함되면 정밀도 저하 | • 진동에 약하다(휴대형 불가)<br>• 반응 속도가 느리다(DSP[01]★화에 의한 신호 처리 기술이 개선되고 있다) | • 정밀도가 낮다<br>• 시간적 변화가 크다(열악화)<br>• 짧은 수명(반년–1년) |

역자주★ ————

01  DSP (Digital Signal Processing)

**표 2-4** O₂센서의 비교 (2)

| 종류 | 지르코니아식 산소 농도계 | 파라마그네틱(덤벨식) 산소농도계 |
|---|---|---|
| 형 | 산화 지르코늄 세라믹형 | 덤벨형 |
| 원리 | 지르코니아식 산소 농도계는 일반적으로 800℃ 정도의 고온에서 동작한다. 양면을 전극 가공한 지르코니아세라믹을 고온에서 한쪽 전극부는 산소 분자를 이온화하고, 다른쪽 전극부는 산소 이온을 산소 분자로 되돌리는 성질이 있다. 지르코니아 세라믹의 양쪽에 있는 가스의 산소 농도 차를 양전극 사이의 기전력의 크기로 구한다 | 셀 내에 질소를 봉입한 2개의 유리구가 있으며, 구체는 불균일한 자계 안에서 평형을 유지하고 있다. 자화율이 큰 산소 분자가 흐르면 구체가 멀어진다. 이 구체의 편위량을 검출하고 최초의 평형 상태로 되돌아가는 피드백 루프에 전류를 흘려 제어한다. 피드백 루프에 흐르는 전류에서 산소 농도를 구한다 |

| | | |
|---|---|---|
| 장점 | • 반응 속도가 빠르다<br>• 저농도에서 정밀도가 높다<br>• 안정성이 높다<br>• 연속 측정 가능 | • 자성 이용에 의해 정밀도가 높으며 안정<br>• 열악화가 적다<br>• 재현성이 좋다<br>• 다른 가스의 영향이 없다 |
| 단점 | • 측정부가 고온(700℃)<br>• 먼지나 수증기가 포함되면 정밀도가 저하한다<br>• 다른 가스를 포함하면 정밀도가 저하한다 | • 진동에 약하다(휴대용 불가)<br>• 반응 속도가 느리다(DSP에 의한 신호 처리 기술에 의해 개선) |

## Ⓐ 가스 분석계의 교정 (캘리브레이션)

VO₂나 VCO₂는 호흡 시의 가스 농도 변화를 가스미터의 특성에 따라 반응 시간의 지연(delay time)이나 파형 일그러짐을 보정하여 정밀도가 높은 프로세서의 신호에 따라 계산한다(그림 2-5). 대부분의 제품은 프로그램에 의한 자동 교정 기능이 탑재되어 있다. 실제로 ① 호기 농도(O₂ 15%, CO₂ 5%) 및 흡기 농도 (O₂ 5%, CO₂ 0%)와 비슷한 표준 가스를 이용한 2점 교정과 ② 반응 시간을 분석하여 교정이 제대로 되었는지 판정한다(그림 2-6). 적절한 교정을 위해서, 자동 교정을 시행하기 전에 확인해야 할 요점은, ① 장치에 입력하는 가스 농도와 표준 가스 봄베(Bombe)에 기록되어 있는 가스 농도가 일치하고(특히 봄베 교환 시), 봄베압이 저하되지 않았는지, ② 환경 자료(기온, 습도, 기압)가 실측치와 차이가 없는지, ③ 펌프의 유량이 적정한지(50-170 mL/분: 기종에 따라 다르다), 또 에러 메시지가 없는지[최신 장치에는 펌프 흡인량(흡인압) 감시나 필터 교환 시기가 표시되어 트러블을 미연에 방지하는 기능이 확실하다], ④ 충분히 예

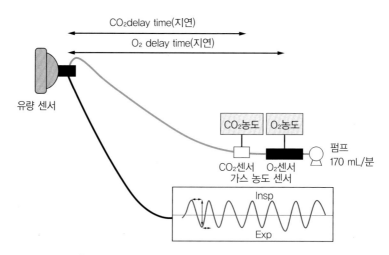

**그림 2-5** 측정 원리의 모식도 $\dot{V}O_2$나 $CO_2$는 호흡 시마다 얻어진 가스 농도 변화를 가스 메터의 특성에 의한 반응 시간의 지연이나 파형의 일그러짐을 보정하여 고정밀 프로세서의 신호에 의해 계산한다.

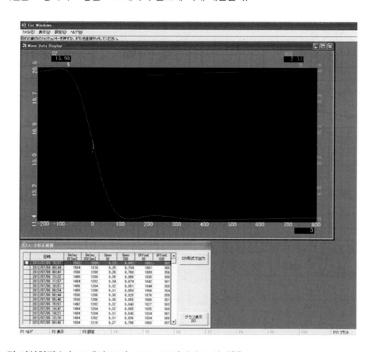

**그림 2-6** 산소 및 이산화탄소 농도계의 교정 AE-319S(미나토 의과학)

열 되는지(30-60분 정도: 기종, 원리에 따라 다르다, **그림 2-7**) 등이다.

　　샘플링 튜브 길이나 필터 상태는 delay time에 영향을 주므로 교환하면 재교정이 필요하다. 이 때 지난 번 교정 결과와 비교하여 에러 메시지가 나올 수 있으나, 반복한 교정 결과가 일정하면 그대로 적용해도 좋다. 교환 후 수일간은 주의 깊은 감시가 필요하다.

16

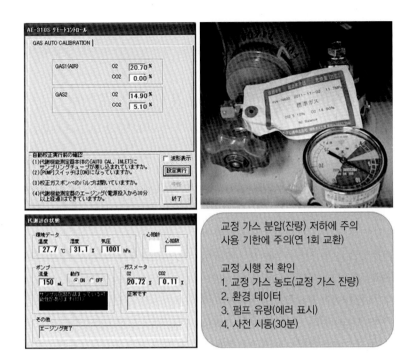

교정 가스 분압(잔량) 저하에 주의
사용 기한에 주의(연 1회 교환)

교정 시행 전 확인
1. 교정 가스 농도(교정 가스 잔량)
2. 환경 데이터
3. 펌프 유량(에러 표시)
4. 사전 시동(30분)

**그림 2-7**  자동 교정 시행 전 확인 요점

**표 2-5**  열선 유량계 교정(일본 호흡기학회, 폐생리 위원회, 폐기능 검사지침)

- 센서 교정
    센서 교정은 1일 1회(기기 시동 시) 시행
- 교정 전에
    기기의 전원을 넣고 나서 10분 이상 워밍업 시간을 갖는다
    환경 데이터(기온, 습도, 기압) 입력
- offset 교정
    무풍 상태의 센서 출력을 측정한다
    측정 전에 교정기의 피스톤을 앞으로 움직여 센서 내의 공기를 바꿔 넣는다
    센서의 개구부를 손으로 눌러 센서에 바람이 들어가지 않게 한다
- 감도 교정
    일정 용량으로 조정된 교정기의 용량을 측정하여 감도 계수를 조정한다
    교정기 내의 온도, 습도가 실내와 같게 유지하도록 주의 한다
    교정기의 피스톤을 반드시 끝에서 끝까지 움직인다
    교정기 끝에 피스톤을 심하게 미는 조작을 하지 않는다
- 정밀도 확인
    교정기를 이용해 기량을 측정하여, 흡기량과 호기량의 양쪽이 기대치의 ±3%가 되는 것을 확인한다. 고기류, 중기류, 저기류의 3종류에서 시행한다

## 1) 표준 가스의 취급

표준 가스의 유효 기한은 일반적으로 1년이므로 재고 관리가 중요하다. 고압 가스 봄베를 설치할 경우에는 반드시 세워둔 상태로 확실히 고정(보관 때도 세운 상태로 고정)한다. 봄베의 몸통 부분은 고압이나 충격에 견딜

수 있도록 두껍게 만들어져 있지만, 밸브 부분은 외부 충격에 약하며, 바닥에 눕혀 사용하면 낙하물 등의 충격으로 밸브 부분이 접힐 위험이 있다. 과거의 사고에서 대부분은 밸브 부분의 파손이었으며(세워 놓았던 봄베가 넘어져 밸브 부분이 파손한 경우도 있다) 고압 가스가 일시에 분출하여 봄베가 로켓처럼 날아갔다고 한다. 이런 사고는 언제나 일어날 수 있다. 가스 봄베 교환 시 순서를 지켜 확실히 시행하지 않으면 사고 위험이 있다.

### ⓑ 유량계 교정

유량계의 측정 원리에 따라 교정 방법이나 빈도가 다르다. 유량계에는 열선 유량계와 압차 유량계가 있으며(**표 2-1**), 전자는 가스량의 이동 속도와 온도 용량으로 가스 유량을 계산한다. 한편 후자는 저류량에서 정밀도가 낮아지고, 제로(offset)의 변동이 있어 offset치의 빈번한 교정으로 안정된 자료를 얻을 수 있다.

일본 호흡기학회의 폐 기능 검사 지침에 의한 열선 유량계 교정 순서는 표 2-5와 같다. 열선 유량계는 열선 온도에 좌우되므로 기기 작동 시작 전에 충분한 예열 시간(10분 이상)을 두고, 적어도 1일 1회 교정이 필요하다. offset 교정과 감도 교정을 시행한 뒤에는 반드시 정밀도를 확인한다. 교정기(**그림 2-8**)를 이용하여 기량을 측정하여, 흡기량과 호기량의 양쪽이 기대치 ± 3% 이내인 것을 확인한다. **그림 2-9**는 교정 및 정밀도를 점검하는 실제 화면이다. 주의해야 할 요점은, 기체는 온도에 따라 체적이 변화하므로 실린더를 몸에 가까이 붙이는 조작은 바람직하지 않다. 또 교정용 실린더와 정밀도 점검용 실린더 2개를 준비하여 구분해 사용하면 실린더의 정확도를 상호 점검할 수 있다. 측정치에 차이가 있으면 교정기 검정이 필요하다.

### ⓒ 일상 관리 (정도 관리)

검체 검사 분야는 정도 관리 기법이 확립되어 있으나, 생리 기능 검사 분야는 아직 충분하다고 말하기 어렵다. 최근 기기 제조사도 그 중요성을 인식하여 정도 관리 기능이 있는 호기 가스 분석 장치를 발매하

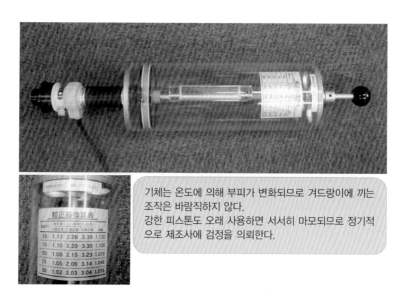

기체는 온도에 의해 부피가 변화되므로 겨드랑이에 끼는 조작은 바람직하지 않다.
강한 피스톤도 오래 사용하면 서서히 마모되므로 정기적으로 제조사에 검정을 의뢰한다.

**그림 2-8** 유량 교정기(실린더형, 피스톤형)

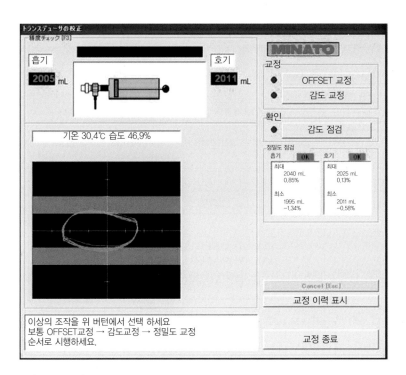

**그림 2-9** 열선 유량계(트랜스듀서)의 교정 　AE-310S(미나토 의과학)

고 있다. 한 예로 미나토 의과학사의 AE-310S에는, 가스 교정 시 $O_2$, $CO_2$의 delay time, span, offset치를 자동적으로 보존하여, 교정 이력을 수치 및 그래프 표시로 확인할 수 있다(**그림 2-10**). $CO_2$ 센서는 총 사용 시간이 길어지면 램프 광량이 약해져서 반응성이 저하된다. 램프 성능 저하는 offset치의 변화를 보아 점검할 수 있다. delay time이 갑자기 변화하면 샘플 튜브나 필터가 막힌 가능성을 생각할 수 있으며, delay time은 기압에 따라 동요하므로 기압 변동을 고려하여 판단한다(**그림 2-11**). 샘플링 튜브나 필터를 교환하면 수치가 크게 변동할 수 있으므로 교환 이력을 제대로 기록해 둘 필요가 있다. 유량계 교정처럼 offset 및 흡기, 호기의 출력치와 온도, 습도, 기압(장치 내장 계기로 측정)을 보관하여 수치 및 그래프 표시로 확인한다. 환기량뿐 아니라 출력치를 관리 하는 것은 기준치가 온도, 습도, 기압에 의해 매일 변동되기 때문이다(**그림 2-12**). 유량계의 offset치가 갑자기 변화하면 센서에 오염물이 부착되어 있을 가능성을 생각할 수 있다. 간과하기 쉬운 것은 내장된 계기의 관리이다. 내장된 계기의 이상은 교정에 영향을 미친다. 검사실 내에 온습도계를 설치하여 정기적으로 확인한다. 기압계가 없으면 지방 기상대에 문의한다. 장치 상태의 자세한 기록과 부품 교환이나 정비 기록은 측정 장치 이상의 조기 발견에 도움이 된다.

　캘리브레이션을 시행하고 제대로 교정되었는지 검증이 필요하다. 일반적으로 피험자의 안정시 자료에서 캘리브레이션 적정 여부를 판단하나(**표 2-6**), 의료진 자신의 안정시 자료를 이용한 정도 관리도 유용하다. 이 때 일정한 조건으로 적어도 3분간 안정시에 기록하고, 마지막 1분간의 평균치를 매번 기록해 두어

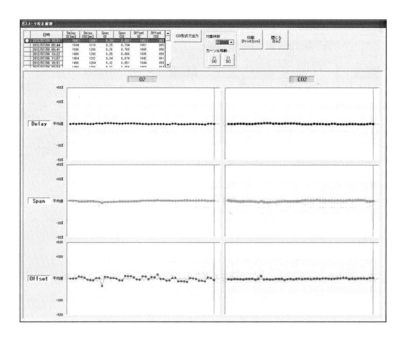

그림 2-10 산소 및 이산화탄소 농도계의 정도 관리 화면(과거 50회분을 표시)

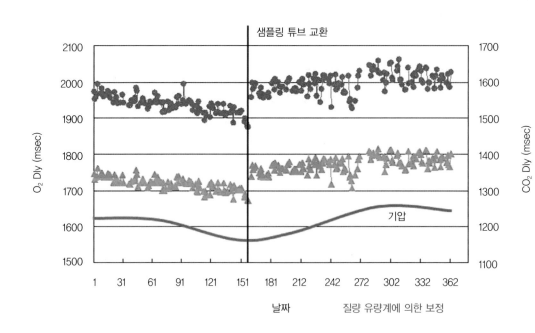

그림 2-11 Delay time과 기압의 변동 샘플링 튜브 교환이나 계절에 따라 변동되는 것을 알 수 있다

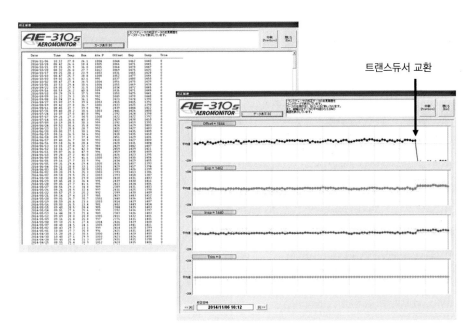

트랜스듀서 교환

**그림 2-12** 유량계의 정도 관리 화면

**표 2-6** 부하 시작 전 확인 사항

| 항목 | 참고치 |
|---|---|
| ECG, 혈압 | 기록 상태 확인, 부정맥 유무, SBP < 180의 확인 |
| $\dot{V}O_2$ | 1.1–1.8 METs ($\dot{V}O_2$: 3.8–6.3 mL/분/kg) |
| R, RER[02]* | 0.75–0.95 (식사 내용이나 긴장에 의해 변동) |
| $\dot{V}E$ | 8–10 L/분 |

이상의 기준을 벗어나면 호흡수나 호흡 패턴, 마스크 장착을 확인한다. 이상이 없으면 기기 재교정을 시행한다.

다음에 그 자료와 비교하면 좋다. 그러나 안정시 자료도 몸 상태 변화에 따라 변동하므로 해석에 주의한다 (그림 2-13).

### D 호기 가스 분석기, 검정

　호기 가스 분석 장치의 정확성은 가스 농도 변화와 환기량 변화의 상호 균형에서 종합적으로 평가할 필요가 있다. 호흡을 인공적으로 재현할 수 있는 인공 폐(metabolic calibrator)[1]를 사용하여 이론치에 대한 실

역자주* ───────

02　R, RER (Respiratory Exchange Ratio, 가스교환비)

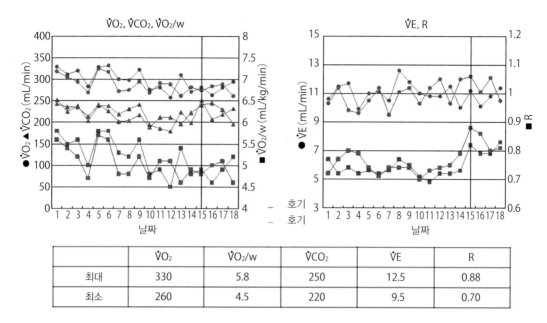

| | $\dot{V}O_2$ | $\dot{V}O_2/w$ | $\dot{V}CO_2$ | $\dot{V}E$ | R |
|---|---|---|---|---|---|
| 최대 | 330 | 5.8 | 250 | 12.5 | 0.88 |
| 최소 | 260 | 4.5 | 220 | 9.5 | 0.70 |

**그림 2-13** **날짜에 따른 변동(재현성)** 같은 피험자에서 18일간의 안정시 데이터(2대의 호기 가스 분석 장치를 사용). 이 정도의 편차는 있다. 15일 이후에 몸 상태 불량(기침)으로 R이 컸다.

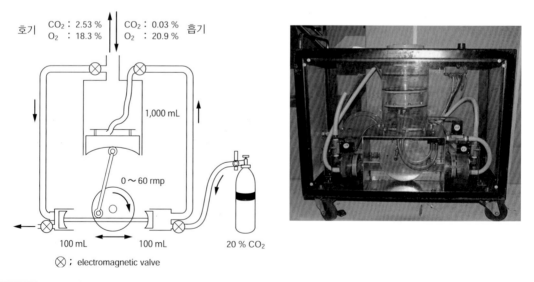

**그림 2-14** **인공 폐(metabolic cariblator)의 모식도와 사진** 1,000 mL 실린더를 모터로 움직여, 호기시에 100 mL를 대기 중으로 내보내고, 그 대신 20% $CO_2$, 80% N2 혼합 가스를 100 mL 실린더 안에서 혼합하여 호기로 내보낸다. 회전 수 즉 호흡수 변동에 의해 ATPS[03]* 에서 1회 환기량: 1,000 mL x 호흡수의 $\dot{V}E$를 얻을 수 있고, RER은 호흡수에 의하지 않고 일정하다.

역자주* ————

03  ATPS (Ambient Temperature and Pressure Saturated with water vapor, 실온 대기압 수증기 포화상태)

측치의 오차를 구한다(**그림 2-14**). 약효 평가나 치료 효과를 판정하기 위해서는 종합적 오차가 10%를 넘으면 정확한 평가가 어렵다고 생각할 수 있어 장치 자체에 의한 오차를 5% 이하로 낮추어야 한다. 인공 폐를 모든 병원에 구비하기는 어려우며 1년에 1-2회 제조사에 의뢰한다. 인공 폐 검정을 시행하면 캘리브레이션 반응 곡선을 보관하여 일상 정도 관리에서 이것과 비교하여 반응성을 확인 한다.

## **2** 부하 장치

CPX에 이용하는 부하 장치에는 자전거 에르고미터와 트레드밀이 있다. 급성기의 운동 요법 처방에는 기본적으로 자전거 에르고미터를 이용하며, 회복기나 유지기에는 보행이 가능하므로 운동 양식에 따라 부하 장치를 선택 한다. 나이나 체격 등 안전성을 고려한 선택도 필요하다(**표 2-7**). 인공 심박동기의 반응 기능 점검이나 설정을 목적으로는 트레드밀을 선택한다. 에르고미터와 트레드밀은 사용하는 근육군이 다르며, 골격근의 펌프 작용 차이에 따라 측정 결과에 차이가 날 수 있어(peak $\dot{V}O_2$가 트레드밀보다 5-20% 낮다)[2], 운동 처방이 목적이면 운동 종류의 고려도 중요하다.

### **A** 자전거 에르고미터

자전거 에르고미터의 특징은, 부하량 조절이 쉽고, 정량 부하가 가능하며, 외적 부하량을 정확히 정량

**표 2-7** 트레드밀과 자전거 에르고미터의 비교

| 특징 | 트레드밀 | 자전거 에르고미터 |
|---|:---:|:---:|
| 높은 peak $\dot{V}O_2$ 및 최고 산소맥 | ○ | ○ |
| 최고 심박수 및 최고 환기량의 재현성 | ○ | ○ |
| 부하법의 익숙함 | ◎ | ○ |
| 부하(운동 강도)의 정량화 | △ | ◎ |
| 교정의 쉬움 | ◎ | × |
| 심전도, 호기 가스, 혈압 측정의 쉬움 | △ | ◎ |
| 동맥혈 샘플의 쉬움 | △ | ◎ |
| 안전성(골격근 손상이나 의식 소실에 대해) | × | ○ |
| 누운 자세에서 사용 | △ | ○ |
| 검사실 공간 | △ | ○ |
| 소음 | △ | ○ |
| 가격 | △ | ○ |
| 운반의 쉬움 | × | ◎ |
| 미국의 경험 | ◎ | △ |
| 유럽의 경험 | ○ | ◎ |

유리 (◎), 약간 유리 (○), 약간 불리(△), 불리 (x)

화할 수 있어 운동 강도[04]* – 산소 섭취량($\dot{V}O_2$) 관계의 평가가 가능하고, 보행 부하에 비해 체위 변동이 적어 안정된 자료를 얻을 수 있으며, 또 넘어질 위험이 적다. 그러나 피험자의 자유 의지에 의해 부하를 중지할 수 있고, 동원되는 근육군이 트레드밀에 비해 적으며, 부하에 페달을 돌리는 근력이 필요하여 트레드밀에 비해 최대 부하를 얻기 어렵다.

### 1) 안장과 손잡이 조절

안장 높이는 발꿈치를 페달 중앙에 둔 상태에서 무릎 관절이 곧바로 펴지도록 조절하고(**그림 2–15 왼쪽**), 다음에 엄지 발가락을 페달 중앙에 놓아 적당한 여유가 있으면 페달을 돌리기 쉬운 높이이다(**그림 2–15**). 실제로 자세나 자전거의 페달 돌리기를 고려하여 피험자와 상의하여 높이를 조정한다. 안장이 낮으면 고관절에 부하가 걸리고, 높으면 엉덩이 좌우 차이로 통증을 일으킨다. 또 안장 조정이 최대 운동 부하량이나 산소 섭취량에 영향을 줄 수 있으므로 시간이 지나서 지난번 자료와 비교할 때를 대비하여 안장 높이를 기록해 둘 필요가 있다.

손잡이 위치는 상체를 바로 펴서 팔이 약간 구부러지는 위치로 조정한다(**그림 2–16**). 강하게 잡거나, 굴곡되어 있으면 혈압이 정확하게 측정되지 않을 수 있다. 혈압 모니터 불량은 운동 부하 중지의 기준이 되어 최대 부하 검사의 제한이 된다. 또 검사시의 자세가 환기량이나 산소 섭취량에 영향을 줄 수 있어 신중하게 조절한다.

### 2) 회전 수

회전 수에 대한 명확한 기준은 없지만, 일반적으로 50-60 rpm을 이용한다. 실제로는 각 병원에서 운동 요법에 이용하는 회전 수로 통일하면 좋다. 정상인의 50, 60, 70 rpm 비교에서, AT 이하의 일정량 부하에 70 rpm이 유의하게 산소 섭취량이 높았다(**그림 2–17**).

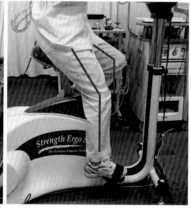

**그림 2-15** 안장 높이 조절

역자주* ————————

04  WR (Work Rate, 운동 강도)

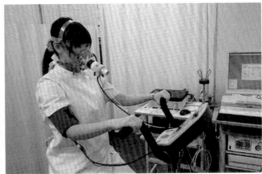

그림 2-16  검사 시 자세   정면을 응시한 자세가 올바르다(오른쪽)

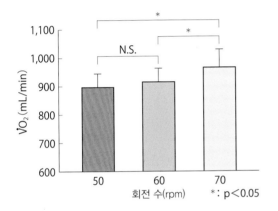

그림 2-17  페달 회전 수의 영향   회전 수가 높으면 $\dot{V}O_2$에 영향을 주며, 낮으면 회전 불규칙에 의해 안정성 저하

한편 30, 60, 90 rpm으로 20 Watt Ramp 부하 시행에서 AT까지 도달시간은 회전 수가 낮을 수록 빨랐다. AT치에 유의한 차이는 없었으나, AT 시점에서 심박수 및 호흡곤란(Borg 지수)은 회전 수가 높을 수록 컸다.[3]

부하 검사 중 회전 수를 일정하게 유지하도록 설명하지만, 엄격하게 회전 수를 표시 해도 피험자의 회전 수 조정 부조화에 의해 회전 수는 불안정하게 된다. 이럴 때에는 Pitch[05]*에 맞추는 방법이 효과적이다. 필자는 45-65 rpm을 허용 범위로 하여, 40 rpm을 유지할 수 없으면 부하를 종료한다.

### 3) 에르고미터의 새로운 기능 (그림 2-18)

서버 모드를 이용하면 마이너스 50 Watt 에서 60 Watt까지 정확한 부하가 가능하며, 종래의 에르고미터로 어려웠던 20 Watt 이하의 AT 시점 결정을 쉽게 시행할 수 있다. 종래의 에르고미터의 페달 돌리기는 와전류 방

역자주* —————

05  Pitch (parameter of exercise intensity, 피치, 회전 수)

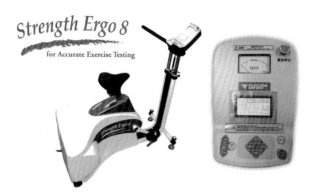

그림 2-18  자전거 에르고미터
Strength Ergo 8(미쓰비시 엔지니어링)

식의 구조상, 80-100 Watt에 해당하는 부하가 걸려서 고령자나 급성기 재활훈련, 또는 시정수[06]$^{*}$ 측정을 위해서는, 페달 돌리기를 시작할 때 피험자의 페달을 돌려주는 지원이 필요했으나, smooth 스타트 기능을 탑재하여 무리한 부하를 주지 않고 0 Watt에서 지정 부하까지 원활한 상승이 가능해졌다.

저체력 환자에게는 전동 안장을 이용하여 환자가 앉아있는 상태에서 안장 높이 조절이 가능하게 한다. 승강 시 넘어질 위험의 감소를 위한 대책도 있다. 사용 빈도에 따라 자동 제로점 조정 기능이 탑재된 기종도 있다.

### B 트레드밀

트레드밀의 특징은, 속도 및 경사를 자유롭게 설정할 수 있고, 피험자에게 익숙한 보행 운동이며, 피험자의 자유 의지로 중지할 수 없기 때문에 최대 부하까지 도달할 수 있는 점 등이다. 단점으로는, 넘어질 위험이 높으며, 운동량을 정량화할 수 없다는 것이다. 그러나 최근의 트레드밀은 속도와 경사를 변수로 산소 섭취량 예측식(그림 2-19)이 고안되었으며[4], 이 이론식을 이용하여 속도와 경사 조절에 의해 산소 섭취량이 직선적으로 증가 하는 '트레드밀 Ramp 프로토콜'이 설계되었다(그림 2-20). 일부 부하 장치는 이 이론식을 이용하여 CPX 를 위한 직선적 점증 부하 트레드밀 프로토콜(T-RAMP)이 표준 장비로 되어 있다(표 2-8). 이 이론식을 이용하면 2차 방정식으로 경사를 설정할 수 없는 가정용 트레드밀에도 속도 처방이 가능하다.

### 1) 보행 자세

기본 보행 자세는 일반 트레드밀 부하 검사와 같다. ① 팔을 뻗고 난간을 가볍게 쥐어 균형을 잡는다(난간을 강하게 잡거나, 팔을 심하게 구부리면 혈압을 정확하게 측정할 수 없다), ② 상체를 바로 세운다(등을 펴고 얼굴을 위로 한다), ③ 발이 앞에 오도록 큰 걸음으로 천천히 걸을 것을(발뒤축을 차지 않는다) 설명한다(그림 2-21). 호기 가스 분석을 위해 마스크를 착용하면 시야가 매우 좁아져 발 밑이 보이지 않아 보행 시작 시에 불안감이 있

역자주*

06  τ (tau 시정수 時定數  time constant), V̇O$_2$의 지수 함수적 증가가 평정상태의 1/e에 도달할 때 까지의 시간

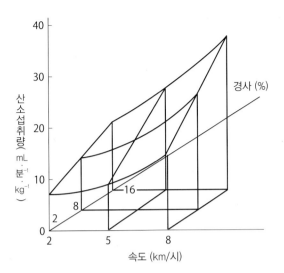

그림 2-19 **속도와 경사에 의한 산소 섭취량의 변화** [4)

$VO_2 = 0.15S2 + 0.148G + 0.458 + 0.40G + 4.23$     속도: S(km/시), 경사: G(%)

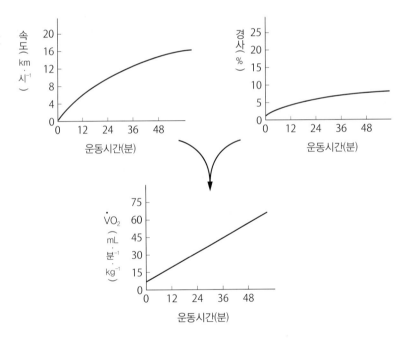

그림 2-20 **트레드밀 RAMP 부하 검사 프로토콜**   그림 2-19의 이론식을 이용하여, 속도를 고려하면서 경사를 조정하여 산소 섭취량이 직선적으로 증가하도록 한다 [4)

다. 마스크 착용 전에 발밑을 보게하여 구체적으로 설명한다. 최대 부하가 목적이면 증상 출현시 및 증후 한계의 의사 표현 방법을 꼼꼼히 확인한다. 부하 종료 판단이 에르고미터보다 어렵다.

| 표 2-8 | T-RAMP 프로토콜(특허 취득) |
|---|---|
| • TR-2 : V̇O₂가 1분에 2 mL/분/kg씩 증가…저체력자(환자 수준) |
| • TR-3 : V̇O₂가 1분에 3 mL/분/kg씩 증가…일반 여성 |
| • TR-4 : V̇O₂가 1분에 4 mL/분/kg씩 증가…일반 남성 |
| • TR-5 : V̇O₂가 1분에 5 mL/분/kg씩 증가…운동 습관이 있는 고체력자 |

ML-9000(후쿠다 전자)

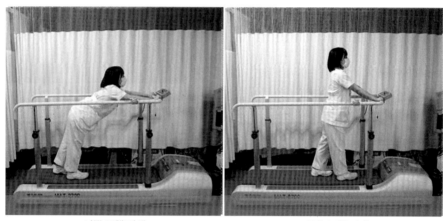

나쁜 보행 자세        좋은 보행 자세

그림 2-21   트레드밀의 자세

## 2) 난간의 영향

트레드밀 부하 검사에서 넘어짐 방지 등 안전면에서 난간 사용이 일반적이다. 트레드밀 보행 중 난간 사용이 산소 섭취량에 미치는 영향을 보면, 산소 섭취량은 난간 없음 > 한 손 사용 > 양손 사용의 순서로 높고, 경사가 심하고, 속도가 빠를수록 영향이 크다[5](그림 2-22)[6].

## 3) 트레드밀 정기 점검

트레드밀 교정은 에르고미터보다 쉽다. 벨트 길이와 회전 수로 속도를 계산한다. 벨트 부분에 표식을 붙여 벨트 길이를 측정한다. 그 다음 벨트를 작동시켜 5분간 회전 수(카운트 수)를 12배한 시속으로 환산하여 정확도을 확인한다. 각도는 지점 사이의 거리와 높이를 측정하고, 높이를 지점 사이의 거리로 나누고 100을 곱해서 경사도(%)를 구한다(그림 2-23). 속도와 경사 교정은 트레드밀에 피험자가 없는 상태에서 시행한다. 또 교정 후 중등도 체중(75-100 kg)의 피험자가 트레드밀에서 보행했을 때 눈금이 정확한지 확인한다. 속도는 피험자의 체중에 관계없이 일정해야 한다. 또 정기적으로 응급정지 스위치의 동작 여부나 난간의 흔들림을 확인한다.

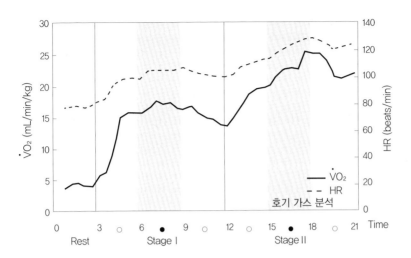

**그림 2-22** 트레드밀 부하검사(Bruce법)의 각 단계에서 산소 섭취량과 심박수의 변화[6]  난간을 잡지 않으면 $\dot{V}O_2$, HR이 상승되고, 난간을 잡으면 저하된다(되돌아 간다).  ○(clear zon): 난간을 잡는다, ●(shaded zone): 난간을 잡지 않는다

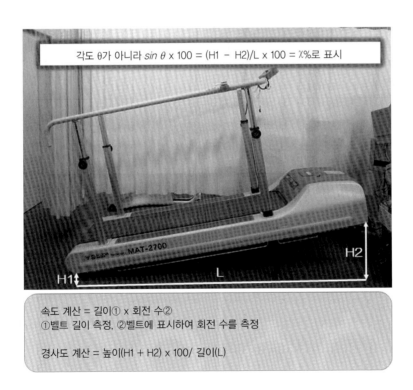

**그림 2-23** 트레드밀의 경사도(slope)

## ❸ 페이스 마스크와 마우스 피스

호기 가스 분석에는 페이스 마스크 또는 마우스 피스를 사용하며, 가장 큰 차이는 용적[해부학적 사강량(死腔量)]이다. 마우스 피스의 용적은 약 15 mL, 페이스 마스크의 용적은 약 60 mL이고, 프로세서를 포함하면 전체 사강량은 약 150-200 mL이다. 이 사강량의 차이는 $\dot{V}E/\dot{V}CO_2$나 $\dot{V}E$ vs. $\dot{V}CO_2$ slope에 영향을 준다(**그림 2-24**). 문헌에서 호기 가스 분석 자료를 비교할 때 해석에 주의를 요한다(일본과 유럽에서는 페이스 마스크, 미국에서는 마우스 피스의 이용이 많다).

### Ⓐ 페이스 마스크

페이스 마스크를 착용하면 폐포 환기량을 유지하기 위해 1회 환기량이 증가하므로 심 질환이나 호흡기 질환, 현저한 비만 환자 등에서 가벼운 호흡 곤란이 나타날 수 있다.

#### 1) 페이스 마스크의 선택

피험자의 입 크기나 턱의 모양, 코의 높이에 따라 적절한 크기를 선택한다. 입을 크게 열거나 입꼬리를 옆으로 당겨("이-"라고 소리내는 상태) 마스크와 틈이 생기는지 미리 확인한다(**그림 2-25**). 페이스 마스크에서 공기가 새거나 말을 하면 검사 결과가 부정확하게 되는 것을 충분히 설명하여 입을 너무 크게 벌리지 않도록 주의한다.

#### 2) 페이스 마스크 착용

코와 입을 가리도록 마스크를 착용하여 밴드로 고정 한다. 머리카락이나 머리 모양에 따라 고정이 잘 안 되어

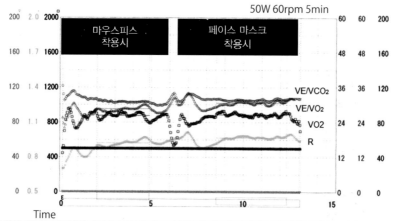

| | $\dot{V}E$ (L/min) | $\dot{V}CO_2$ (mL) | R | TV E (mL) |
|---|---|---|---|---|
| 마우스 피스 | 25.0 | 806 | 0.93 | 1204 |
| 페이스 마스크 | 27.1 | 856 | 0.96 | 1395 |

**그림 2-24** 마우스 피스와 페이스 마스크의 비교

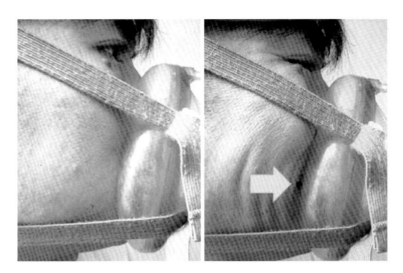

그림 2-25 마스크 크기의 주의점 적합한 크기의 마스크에서도 입꼬리를 당기면 틈새(화살표)가 생긴다(특히 최대 부하 근처에서 주의하도록 설명해 두면 좋다).

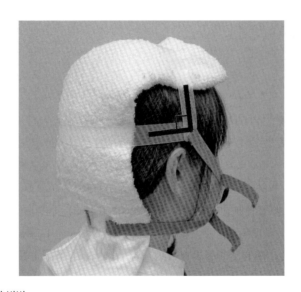

그림 2-26 마스크 장착 방법

검사 중에 점차 미끄러져 어긋나는 일이 있으므로 타올 등으로 보정해둔다. 머리쪽 밴드는 2개의 각도가 수직이 되도록 고정하면 미끄러지지 않는다(그림 2-26).

　마스크를 착용하고 마스크 앞을 누르며 숨을 내쉬게 하여 공기가 새지 않는 것을 확인한다(꼬뿌리 옆으로 새는 일이 많다). 마스크가 너무 조이면 압박감에서 과환기가 될 수 있으며, 너무 느슨하면 공기가 샐 수 있으므로 확인하여 적절히 조정한다. 마스크의 구경이 프로세서에 영향을 주기 때문에, 페이스마스크는 반드시 제조사가 지정한 것을 사용해야 한다.

**B** 마우스 피스

　　마우스 피스를 사용하면 코 클립을 사용하여 코 호흡에 의한 누출을 방지해야 한다. 마스크보다 사강량의 작은 것이 장점이지만, 마우스 피스를 치아로 고정하는 것에 약간의 연습이 필요하고, 침이 입에 고이기 쉬운 것이 단점이다. 침 처리가 제대로 안되면 프로세서에 영향을 주어 정확한 자료를 얻을 수 없을 뿐 아니라, 고장의 원인이 되기도 한다.

## 4 　실내 환경

　　운동 부하 검사실은 채광이 충분하고, 청결하고, 환기가 좋아야 하며, 온도와 습도가 조절되어 있지 않으면 안된다(표 2–9). 온도와 습도는 운동 부하 검사 결과에 영향을 주어 15℃ 이하의 저온에서는 부정맥 출현이 증가한다. 심박수, 혈압, 산소 섭취량 등도 온도에 따라 반응이 다르다[7]. 또 습도가 60%를 넘으면 심혈관계 반응에 변화를 일으키기 쉬우며, 고온 다습이 되면 최대 운동 능력이 저하한다[1]. 따라 검사실은 온도 20-25℃, 습도 40-60% 정도로 설정하는 것이 바람직하다.

**A** 응급 상황의 준비

　　운동 부하 검사의 위험은 환자의 배경에 따라 다르지만, 일본 심전도학회의 조사에서, 운동 부하 검사 중 사망 사고는 1/264,000, 제세동기 사용은 1/157,000, 심근경색 발생에 의한 응급 입원은 1/143,000 를 보였다[2].

| 표 2–9 　검사실의 환경 |
| --- |
| • 충분한 채광 및 환기 |
| • 실내 온도: 20–25℃ |
| • 실내 습도: 40–60% |
| • 응급 처치 시행에 충분한 공간(후송 경로) |

　　일본 후생성 위탁연구반의 '심장 재활 실태'보고에 의하면, 급성 심근경색에서 스텐트 삽입 시술 후에 시행한 운동 부하 검사 시행에서, 24시간 이내의 관상동맥 폐색은 0.023% (1/4,360)였다(티클로피딘 중단한 예).

　　응급 상황에 대비하여 검사실 설계에 의료진의 동선이나 환자의 후송을 고려하며, 부하 장치 주위에 응급 처치를 시행할 수 있는 충분한 공간을 확보한다(그림 2–27).

　　제세동기나 삽관 세트 등의 구급 기기(표 2–10, 그림 2–28), 응급 사태에 사용하는 약제(표 2–11)를 갖추어 두고 정기적으로 확인한다. 모든 의료진에게 응급시 대처 방법을 주지시키고, 정기적으로 훈련한다. 필자는 응급 상황 컨퍼런스를 개최하여, ① 실제 경험한 증례 보고, ② 시뮬레이션에 의한 문제점 추출, ③ 문제점 해결안 토론, ④ 기본소생술[07] 복습 등을 시행하고 있다(그림 2–29). 또 실제 상황 발생에 당황하지 않도록 대응 순서를 게시해두면 좋다.

역자주* ―――――――

07 　BLS (Basic Life Support, 기본소생술)

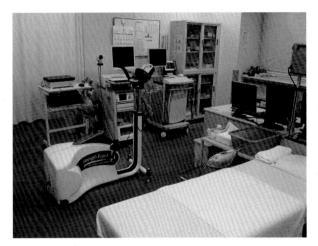

검사실의 환경

**표 2-10** 응급처치기기

---

- 소생 용구
  기관 삽관세트(후두경, 삽관 튜브, 바이트 블럭(bite block), 스타일렛)
  흡인기
  Ambu bag®
  비 카뉼라, 벤츄리 마스크, 비재호흡식 마스크, 산소 마스크
  제세동기,
  심폐소생술용 back board

- 산소 봄베(가능하면 후송을 위한 휴대형)
- 산소포화도 측정기
- 수액 세트, 수액 스탠드
- 들것(stretcher)

---

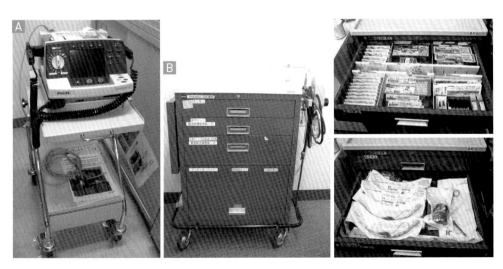

**그림 2-29** A : 제세동기, B : 응급 카트

**표 2-11** 응급용 비치 약제의 예

- 혈압 상승제 : 아드레날린, 노르아드레날린, 이소부테롤, 도파민, 도부타민
- 항부정맥약 : 디곡신, 프로카인아미드, 디소피라미드, 리도카인, 베라파밀
- 혈압 강하제 : 딜티아젬, 니페디핀
- 항협심증제 : 아이소솔비드, 니트로글리세린
- 이뇨제 : 프로세미드
- 기관지 확장제 : 네오피린, 스테로이드
- 항불안제 : 디아제팜
- 항경련제 : 페노바비탈
- 저혈당 치료제 : 포도당
- 기타 : 생리식염수, 수액 세트, 소독액, 멸균 거즈

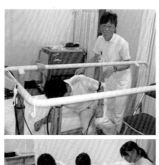

① 실제 경험 사례 보고
② 시뮬레이션에 의한 문제점 도출
③ 문제점 해결안 토의
④ BLS 복습

**그림 2-29** 응급 상황 대비의 사전 훈련

## 5 호기 가스 분석 장치 모니터 화면 설정

CPX 중 실시간으로 표시되는 파라미터는 표 2-12와 같다. 수치의 변화 폭이나 부하량에 대한 변화량(slope)를 실시간으로 평가하기 위해서, 시간에 따른 경과 곡선이나 상관 그래프로 표시하면 직관적 평가가 가능하다.

그래프 범위 설정을 피험자의 병태에 따라 변경할 필요가 있으나, 일반적인 기본 범위를 설정한다. 익숙해진 검사자는 그래프 패턴에서 시각적으로 피험자의 병태를 파악할 수 있다. 예를 들어 안정시 $\dot{V}E/\dot{V}CO_2$의 높이에서 직관적으로 심부전의 중증도를 파악한다. 그러나 범위 변경을 모르고 그래프를 보았을 때 잘못 해석할 가능성이 있으므로 주의해야 한다.

① 심부전 환자 대상에서는 $\dot{V}E/\dot{V}CO_2$와 $\dot{V}E/\dot{V}O_2$범위를 넓게 설정한다. 필자는 보통 70으로 설정하고 있다(그림 2-30).

② $\dot{V}O_2$와 LOAD는 10:1 비율로 설정한다. $\dot{V}O_2$증가(slope)와 LOAD 증가(slope)를 비교하여 $\triangle \dot{V}O_2/ \triangle LOAD$

표 2-12 CPX의 모니터링 항목

| 활력징후 | 심박수(HR), 혈압(SBP/DBP), 동맥혈 산소 포화도($SpO_2$) |
|---|---|
| 부하 파라미터 | 부하량(LOAD), 회전 수(PITCH) |
| 호기 가스 데이터 | 산소 섭취량($\dot{V}O_2$), 이산화탄소 배출량($\dot{V}CO_2$), 가스 교환비(RER), $ETO_2$[08]*, $ETCO_2$[09]*, $\dot{V}E/\dot{V}O_2$, $\dot{V}E/\dot{V}CO_2$ |
| 환기 파라미터 | 환기량($\dot{V}E$), 1회 환기량(TV), 호흡수(RR) |

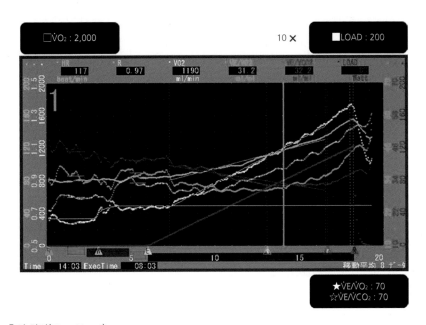

그림 2-30 측정 화면(Time Trend)

를 직관적으로 파악할 수 있기 때문이다. 정상에서 양자는 평행으로 증가한다. 필자는 보통 $\dot{V}O_2$를 2,000 mL/분으로 LOAD를 200 Watt 로 설정하며(그림 2-30), 운동 습관이 있고 체력이 좋으면 $\dot{V}O_2$를 3,000 mL/ 분, LOAD를 300 Watt 로 설정한다.

③ $\dot{V}CO_2$와 $\dot{V}E$는 3:1 비율로 설정한다. $\dot{V}E/\dot{V}CO_2$ 상관 그래프에서 기울기 1 (45도 라인)은 $\dot{V}E$ vs. $\dot{V}CO_2$ slope 가 30이 된다. 45도 라인보다 높거나 낮은가에 따라 $\dot{V}E$ vs. $\dot{V}CO_2$ slope를 직관적이며 실시간으로 파악할 수 있다. 필자는 보통 $\dot{V}CO_2$를 2,000 mL/분으로 $\dot{V}E$를 67 mL/분으로 설정하고 있다(그림 2-31). $\dot{V}O_2$와 $\dot{V}CO_2$ 같은 범위에 두기 위해 $\dot{V}O_2$를 3,000 mL/분으로 설정하면 필연적으로 $\dot{V}CO_2$는 3,000 mL/분, $\dot{V}E$는 1,000 mL/분이 된다. 일반적으로 slope 평가는 부하 검사 종료 후 분석시에 시행하지만, 그래프의 범위를 미리 구상

역자주* ————

08  $ETO_2$ (End Tidal $O_2$, 호기말 산소 분압)

09  $ETCO_2$ (End Tidal $CO_2$, 호기말 이산화탄소 분압)

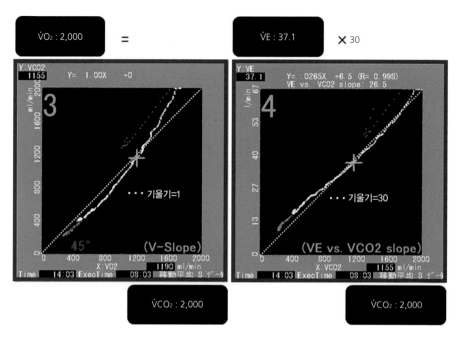

**그림 2-31** CPX를 시행하는 모습

해두면 부하 검사 중에 slope의 실시간 파악이 가능하다.

참·고·문·헌

1. Dimri GP, Malhotra MS, Sen GT, et al. Alterations in aerobic-anaerobic proportion of metabolism during work in heart. Eur J Appl Physiol. 1980; 45: 43-50.

2. 日本心電学会運動負荷心電図標準化に関する小委員会. 1994年報告：我が国における運動負荷心電図検査の実態. 心電図. 1996; 16: 185-208.

3. 西口大貴. 心肺運動負荷試験の呼吸循環系への影響. 呼吸ケアと誤嚥ケア. 2009; 2: 46.

4. 山本雅庸. トレッドミルramp負荷のための酸素摂取量予測式と臨床応用. 日本臨床生理学会誌. 1993; 23: 1-13.

5. 潮見泰蔵. トレッドミル歩行時の手すりの使用が酸素消費量に及ぼす影響. 理学療法学. 1988; 188.

6. 土田 秀. 手すり使用時のBruce負荷試験における各ステージの酸素摂取量. 日本臨床生理学会雑誌. 1999; 29: 281-6.

7. Claremont AD, Nagle F, Reddan WD, et al. Comparison of metabolic, temperature, heart rate and ventilatory responses to exercise at extreme ambient temperatures （0 and 35℃）. Med Sci Sports. 1975; 7: 150-4.

# 3장
# CPX 준비; 소프트웨어

## ▌ 전극 부착

- 정확한 심전도 파형을 얻는다.
- 되도록 근전도 유입이 적은(깨끗한) 심전도 파형을 얻는다.
- Mason-Likar 유도법 이용.

운동 부하 검사에서 심전도를 모니터링하는 목적은 심박수의 확인, 부정맥 검출, 허혈 유무를 평가하여 심장 사고의 방지 또는 정확한 처치에 도움이 되기 위해서이다. 따라서 부하 중 심전도 기록은 동요가 적은 안정된 기준선에서, P파와 같이 작은 파형이나 ST 변화를 판정할 수 있는 심전도가 요구되나, 실제로 안정시 기록과는 달리 신체 움직임이나 땀의 영향, 근전도 등이 유입될 가능성을 생각할 수 있다. 따라서 다음과 같은 순서로 심전도를 기록한다.

### Ⓐ 사전 준비
전기 저항, 신호/잡음 비(Signal/Noise ratio)는 전극과 피부의 접촉 저항이 크게 영향을 주므로, 피부 표층의 저항이 되는 물질의 제거가 필요하다. 따라서 심전도 부착 전에 알코올솜으로 오염을 제거하고, 샌드페이퍼(원스텝 스킨프렙™)로 각질층을 깎는 전 처치를 시행하면 잡음(artifact)이 적어진다.

### Ⓑ 전극과 코드
전극은 전도성이 높고 접착력이 강한 부하 전용 전극(그림 3-1)이 바람직하다. 당연하지만 재사용하지 않는 1회용 전극을 사용한다. 전극 코드는 offset 치가 낮은 은전극이나 염화은 전극이 좋다. 전극과 기록기의 접속 코드는 가볍고 유연하며 절연되는 것이 필요하다.
일반 의료기기 제조사에서 판매하는 전극 코드 및 접속 코드는 이상의 조건을 만족하며, 또한 운동 잡음(motion artifact)을 억제하도록 되어 있다. 사용 빈도에 따라 수명은 약 1-2년 정도이다. 수명이 다 되면

그림 3-1 부하 검사에 사용하는 모니터링 전극

전기적 간섭이나 단선의 원인이 되므로 정기적으로 교환한다. 이런 기기 관리에 더해 전극 코드를 테이프로 고정하고 코드 자체를 묶어 신체 움직임의 영향을 피하는 등의 방법으로 운동 부하 중 잡음 유입을 막을 수 있다.

### C 유도법

전극의 유도법은, '운동 부하 심전도 표준화 소위원회, 1994년 보고[1]'에 따라 12 유도의 Mason-Likar 유도법[2] ※이나 그 변형(그림 3-2)을 이용한다. 전극 위치가 정확하게 설치되도록 주의하며, 검사 후 부착 부위 확인은 물론, 심전도 파형에서도 확인하는 것이 중요하다(그림 3-3, 3-4).

여성에서 전극을 부칠 때 유방 움직임이 있는 부위를 피하고, 속옷을 입은 채로 전극을 붙여 안정된 기록을 얻는 경우도 있다.

---

토 막 지 식

**Mason-Likar 유도법**

그림 3-2와 같은 Mason-Likar 유도법은, 운동 중 근전도 유입을 줄여 안정된 심전도 기록을 얻기 위해 사지 유도를 사지에 가깝게 부착하는 방법이다. 측정 자세의 차이나 측정 위치 차이 등에 의해 표준 12 유도 심전도와 차이가 있어, 사지 유도의 I 유도 전위 저하, QRS 폭의 협소, 평균 전기 축이 수직 위치가 되는 등 폐기종에서 보는 파형을 나타낸다. 때로 II, III, aVF에서 Q파 소실, aVL 유도에서 깊은 Q파가 나타날 있으며, 이런 차이는 전극이 안 쪽으로 올수록 심해진다. 흉부 유도에서는 거의 같은 파형을 얻을 수 있다.

따라서 운동 중 심전도 판독에는 부하 전 안정 심전도와 비교가 중요하며, 부하 시작 전에 안정 상태의 심전도를 기록해 두어야 한다. 또 일반 표준 12 유도 심전도와의 차이점을 충분히 고려해야 한다.

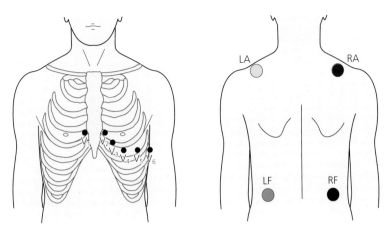

**그림 3-2**  전극 부착 표준 위치(Mason-Likar 유도 변형)

상지 유도: 견갑골 위쪽 측부(오른쪽 그림 뒷면)

하지 유도: 늑골 부근의 측부(오른쪽 그림 뒷면)

→ RF(오른쪽 다리) 전극은 Earth 전극이므로 안정된 장소이면 어디라도 좋다. 몸 움직임의 영향이 적은 장소로 흉골 아래쪽도 좋으며, 병원 내에서 통일하여 시행한다.

흉부 유도: 표준 12 유도와 같은 위치(왼쪽 그림 앞면)

→ 흉부 유도를 앉은 자세에서 기록하므로 누운 자세보다 심첨부 위치가 아래로 내려가서 V4-V6를 일반적보다 한 늑간 내리는 방법도 있다.

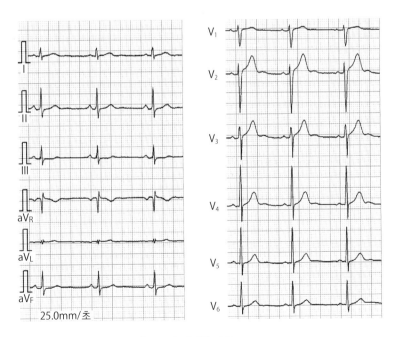

**그림 3-3**  정상 심전도 파형(Mason-Likar 유도)  29세, 건강한 남성

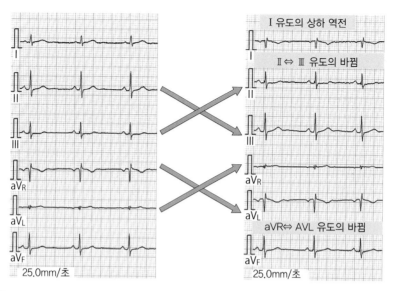

그림 3-4 RA 유도와 LA 유도가 바뀐 파형

# 2 검사 설명

필자 병원의 CPX 에 사용하는 검사 매뉴얼(일부 개정)은 표 3-1과 같다.

# 3 운동 부하 검사의 금기

- 절대적 금기
- 상대적 금기
※ 검사의 기본은 위험도 대비 얻을 수 있는 효과의 관계에서 성립된다

일반적으로 중증 심 질환, 뇌혈관 장애, 신경·근육 질환 등 안정이 필요한 증례는 운동 부하 검사를 시행하지 않지만, 의사의 지시 감독하에서 재활 목적, 또는 심 기능 예비력을 평가할 목적으로 심근경색이나 허혈성 심 질환 환자에서도 부하 검사를 시행할 수 있다.

운동 부하 검사에 의한 사고를 막으려면, 무엇보다 운동 부하 검사의 적응증을 충분히 숙지하여, 위험이 높은 금기 예를 제외하는 것이다. 특히 심 질환 환자의 임상 증상은 순간적으로 변화하므로 부하 검사 시행 직전에 점 검하여 금기 상태가 아닌지 확인하는 작업은 부하 검사를 담당하는 의사뿐 아니라 다른 의료진에게도 필요하다.

운동 부하 검사 금기에 대한 일본 순환기학회의 지침[3](**표 3-2**)이 있다. 이 표에 의한 '검사 전 확인'은 검사를 담당하는 의료진도 반드시 시행해야 한다. 당연한 일이지만, 운동 부하 검사 전에 검사 목적, 환자의 상태나 치료

**표 3-1** 심폐 운동 부하 검사의 검사 순서 매뉴얼

| | |
|---|---|
| **1** | **준비** |

- ☐ 캘리브레이션(자동 교정은 1 검사에 1회 시행)
- ☐ 운동 부하 검사의 목적, 의무 기록 정보 확인→검사 담당 의사의 확인

| | |
|---|---|
| **2** | **검사실 입실** |

- ☐ 환자 상태 파악

| | |
|---|---|
| **3** | **검사 설명과 준비** |

- ☐ 심장 재활 계획이면 심장재활 훈련에 대해서도 간단히 설명
- ☐ 운동 부하 검사의 목적, 검사의 흐름 설명

| | |
|---|---|
| **4** | **체중 (체지방률), 가슴 둘레 측정** |

- ☐ 인공심박동기 유무 확인 → 인공심박동기 환자는 체지방계 측정 불가
- ☐ 키, 체중, 체지방 측정
- ☐ 가슴 둘레 측정 → 상반신은 탈의(또는 검사용 의복 1매), 양말은 신는다

| | |
|---|---|
| **5** | **심전계, 혈압계 장착, 폐 기능 장애(호흡곤란 등)에서는 $SpO_2$ 측정** |

- ☐ 심전계 장착
  - → 몸 상태, 증상, 하반신 상태, 일상 운동 상태의 확인
  - → 당뇨병 환자는 손발 저림이나 눈 치료 유무도 확인
- ☐ 혈압계 장착
  - → 환자에게 평소의 혈압이나 혈압 강하제 복용 유무 확인
- ☐ 혈압 측정
  - → 평상시의 혈압보다 높으면 긴장 가능성이 있어 재측정

| | |
|---|---|
| **6** | **환자 데이터 입력, 기록지 확인** |

- ☐ 호기 가스 분석기에 환자 데이터 입력
  - → ID, 이름, 성별, 나이, 체중, 키, 체지방률 등
- ☐ 부하 설정(0 watt RAMP 10 등) 확인
- ☐ 심전도, 혈압 모니터에 환자 데이터 입력
  - → ID, 이름, 성별, 나이, 체중, 키 등
- ☐ 심전도 파형 확인(유도 부착 잘못 여부와 심전도 판독)

| | |
|---|---|
| **7** | **자전거에 올라감** |

- ☐ 심전계, 혈압계, 자전거 후부의 코드에 주의하여 자전거를 탄다.
  - \* 특히 고령자는 충분히 주의, 필요 시 발판 준비
- ☐ 안장 높이 조절, 핸들 조절
  - → 무릎이 가볍게 구부러질 정도의 높이로 안장 조절, 핸들은 몸이 앞으로 숙여지지 않는 높이
- ☐ 자전거 회전 수 설명: 일반적으로 50~60회전

| | |
|---|---|
| **8** | **마스크 착용** |

- ☐ 마스크 착용
  - → 코 + 입 호흡: 검사 시작 전에 입을 조금 열고 숨쉬게 한다
  - → 호흡은 호기:흡기=1:1
  - → 말을 하지 않는다. 문제가 있으면 손을 들게 한다
  - \* 회전 수 체크 등 안경이 필요하면 마스크 위에 쓴다
- ☐ 공기 누출 점검
- ☐ 샘플 튜브 연결
  - → (AE310S의 경우) 150 mL가 흡인되는지 확인
  - 이보다 낮으면 막혀 있을 가능성이 있다

| | |
|---|---|
| **9** | **부하 시작** |

- ☐ 호기 가스 분석기와 심전도 기록기를 동시에 스타트
- ☐ 혈압 측정, 심전도 기록은 1분 마다 측정
- ☐ 각 파라미터 + 심전도 파형 확인
  - → R 0.83 전후, $\dot{V}O_2$ 5~6 (mL/분/kg)
  - $\dot{V}E$ vs. $\dot{V}CO_2$ slope 안정시 40 전후(심부전 환자는 60 전후)

표 3-1 계속

| warm up (3분간) | ☐ 시작 5초 전부터 페달 돌리기 시작<br>☐ 종소리를 울려 안정된 회전을 시작하게 한다 |
|---|---|
| exercise | ☐ 부하 Watt 수 확인<br>→ RAMP 조건의 부하가 걸리는지 확인(자전거의 표시 + PC 화면)<br>☐ 부하 중 파라미터 확인<br>→ $\dot{V}E$ 급격한 저하(마스크의 공기 누출 확인)<br>☐ 환자 상태 확인 |
| recovery (6분간) | ☐ 부하 중지 직후에 cool down 시행<br>→ 완전히 멈추지 말고 20-30회 페달 돌리기 계속<br>☐ 1분 후 마스크를 벗는다 → 분석 시작<br>☐ Borg 스코어 확인<br>→ 일람표를 보여주며 다리와 호흡의 자각 증상 확인<br>☐ 심전도, 혈압에 급격한 변화가 없는지 확인<br>→ 선하품, 식은 땀, 안색의 변화 등이 있는지 관찰 소견에 더해 환자에게 자각 증상을 확인<br>→ Cool down에서 혈압이 1분간에 10-20 mmHg 정도 저하가 기준 심한 저하가 있으면 관찰 소견에 더해 증상 확인 |

**10 부하 종료**

☐ 자전거에서 내려온다
☐ 심전계, 혈압계 등을 제거한다
☐ 다시 한번 환자의 자각 증상을 확인
☐ 주변을 정리하고 결과 설명

**표 3-2** 운동 부하 검사의 금기

| 절대 금기 | 1. 2일 이내의 급성 심근경색<br>2. 내과 치료에도 안정되지 않은 불안정 협심증<br>3. 자각 증상이 있거나 순환 동태 이상의 원인이 되는 조절이 불량한 부정맥<br>4. 증후성 고도의 대동맥판 협착증<br>5. 조절이 불량한 증상있는 심부전<br>6. 급성 폐색전 또는 폐경색<br>7. 급성 심근염 또는 심막염<br>8. 급성 대동맥 박리<br>9. 의사 소통이 어려운 정신 질환 |
|---|---|
| 상대적 금기 | ① 관상동맥 좌주간부 협착<br>② 중등도의 협착성 판막증<br>③ 전해질 이상<br>④ 중증 고혈압<br>⑤ 빈맥성 부정맥 또는 서맥성 부정맥<br>⑥ 비후성 심근병증 또는 그 외의 유출로 협착<br>⑦ 검사를 충분히 시행할 수 없는 정신적 또는 신체적 장애<br>⑧ 고도의 방실 차단 |

원칙적으로 수축기혈압 > 200 mmHg 또는 확장기혈압 < 110 mmHg 이 권고된다.

경과, 약 복용이나 다른 검사 결과를 확인하고, 검사를 담당하는 의사가 최종 확인한다. 운동 부하 검사에 대한 지식이 없고. 경험도 부족한 의료진뿐이며, 응급 대응 환경이 갖추어지지 않은 상황에서 검사 시행은 금기이다.

표 3-3  운동 부하 검사 중지 기준

| 자각<br>증상 | 심한 호흡곤란, 하지 피로나 하지통증<br>진행성으로 증가하는 흉통<br>실신, 현기증<br>본인의 요망 | : Borg의 자각 강도 17 이상<br>: 심전도 변화 유무와 관계 없이<br>: 중추신경 증상<br>: 운동을 중지하고 싶음 |
|---|---|---|
| 관찰<br>소견 | 청색증, 안면 창백<br>식은 땀<br>운동 실조 | : 저관류 징후 |
| 혈압 | 수축기혈압 상승 불량이나 진행성 저하<br>비정상 혈압 상승 | : 운동부하에도 불구하고 수축기혈압 10 mmHg 이상 저하<br>: 수축기혈압 250 mmHg 이상을 연속 기록(JCS 지침<br>  2012에서는 225 mmHg 이하) |
| 심전도 | 명확한 허혈성 ST-T 변화<br>조율 이상(현저한 빈맥이나 서맥,<br>심실성 빈맥, 빈발하는 부정맥<br>심방세동, R on T, 심실 조기 수축 등)<br>Ⅱ-Ⅲ도 방실 차단<br>심전도 기록 불량 | : ST 상승(상승도와 관계 없이)이나 ST 하강(2 mm 이상의 허혈성 ST 하강)<br><br><br><br>전극 접촉 불량 등 기술적 요인 |

표 3-2의 상대 금기에서는, 운동의 위험보다 검사의 이점이 많다면 검사를 시행해도 좋다. 상대적 금기가 되는 질환은, 상태가 악화될 가능성이 높은 경우이며, 일부 증례는 낮은 수준의 부하를 신중히 시행하여 귀중한 정보를 얻을 수도 있다. 이런 증례의 운동 부하 검사는, 중대한 합병증이 생길 가능성을 고려하여 응급 대응을 즉시 마련할 수 있는 환경을 준비하여 의사의 지시 감독 하에 검사를 시행한다.

## 4  운동 부하 검사 중단 기준

자각 증상이나 객관적 소견에 의한 중지 기준(end point)이 정해져 있으며, 이것을 기준으로 검사 담당의가 검사 종료를 결정한다(표 3-3). 이런 중지 기준을 검사에 참여하는 의료진도 이해하고 검사를 시행해야 한다.

## 5  심전도 이상의 양성 기준

허혈성 심 질환의 진단에서 운동 부하 심전도의 지표로 ST 하강을 가장 많이 이용한다. 그러나 ST 지표 이외에 몇 개의 지표(표 3-4)를 이용하여 진단하며, 병태의 평가, 예후 예측, 치료 효과 판정 등의 목적으로 이용한다.

### A ST-T 변화
운동 부하 심전도의 허혈 판정 기준은 표 3-5와 같다.

**표 3-4** 운동 부하 검사에서 허혈성 심 질환 평가 지표

협심증 증상 출현
　　운동 수용능 저하
　　허혈 징후 출현 역치 저하
　　혈압 증가 반응 불량
　　심박 상승 반응 불량
　　심전도
　　　　ST 하강
　　　　ST 상승
　　　　ST 변화의 유도 수
　　　　U파 음전
　　　　V5 유도의 Q파 출현 또는 불변
　　　　V5 유도의 R파 증가 또는 불변
　　　　시계 회전 방향의 HR–ST 루프(**그림 3-7 참고**)
　　　　ST/HR 슬로프의 기울기 증가
　　　　ST 하강의 시간 경과

**표 3-5** 운동 부하 심전도에서 허혈 판정 기준

확정 기준
　• ST 하강
　　수평 또는 하강 경사형으로 0.1 mV 이상
　　J점에서 0.06초 후 또는 0.08초 후에 측정
　• ST상승
　　0.1 mV 이상
　• 안정시 ST 하강이 있는 경우
　　수평형 또는 하강 경사형에서 추가적으로 0.2 mV 이상의 ST 하강
참고 소견
　• 상향 경사형 ST 하강
　　ST부의 경사가 작고 (1 mV/초 이하) 0.1 mV 이상
　• 양성 U파의 음전화
　• HR–ST 루프의 시계 방향 회전
위양성을 시사하는 소견
　• HR–ST 루프의 시계 반대 방향 회전
　• 운동 중 상향 경사형 ST 하강이 운동 후에 서서히 수평형이나 하강 경사형으로 변화
　　길고 계속되는 경우(Hysteresis)

## 1) ST 저하

　ST 저하는, 부하 전 기준선(PQ 접합부)에 대한 J점에서 0.06-0.08초 후 ST 부분이 0.1 mV (1 mm) 이상의 수평형 또는 하강형으로 ST 저하되면 양성 기준으로 한다(**그림 3-5**). 상향 경사형 ST 하강(up-sloping ST)에서 기울기가 크면 깊이와 관계 없이 음성이지만, 수평형에 가까운 up sloping ST (기울기 1 mV/초 이하)를 양성으로 하면 민감도가 높아진다[4]. 한편 AHA[01]*는 J점에서 60 ms에 2 mm 이상 저하는 경계형이며, 양성으로 판정하지 않으며[5], 운동 중에 up-sloping ST가 있으며 운동 종료 후에 점차 수평형이나 하강 경사형으로 이행되어 T파 역전을 따라 오래 지속하는 것(hysteresis)은 양성으로 한다[6, 7]. 그림 3-6의 증례 ①은 hysteresis에 더해 AT 이후에

역자주* ────────────

01　AHA (America Heart Association, 미국 심장협회)

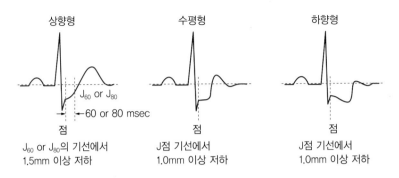

상향형
$J_{60}$ or $J_{80}$
←60 or 80 msec
점
$J_{60}$ or $J_{80}$의 기선에서
1.5mm 이상 저하

수평형
점
J점 기선에서
1.0mm 이상 저하

하향형
점
J점 기선에서
1.0mm 이상 저하

**그림 3-5** ST 저하의 양성 기준

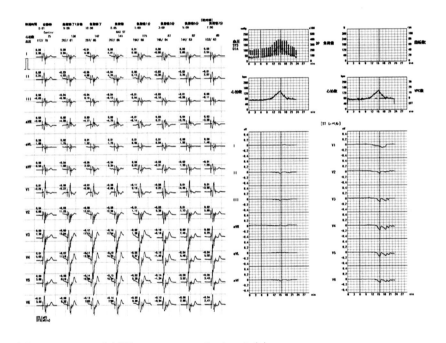

**그림 3-6** 증례 ① hysteresis. 74세, 남성. coronary arteriosclerosis (+)

$VO_2$/HR의 증가가 정지되어 허혈을 의심했으며, 실제 관상동맥 조영술에서 양성을 나타내는 경우도 있으므로 다른 검사 지표와 종합적으로 판단할 필요가 있다.

안정시 심전도에 ST 하강이 있으면, 안정시 ST 수준보다 추가로 0.2 mV 이상의 하강을 판정에 이용한다. 비특이적 ST 하강이나 좌심실 비대에 ST 하강을 동반하면 특이도는 낮지만 민감도는 변하지 않는다. 또 좌각 차단, WPW 증후군, 디지탈리스 복용 예에서 ST 하강은 허혈성 심 질환 판정 기준이 될 수 없지만, 우각 차단에서는 V5, V6의 왼쪽 흉부 유도와 II, aVF 하벽 유도의 ST 하강은 기준이 될 수 있다. 이 때 우각 블록 파형의 J점에서 0.06-0.08초 후 부분으로 판정한다.

## 2) ST 상승

ST 상승은 0.1 mV (1 mm) 이상을 양성 기준으로 하며, 운동 부하시에 자주 볼 수 있는 T파의 상승에 영향을 받지 않도록 J점 부근에서 판정한다. aVR 유도 이외에서 나타난 ST 상승은 심근 허혈 발생의 특징적 소견이므로 허혈을 의심하는 운동 부하 검사 중 ST 변화를 주의 깊게 관찰할 필요가 있다. 그러나 심근경색 예의 비정상 Q파에서 ST 상승은 좌심실의 수축 이상에서 기인하며, 반드시 심근 허혈을 의미하지 않는 증례도 있으므로 주의한다. 또 음성 U파, 중격성 Q파의 높이 감소는 감도가 낮지만 심근 허혈 발생에 비교적 특이 소견이다. 그 밖

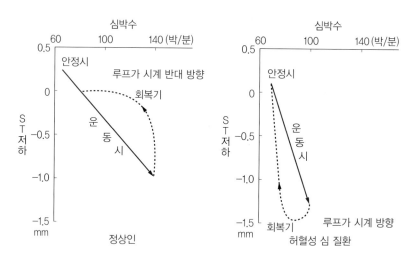

**그림 3-7** HR-ST 루프에서 감별  가로축에 심박수, 세로축에 ST 변화를 취해, 부하 시작부터 회복기에 걸쳐 ST 변화와 심박수를 플롯하여 루프 회전 방향을 기록한다. 기록된 루프의 회전 방향과 패턴에 의해 허혈성 ST 변화 여부를 판정한다.

**표 3-6** 부하 심전도의 위양성, 위음성 요인

위양성 요인
　　심전도 기선의 동요
　　약제 복용(디지탈리스, 퀴니딘, 항우울제)
　　전해질 이상(저칼륨)
　　안정시 심전도에 ST 이상
　　동요성 비특이적 ST-T 변화
　　운동 중 심방성 T파 증가
　　여성
　　신경 순환 무력증
　　좌심실 비대
　　승모판 탈출증
　　완전 좌각차단
　　WPW 증후군
위음성 요인
　　운동 부하량 부족
　　항협심약 복용
　　단일 관상동맥 질환
　　연축성 협심증(변이형 협심증)
　　R파의 저전위

에 디지탈리스제 복용 중에는 ST 변화가 유발·강조 된다는 보고[8]도 있으며, 특히 QT 부분이 연장되지 않고 ST 만 저하하면 허혈성 변화 가능성은 낮다고 생각한다. 또한 여성호르몬인 에스트로겐은 디지탈리스와 화학 구조가 비슷하여 중노년의 폐경 전 여성은 위양성률이 높다고 여겨진다[9]. 이뇨제나 항부정맥약은 전해질 균형에 영향을 주어, T파나 U파, QT 시간에 영향을 줄 수 있어 주의가 필요하다.

### 3) HR-ST loop, ST/HR slope

그래프의 가로축을 심박수, 세로축을 ST 저하로 취해, 부하 시작부터 회복기에 걸친 ST의 시간적 변화와 심박수의 관계를 보는 HR-ST loop(그림 3-7)[10]이나 ST/HR slope[11]를 그려 허혈 감별에 이용한다. ST 하강이 있어도, loop의 회전이 반시계 방향이면 위양성 확률이 높다[11]. ST/HR slope는 운동 중 ST 변화와 심박수를 플롯하여 직선 회귀한 기울기이다. ST 하강이 있어도 이 기울기가 작으면 위양성 확률이 높다고 여겨진다. 운동 부하 심전도 평가에서 위양성과 위음성의 요인은 표 3-6과 같다.

### ⑧ 부정맥

운동에 의한 심근 허혈은 이소성 흥분[02]*을 일으키기 쉽게 하여 부정맥이 나타난다. 한편 운동에 의한 미주신경 억제와 교감신경 자극에 의해 안정시에 있었던 부정맥이 억제되기도 한다. 일본 순환기학회의 만성 허혈성 심 질환 진료지침(2005년 개정판)[7]의 운동 부하 검사 중단 징후(표 3-7)에 심실성 부정맥이 있으며, 심실 빈맥, R on T 현상, 연속된 2단맥이나 3단맥, 30% 이상 빈도의 PVC[03]*를 들고 있다. 일과성 심방 조동 및 세동, II도 이상(Mobitz II형)의 방실 차단이나 각 차단도 운동 유발성으로 출현할 수 있으며, 임상적 의의를 즉시 판단할 수 없는 경우가 많지만, 중대한 기저 질환을 반영하는 경우가 있으므로 운동 부하 중단 기준에 포함된다.

### 1) 동기능 부전 증후군(SSS, sick sinus syndrome)

동기능 부전 환자는 운동에 의한 산소 섭취량 증가에 비해 심박수 증가의 정도가 적다는 보고가 있다[12]. 일본 순환기학회 지침은 3.0초 이상의 동성 정지(sinus arrest)나 동방 차단(SA block)이 있을 때 운동 부하 검사를 시행하여 심박이 적당히 증가하면 운동을 허용한다. 동기능 부전 환자에서 운동 부하 검사가 중요하지만 주의가 필요한 것은 운동 중 보다는 오히려 운동 부하 종료 후이다. 부하 종료 후 미주신경 긴장에 따라 현저한 동서맥이나 동정지 발생이 많기 때문이다(그림 3-8의 증례②).

또한 동기능 부전과 관계 없이 운동 중 심박수 증가 정도가 적은 심박수 변동부전[04]* 예도 있다. 이런 현상은 심부전 치료 후나 흉부외과 수술 후에 나타나는 일이 많다(그림 3-9의 증례③).

역자주* ─────────

02  Ectopic Stimulants (이소성 흥분)
03  PVC (Premature Ventricular Contraction, 심실 조기 수축, 심실 기외 수축)
04  chronotropic incompetence (심박수 변동부전)

**표 3-7** 운동 부하 검사 중지 징후

---

- 자각 증상
  환자의 중지 요청
  ST 하강을 동반한 경도의 흉통
  ST 하강을 동반하지 않은 중등도의 흉통
  심한 호흡 곤란, 피로(Borg 지수 17 해당)
- 관찰 소견
  휘청거림, 운동 실조, 창백, 청색증, 메스꺼움, 실신 기타 말초 순환 부전
- ST 변화
  진단 가능한 ST 하강(수평형, 하강 경사형에서 0.2 mv 이상)
  ST 상승(0.1 mv 이상)
- 부정맥
  심실 빈맥, R on T 현상
  연속된 심실성 2단맥, 3단맥
  30% 이상의 심실 조기 수축
  지속된 상심실성 빈맥이나 심방세동 출현
  Ⅱ도, Ⅲ도의 방실 차단, 각 차단 출현
- 혈압 변화
  혈압의 과도한 상승(수축기 250 mmHg 이상, 확장기 120 mmHg 이상)
  혈압 저하(운동 중 10 mmHg 이상 저하, 운동을 지속하여도 혈압 상승 없음)
- 심박 반응
  예측 최대 심박수의 90%
  비정상 서맥
- 기타
  심전도 모니터나 혈압 모니터가 정상적으로 작동하지 않을 때

---

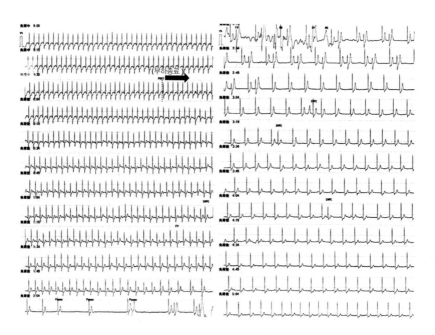

**그림 3-8** 증례 ② SSS 58세, 여성. 호흡곤란 정밀 검사

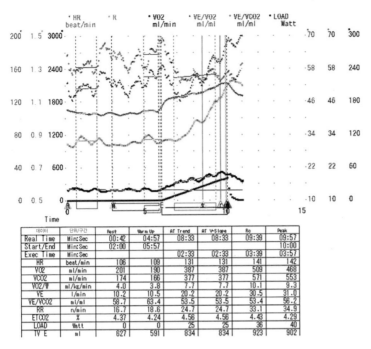

| 데이터 | 단위/구간 | Rest | Warm Up | AT Trend | AT V-Slope | Rc | Peak |
|---|---|---|---|---|---|---|---|
| Real Time | Min:Sec | 00:42 | 04:57 | 08:33 | 08:33 | 09:39 | 09:57 |
| Start/End | Min:Sec | 02:00 | 05:57 | | | | 10:00 |
| Exec Time | Min:Sec | | | 02:33 | 02:33 | 03:39 | 03:57 |
| HR | beat/min | 106 | 109 | 131 | 131 | 141 | 142 |
| VO2 | ml/min | 201 | 190 | 387 | 387 | 509 | 468 |
| VCO2 | ml/min | 174 | 166 | 377 | 377 | 571 | 553 |
| VO2/W | ml/kg/min | 4.0 | 3.8 | 7.7 | 7.7 | 10.1 | 9.3 |
| VE | l/min | 10.2 | 10.5 | 20.2 | 20.2 | 30.5 | 31.0 |
| VE/VCO2 | ml/ml | 58.7 | 63.4 | 53.5 | 53.5 | 53.4 | 56.2 |
| RR | n/min | 16.7 | 18.6 | 24.7 | 24.7 | 33.1 | 34.9 |
| ETCO2 | % | 4.37 | 4.24 | 4.56 | 4.56 | 4.43 | 4.29 |
| LOAD | Watt | 0 | 0 | 25 | 25 | 36 | 40 |
| IV E | ml | 627 | 591 | 834 | 834 | 923 | 902 |

**그림 3-9** 증례 ③ chronotropic incompetence. 67세, 남성. PAD (Peripheral artery disease), VSA (Vasospastic Angina). 안정시 심박수가 높지만, 운동중 심박수 증가 불량.

## 2) 심방세동

안정시부터 있던 심방세동(chronic atrial fibrillation)에서는 운동시 심박 상승 반응과 자각 증상을 확인할 목적으로 운동 부하 검사를 한다. 만성 심방세동에서 연령에 따른 예측치보다 최대 심박수가 높고, 최대 산소 섭취량이 낮다는 보고[13]가 있다. 심방세동의 심박수 조정에 사용하는 베타-차단제 투여가 심방세동에서 운동시 심박 상승은 억제할 수 있으나, 운동 수용능은 오히려 저하시킨다는 보고[14]가 있어 부하량 증가에 동반한 심박수 상승 반응과 동시에 산소 섭취량 증가 정도 확인을 위해 부하 검사를 시행할 필요가 있다.

## 3) 심실 조기수축(PVC, Premature Ventricular Contraction)

안정시 PVC의 대부분은 운동에 의해 소실되고, 운동 후에 나타나는 패턴은 양성 반응이지만, 운동 회복기에 나타나는 PVC는, 관상동맥 질환, ST 하강과 관련되어 예후가 불량하다는 보고[15]도 있다. 또 운동 유발성 PVC는 정상인을 포함하여 약 20% 정도에서 나타나며, HR 130 이상에서 나타나는 산발적 PVC는 정상 반응이라고도 한다[16]. 그러나 운동 유발성 PVC가 2 연속 이상, 또는 심박의 10% 이상의 빈도이면 운동 유발성 허혈과 관련이 있고, 심장 사고의 독립된 예후 인자라는 보고[17]도 있다. PVC 연속 발생은 운동 부하 검사 중지 기준에 포함된다(그림 3-10의 증례④).

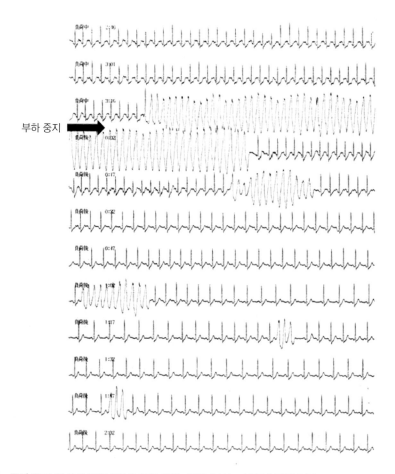

부하 중지

**그림 3-10** 증례 ④ TMT 부하 검사 중 VT 출현 증례. 49세, 남성. 부정맥 정밀 검사

## 6 부하 검사중 주의점; 호흡법, 호기 누출 방지 요령

### A 호흡법

- 일반적 호흡(호기: 흡기= 1:1)
- 안정 상태부터 비 + 구 호흡을 시행하도록 교육한다

심부전 환자에서 볼 수 있는 oscillatory ventilation(**그림 3-11**)이나 호흡기 질환, 숨찬 느낌이 없는 사람은 운동을 시작하면 보통 비 호흡이 일반적이므로 입은 다물고 있는 경우가 많다. 운동을 시작하여 부하 강도가 증가하면 비 + 구로 호흡하게 되어 V̇E 값이 갑자기 변동하는 경우가 있다. 또 최대 운동 부하 근처에서 호흡이 괴로워지면서 입을 크게 벌려 마스크 옆에서 공기가 새는 경우가 많다. 이 때 V̇E의 평탄화나 급격

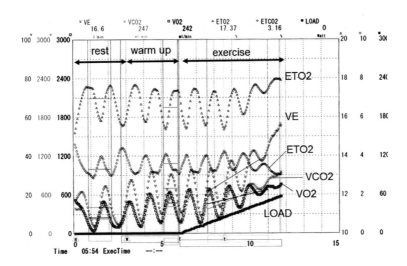

**그림 3-11** 증례 ⑤ Oscillatory ventilation. 환기량과 일치하는 적당한 혈류량이 혈관 직경으로 대응되지 않는 것이 원인으로 생각되는 현상

한 저하가 있으면 마스크에서 공기가 새지 않은지 점검할 필요가 있다.

피검자가 마스크를 쓰고 호흡하면 사강량이 증가되어 숨이 찬 것을 평소보다 예민하게 느낀다. 또 안정시의 호흡법과 운동 중의 호흡법이 다르면, $\dot{V}O_2$, $\dot{V}CO_2$에 다소의 오차가 생긴다. 특히 산소 섭취량의 시정수($\tau$) 평가에서 호흡이 안정되지 않으면 판단이 어려워지므로 안정시부터 비 + 구의 양쪽으로 호흡하도록 교육한다. 호흡수에 따른 각 지표의 차이는 그림 3-12와 같다.

또한 운동 강도 증가에 따라 호흡 방법이 바뀌는 사람도 있다(특히 마라톤을 하는 사람들). 호흡은, 호기:흡기가 1:1이 되도록 부하 검사 전에 교육한다**(그림 3-13)**.

## B 얼굴의 방향(센서의 방향)

> • 센서를 향해 수평이 되도록 한다(얼굴을 앞으로 향하도록 교육한다)

운동 부하 검사에서, 회전 수를 보려고 하거나 운동 강도 증가에 따라 얼굴을 아래를 향하는 수가 있다**(그림 3-14)**. 이럴 때 유량이 제대로 측정될 수 없다.

현재 많이 사용하는 호흡 유량계 센서에는, 열선 유량 센서와 압차 유량 센서가 있다. 어느 센서에나 장단점이 있지만, 얼굴의 방향이 수평인가 하향인가에 따라 차이가 없다고 생각하고 있다. 그러나 캘리브레이션은 수평 방향에서 시행하고 하향에서는 교정하지 않기 때문에, 하향에서 정확한 수치가 측정되는지 알 수 없다. 특히 열선 유량 센서에서는 얼굴을 하향으로 하면 센서를 통과하는 유속은 호기에서 증가하고, 흡기에서 감속되어 수평 시와 다르다. 압차 센서에서도 얼굴을 아래로 향하면 침이 흘러 흡인 튜브를 막아

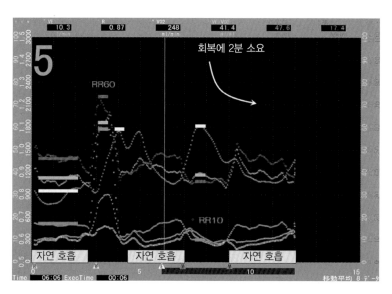

**그림 3-12** **호흡수(RR)의 영향** 43세, 남성. 심 질환이나 호흡 장애 병력 없음. 자연 호흡 보다 의도적으로 과환기(RR 60)를 시행하고, 자연 호흡으로 돌아옴. 다시 심호흡 (RR 10)을 시행하고 또 자연 호흡으로 돌아옴.

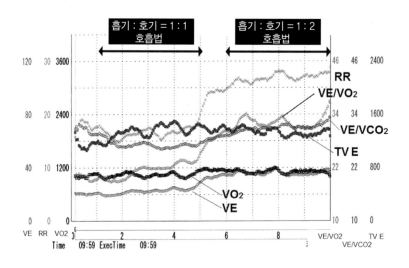

**그림 3-13** 호흡법 차이에 의한 파라미터의 변화. 호흡법 변경에 의해, ① V̇E 증가, ② RR 연장, ③ V̇E/V̇CO₂상승

고장의 원인이 될 수도 있다. 특히 최고점 직전에 회전 수와 센서 방향에 주의하여 교육할 필요가 있다.

**그림 3-14** 부하 검사 중 얼굴의 방향   A: 정면을 향한 자세(수평 방향), B: 아래를 향한 자세는 좋지 않다

## ? Warming up[05]*, Cool Down[06]*의 의미

- 부하 후 혈압 저하와 정맥 관류 저하

자각적 최대 수준에 가까운 운동을 하면, 운동을 끝낸 후부터 회복 초기에 기분이 나쁨, 메스꺼움, 어지럼, 식은 땀, 실신 등의 증상이 따르는 급격한 혈압 저하(수축기 혈압 < 100 mmHg)가 나타날 수 있다. 이것은 운동 중의 하지 운동 근육 혈관 확장이 운동 후에도 지속되어 혈액이 하지에 저류 되어 일어나는 현상이라고 생각하고 있다. 또 이 혈압 저하에 동반한 급격한 심박수 저하도 일어날 수 있으며, 이것은 미주신경의 과도한 항진이 원인으로 생각하고 있다.

이럴 때는 환자를 눕히고 발을 올려주면 증상이 개선된다. 개선이 없으면 혈압 상승제, 부교감신경 차단제(아트로핀 등)나 수액 등을 투여한다.

정리운동은 갑자기 운동을 중지함으로 인한 급격한 혈압 저하와 정맥 관류 저하를 막아 심 박출량 및 관상동맥 혈류량 저하를 방지하며, 운동 후 저혈압이나 어지럼을 막는 효과가 있다. 또 상승된 체온을 내리고 젖산을 빨리 배출시켜 카테콜아민의 나쁜 영향을 제거하는 효과도 있다.

### 토막지식

**부하 강도와 자율신경계 활성**

건강한 사람은 안정시에 부교감신경이 우세한 상태이며, 운동을 시작하면 먼저 부교감신경 활성이 억제되고 서서히 교감신경 활성이 증가한다. AT 이상의 부하 강도에서는 교감신경이 우세하게 된다. 그러나 심부전 환자는 안정시에도 교감신경 활성이 항상 항진된 상태에 있다. 이런 심부전 환자에게 운동 부하 검

---

역자주*

05  Warming up (준비운동)
06  Cool Down (정리운동)

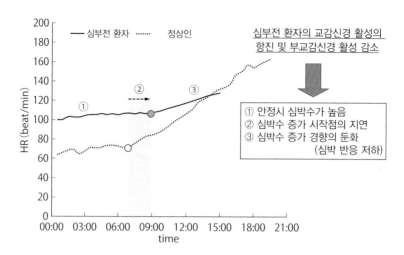

**그림 3-15** 운동시 심박수 변화　정상인 vs 심부전 환자

사를 시행하면, 안정시부터 심박수가 높으며, 심박수 증가의 시작점이 늦어지고 기울기도 둔한 심박수 변동부전을 나타낸다(**그림 3-15**).

교감신경 활성·항진은, 심박수 증가뿐 아니라, 혈압도 상승시켜 협심증을 일으킬 수 있다. 또한 혈소판 활성화에 의한 혈소판 응집 항진으로 혈구 성분이 비장, 간, 피하 등에서 혈관으로 이동이 촉진되고, 적혈구 용적률을 상승시키는 동시에, 수분 상실에 의한 탈수에 동반한 혈액 점도 상승이 전단 응력(shear stress)를 증가시킨다. 그 결과 불안정 죽상동맥경화반의 파열을 일으켜 급성 관상동맥 증후군을 일으킬 수 있다.

## **8** 환자의 이상이라고 생각하기 전에; 흔한 호기 가스 분석 장치 이상

### Case 1. $\dot{V}O_2$ 저하

운동 부하 검사중 $\dot{V}O_2$저하가 있으면 보통 Fick의 식 $\dot{V}O_2$는 CO (cardiac output)에 의해 (1분간의) 심 박출량 저하를 의심한다. CO 저하 원인은, SV[07]* 상승률 감소나 허혈을 의심하여 심전도의 ST 변화를 확인한다. 그러나 다른 지표에 명확한 이상이 없이 $\dot{V}O_2$만 저하되면 $\dot{V}E$나 RR에 주목한다.

$\dot{V}O_2$와 동시에 $\dot{V}E$가 저하되면 호흡 누출을 의심해야 한다. $\dot{V}E$ 저하는 검사 중 환자 상태를 확실히 확인해도 알 수 없으나, 마스크가 어긋나 공기가 새는 경우나, 운동 부하 진행에 따라 호흡이 거칠어지면서 입 옆으로 호

역자주* ────────

07　SV (Stroke Volume, 1회 박출량)

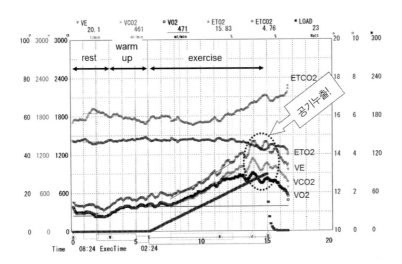

**그림 3-16** 증례 ⑥ peak시 공기 누출이 있던 증례

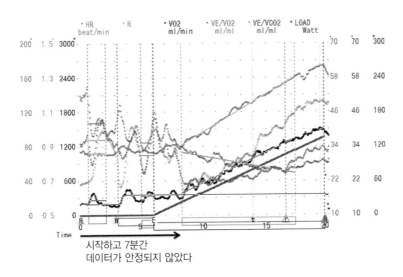

**그림 3-17** 증례 ⑦ 전원을 넣자마자 검사를 시행한 증례

기가 빠져나올 가능성이 있다**(그림 3-16).** 이 때 RCP[08]* 이상의 부하를 준 증례는 마스크를 조금 손으로 눌러 주면 좋다. 얼굴 움직임도 방지할 수 있으며(유속 센서는 VE 오차를 일으킨다), 갑자기 말을 시작하는 환자에게도 대처하기 쉽다. CPX 자료의 이해에도 중요하며, 이런 검사 중의 자료 변화에 익숙하여 신속하게 대처하는 것이 정확한 검사 자료를 얻을 수 있는 길이다.

---

역자주* ─────────────
08  RCP (Respiratory Compensation Point, 호흡성 보상 시점)

Case 2.　안정시부터 운동 시작까지의 $\dot{V}E$, $\dot{V}O_2$, $\dot{V}CO_2$ 의 불균형에 대해

　　일반적으로, 호기 가스 분석 장치의 전원을 넣고 30분 이상 경과 후에 교정을 시행한다. 이것은 유속 센서의 열선이 가열되는 것을 기다리는 시간이 필요하기 때문이며, 또한 호기 가스 분석 장치 내 가스의 안정을 기다려야하기 때문이다(이론적으로 15분 정도에서도 가능하다고는 한다). 그러나 이런 교정을 이해하지 않고, 전원을 넣자마자 검사를 시행하면 어떻게 될까? **그림 3-17**의 증례 ⑦처럼 안정된 자료를 얻지 못하여 운동 부하 검사의 의의가 퇴색된다. 이런 현상은, 환자에게 이상은 결코 없지만 잘못된 기기 관리가 일으키는 현상이다. 교정을 시행하는 것은 당연하다. 그 밖에 기기의 정기적 보수나 소모품을 교환해야 하며, 지금 나타난 측정치가 그 환자의 진정한 측정치가 되기 위해서는 평소의 기기 관리가 매우 중요하다.

## 9　운동중 심 박출량 및 혈관 확장능 측정

　　LVEF로 대표되는 심 기능은 대부분 안정시 심 기능의 지표이다. 운동중 심 기능의 지표는, CPX에 의해 얻을 수 있는 산소 섭취량 등의 지표가 있으며, 호기 가스 분석을 이용하여 평가한다.

　　확장성 심근병증(DCM)[09]* 등의 심 기능 저하 환자에서 운동중 심 박출량 감시 및 혈관 저항을 평가할 목적

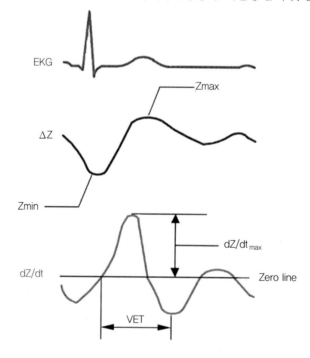

**그림 3-18**　Physio Flow에서 얻을 수 있는 시그널 분석 파형

역자주* ──────────

09　DCM (Dilated Cardiomyopathy, 확장성 심근병증)

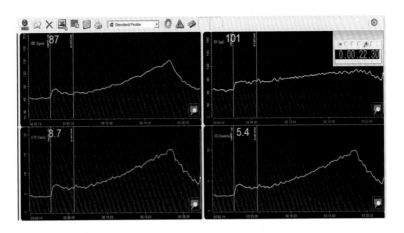

**그림 3-19** Physio Flow에서 얻은 운동 부하 중 각 지표의 시간적 변화

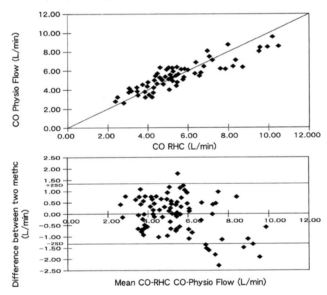

1. RHC(Swann-Ganz), n=87, R=0.89, SD=0.68(l/m), y=0.74+1.39
   University Hospital of Angers & Stasbourg, France

**그림 3-20** Physio Flow에 의한 심 박출량과 도자술에 의한 심 박출량의 상관 관계

으로, Physio Flow[10*]를 호기 가스 분석과 동시에 측정한다. 이 기기는 전극 사이의 임피던스 시그널을 측정하여, 시그널의 1차 함수(dZ/dt) 및 상대적 진폭을 검출한다. 얻어진 시그널 형태(**그림 3-18**)에서 심 박출량 및 혈관 저

역자주*────────

10  Physio Flow® (임피던스 심 박출량 측정 장치)

2. Direct Fick (Pulmonary Patients, in Rest & Exercise), n=72, R=0.90
University Hospital of Stasbourg, France. Eur Appl Physol(2000) 82:313-320

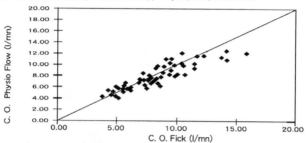

3. Echography (Cardiac Patients & Healthy subjects) n=19, R=0.83
University Hospital of Stasbourg, France.

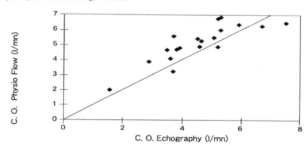

**그림 3-21** Physio Flow에 의한 심 박출량과 다른 방법에 의한 심 박출량의 상관 관계 Fick법(상단)과 심 초음파에 의한 평가 (하단)의 양호한 상관 관계를 나타낸다.

4. CO2 Rebreathing (Healthy subjects) n=48, R=0.85
University Hospital of Mareseille, France.

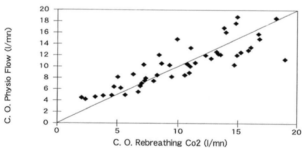

5. VO₂ (Healthy subjects) n=48, R= 0.91
University Hospital of Mareseille, France.

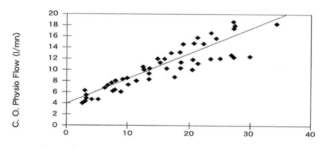

**그림 3-22** Physio Flow에 의한 심 박출량과 다른 방법에 의한 심 박출량 산소 섭취량의 상관 관계 이산화탄소 재호흡법에 의 한 심 박출량(상단)과 양호한 상관을 나타내며 산소 섭취량과도 같다.

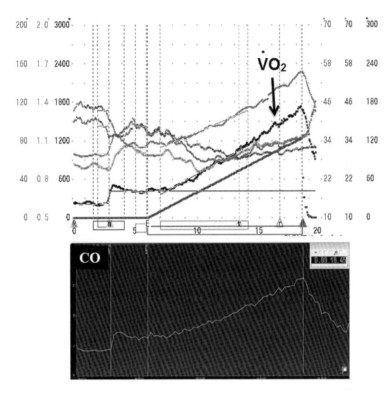

**그림 3-23** CPX 데이터와 Physio Flow에서 얻은 CO치의 시간적 변화의 비교

항을 산출하는 검사 장치이다.

　Physio Flow®는 다른 임피던스식 심전도와 달리 기준선을 설정하지 않기 때문에 운동에 영향을 받지 않아 운동 부하 검사 중 1회 박출량 및 심 박출량의 시간 경과에 따른 측정이 가능하다(**그림 3-19**). 또 Physio Flow® 는 Swan-Ganz 카테터법 등 다른 심 박출량 측정 방법과 상관 관계가 있다(**그림 3-20, 3-21, 3-22**). 임피던스식 심전계 검사와 병용하여 운동중 심 기능 및 혈관 확장능을 직접 평가하여, 수축능 저하 환자에서 보다 안전하게 운동 부하 검사를 시행할 수 있어 이런 환자의 심장 재활 효과 평가에도 유용하다(**그림 3-23**). 또 인공 심박동기의 AV delay 조절이나 운동 부하 검사시 관상동맥 질환 진단에도 유용하다.

참 · 고 · 문 · 헌

1. 日本心電学会. 運動負荷心電図の標準化に関する小委員会1994年報告：わが国における運動負荷心電図検査の実態. 心電図. 1996；16：186-208.

2. Mason RE, Likar I. A new system of multiple-lead exercise electrocardiography. Am Heart J. 1966; 71: 196-205.

3. 日本循環器学会. 循環器病の診断と治療に関するガイドライン2011年度合同研究班報告：心血管疾患におけるリハビリテーションに関するガイドライン（2012年改訂版）.

4. Rijneke RD, Ascoop CA, Talmon JL. Clinical significance of upsloping ST segments in exercise electrocardiography. Circulation. 1980; 61: 671-8.

5. Gibbons RJ, Balady GJ, Bricker JT, et al. ACC/AHA 2002 guideline update for exercise testing: summary article: a report of the American College of Cardiology/American Heart Association Task Force on Practice Guidelines （Committee to Update the 1997 Exercise Testing Guidelines）. Circulation. 2002; 106: 1883-92.

6. Barlow JB. The false positive exercise electrocardiogram: Value of time course patterns in assessment of depressed ST segments and inverted T waves. Am Heart J. 1985; 110: 1328-36.

7. 日本循環器学会. 循環器病の診断と治療に関するガイドライン2004年度合同研究班報告：慢性虚血性心疾患の診断と病態把握のための検査法の選択基準に関するガイドライン（2005年改訂版）. 2005. p.3-8

8. Sullivan M, Atwood JE, Meyers J, et al. Increased exercise capacity after digoxin administration in patients with heart failure. JACC 1989; 13: 1138.

9. Fleche GF, et al. Exercise standards: A statement for health professional from the American Heart Association. Circulation. 1999; 82: 2286.

10. 川久保清, 大城雅也, 戸田為久, 他. トレッドミル負荷試験時のHR-ST ループによる冠動脈硬化症の存在診断と重症度診断. Jpn J Electrocardiography. 1989; 9: 293-9.

11. 前原和平, 木下弘志, 井上寛一, 他. 運動負荷時のHR-ST関係と呼気ガス分析による労作狭心症と負荷心電図偽陽性例の鑑別. 臨床病理. 1986; 34: 1135-41.

12. Holden W , McAnulty JH, Rahimtoola SH. Characteristics of heart rate response to exercise in the sick sinus syndrome. Br Heart J. 1978; 40: 923-30.

13. Ueshima K, Mayers J, Ribisl PM, et al. Hemodynamic determinants of exercise capacity in chronic atrial fibrillation. Am Heart J. 1993; 125: 1301-5.

14. Atwood JE, Myers J, Quaglietti S, et al. Effect of betaxolol on the hemodynamic, gas exchange, and cardiac output response to exercise in chronic atrial fibrillation. Chest. 1999; 115: 1175-80.

15. Dewey FE, Kapoor JR Williams RS, et al. Ventricular arrhythmia during clinical treadmill testing and prognosis. Arch Intern Med. 2008; 168: 225-34.

16. Selzer A, Cohn K, Goldschlager N. On the interpretation of the exercise stress test. Circulation. 1978; 58: 193-5.

17. Marieb MA, Beller GA, Gibson RS, et al. Clinical relevance of exercise-induced ventricular arrhythmias in suspected coronary artery disease. Am J Cardiol. 1990; 66: 172-8.

# 4장
# 운동 중 혈행 동태와
# 혈류 분포

## 1 심박수

Ramp 부하 시작 후, 즉시 심박수가 증가하지는 않는다. 일정한 시간이 경과한 후부터는 거의 직선적으로 증가하기 시작한다(**그림 4-1, 검은색 화살표**). 대부분 최대 부하의 50-60%정도 강도에 이르면 심박 반응이 증가한다(**그림 4-1, 흰색 화살표**). 이것은 교감신경 활성이 지수 함수적으로 증가하여 심박수 증가가 쉬워지는 것과 더불어, 이 부근에서 1회 박출량이 한계점에 도달하므로, 심 박출량을 유지할 목적으로 심박수를 증가시키기 때문이다.

중등도의 운동 강도까지에서 심 박출량을 결정하는 것은 주로 부교감신경이다(**그림 4-1 A 부분**). 따라서 아트로핀 등으로 부교감신경을 차단하면 심박수가 증가한다. 수면이나 안정 등에서 부교감신경이 활성화되면 심

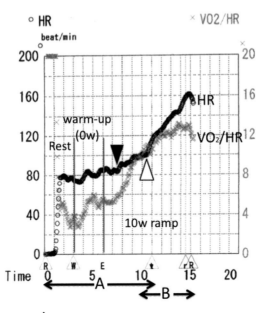

**그림 4-1** RAMP 부하 중 심박수(HR)와 V̇O₂/HR의 변화

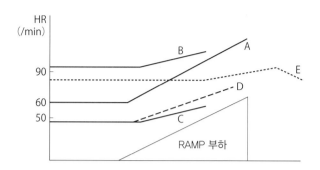

**그림 4-2** 안정시 심박수와 운동 중 심박 반응   A: 정상적 심박 반응, B: 심부전의 심박 반응, C: 베타-차단제 사용 시 심부전의 심박 반응, D: 운동 요법 후 심박 반응, E: 심 이식 환자의 심박 반응

박수가 저하한다.

부교감신경 활성은 수 초 이내에 변화한다. 따라서 안정시 심박수는 결코 일정하지 않고 조금씩 변동하고 있다. CPX 중, 안정시의 심박수가 동요하고 있어도 자율신경 활성은 거의 정상이라고 생각해도 좋다.

중등도 이상의 운동 강도가 되면 교감신경이 심박수를 결정하기 시작한다(**그림 4-1, B 부분**). 한편 부교감신경 활성은 쇠퇴되어 그 영향이 없어진다. 베타-차단제를 사용하면 안정시 심박수 저하되고 특히 중등도 이상의 심박 반응이 감소한다.

교감신경 활성은 카테콜아민 분비 변화에 의존하기 때문에 부교감신경보다 반응이 둔하다. 안정시 심박수 동요가 없으면 이 때 심박수를 결정하는 것은 부교감신경뿐 아니라 교감신경이라고 생각해도 좋다. 이것은 대부분 중증 심부전의 경우다.

중증 심부전에서 안정시부터 부교감신경 활성은 감소되고 교감신경 활성이 항진되어 있다. 따라서 운동중 부교감신경 활성 쇠퇴 정도와 교감신경 활성화의 정도가 함께 적어진다. 그 결과 정상 반응(**그림 4-2A**)에 비해 안정시 심박수가 높고, 운동시행시 심박수 증가가 적은 상황이 된다(**그림 4-2B**).

운동에 대한 심박 반응 저하를 심박수 변동부전이라고 부른다. 과거 심근 허혈에 의해 운동 부하 검사를 중단한 시점의 심박수가 적은 것이 허혈 중증도의 지표였다. 그러나 최근에는 자율신경 활성 이상 정도를 나타내는 지표를 사용하여 심부전 중증도의 지표로 이용하고 있다.

심박 반응이 저하된 증례에 베타-차단제를 사용하면, 안정시부터 운동시까지 전체적으로 심박수가 아래쪽으로 이동한다(**그림 4-2C**). 그리고 운동 요법을 시행하면 자율신경 활성이 정상화하기 위해 운동 중 심박 반응이 개선된다(**그림 4-2D**).

심장 이식 또는 일부 개심술에서 심장에 직접적인 신경 지배가 없어지면, 심장에 작용하는 카테콜아민은 신경 종말이 아니라 부신에서 유래한다. 따라서 심박 반응이 나빠진다. 운동 강도에 의하지 않으며, 처음 수 분간은 심박수가 증가 하지 않고, 그 후 5-10분 정도에 심박수가 증가하며, 운동 종료 후에도 당분간 증가가 지속되는 변화를 나타낸다(**그림 4-2E, 4-3**)[1]. 그러나 이 변화는 심장 이식 후 운동 요법을 시행하면 시간 경과에 따라 개선된다(**그림 4-4**)[2].

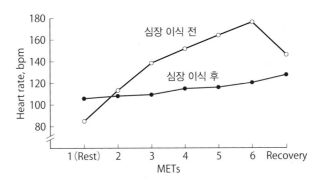

**그림 4-3** **심장 이식 환자의 운동중 심박 반응** 이식 전에 비해 이식 후 안정시 심박수가 높고, 증가 시작 반응이 지연된다.

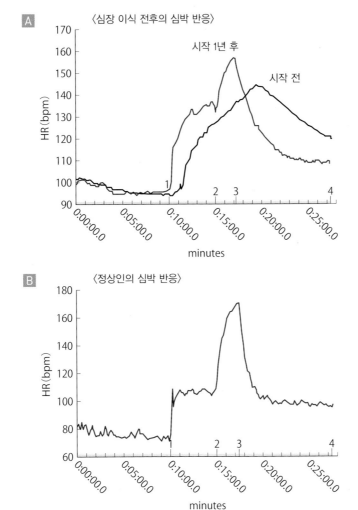

**그림 4-4** **심장 이식 환자의 심박 반응에 미치는 운동 요법의 효과** A는 심장 이식 환자의 전형적 예. B는 같은 연령대 정상인 1에 50 Watt의 자전거 운동 시작, 2에 증후 제한성 계단 부하, 3에 안정하는 프로토콜

## 2 심 박출량, 심 수축능, 심 이완능

Ramp 부하 중 SV은 최고 산소 섭취량의 40-50%에 최대치에 이르고 그 후 평탄하게 지속된다(**그림 4-5A**)[3]. SV 평탄이 지속되면 그 후 CO 증가는 심박수 증가에 의한다. 베타-차단제 등에 의해 심박 반응이 저하되면 심박수에 의한 보상이 약하기 때문에 CO 증가율이 저하한다(**그림 4-5B**).

안정시 심 펌프 기능이 정상이어도 운동으로 충분히 증가하지 않을 수 있다. 운동중 심 펌프 기능 저하는 운동 후반에 $\Delta \dot{V}O_2 / \Delta WR$감소, 또는 $\dot{V}O_2 / HR$의 평정화에 의해 검출 할 수 있다. 운동중 심 펌프 기능이 증가하지 않는 주요 원인은 **표 4-1**과 같다.

심근 허혈은 그림 4-6의 순서로 심근에 영향을 미친다[4]. ST가 유의하게 저하된 시점에서 허혈 심근의 수축능과 이완능은 이미 저하되어 있다(**그림 4-7**)[5]. 국소 허혈이 심 펌프 기능에 미치는 영향은 유의한 협착을 일으킨 혈관 부위에 다르다. 근위부 병변(**그림 4-8A**)으로 허혈 부위가 광범위하면 SV 증가가 불량하여 $\Delta \dot{V}O_2 / \Delta WR$도 감소한다(**그림 4-9**). 한편 원위부(**그림 4-8B**) 병변에는 심 펌프 기능에 주는 영향이 적고, 심전도에서 ST가 저하해도 $\Delta \dot{V}O_2 / \Delta WR$는 저하하지 않는다(**그림 4-9**). 따라서 협심증의 중증도는 **표 4-2**와 같이 분류할 수 있다.

심 이완능 저하를 원인으로 하는 심 펌프 기능 증가 제한도 자주 볼 수 있다. 좌심방에서 좌심실로 혈액 이동은, 우선 좌심실 심근의 이완으로 시작한

| **표 4-1** 운동 중 심 펌프 기능이 증가하지 않는 병태 |
|---|
| • 심근 허혈 |
| • 심장 수축능 장애 |
| • 심장 이완능 장애 |
| • MR 악화 |
| • TR 악화 |
| • CRT 기능 부전 |

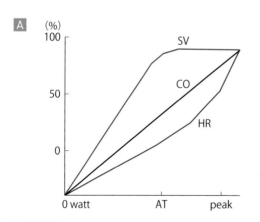
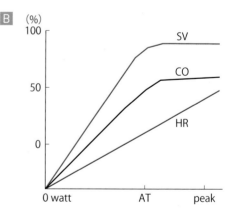

**그림 4-5** RAMP 부하 중 SV, CO, HR의 변화 패턴
A: 정상인의 반응. SV(1회 심 박출량)는 최대 부하의 40-50%로 최대치(100%)에 이른다. CO(심 박출량)이 직선적으로 증가하기 위해 HR(심박수) 증가도가 오른다.
B: 베타-차단제 사용 예의 반응. SV가 100%에 도달하여 정점이 지속되지만, 베타-차단제에 의해 HR 증가가 더뎌, CO의 기울기가 낮아진다.

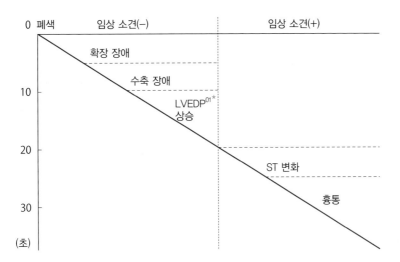

**그림 4-6** 허혈 캐스케이드

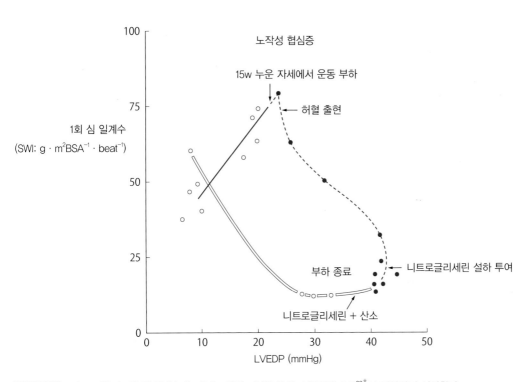

**그림 4-7** 심근 허혈이 1회 심 일계수에 미치는 영향 　허혈 출현과 동시에 SWI[02]*가 저하하기 시작한다.

역자주* ─────────

01　LVEDP (Left Venticular End Diastolic Pressure)

02　SWI (Stroke Work Index, 박출작업계수)

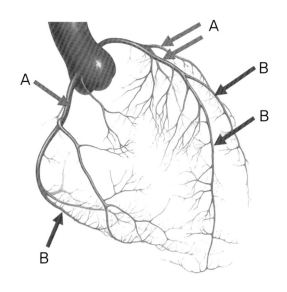

**그림 4-8** 관상동맥  A: 근위부(#1, 5, 6, 11 등), B: 원위부 (#4 PD, 8, 13 등)

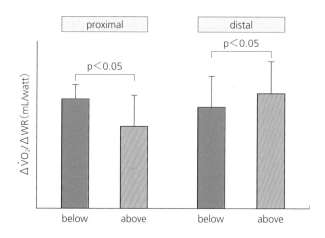

**그림 4-9** 근위부 병변과 원위부 병변에 의한 허혈이 $\Delta\dot{V}O_2/\Delta WR$ 에 주는 영향의 차이   proximal: 근위부, distal: 원위부, below: ST 저하 이전, above: ST 저하 이후

**표 4-2** 관동맥 협착률 75% 이상에서 협착증의 중증도 판정법

|  | 증상(흉통, 호흡곤란) 심 기능 저하 $\dot{V}O_2/HR$ 저하 | VT 등 합병증 동반 |
|---|---|---|
| 경증 | 없음 | 없음 |
| 중등증 | 일상 활동 수준에서(−) 경기 활동 수준에서(+) | 없음 |
| 중증 | 일상 활동 수준에서(+) |  |

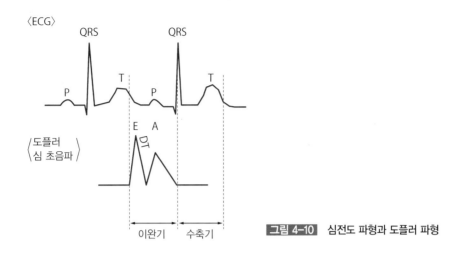

〈ECG〉

QRS      QRS

P    T    P    T

〈도플러
심 초음파〉

E   A
덕

이완기    수축기

**그림 4-10** 심전도 파형과 도플러 파형

정상            이완 장애

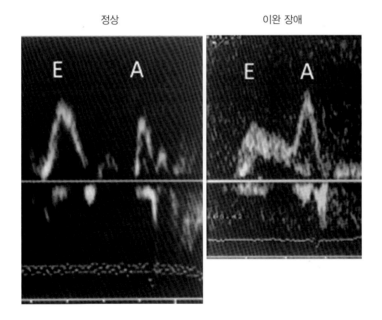

E   A         E   A

**그림 4-11** **정상인과 이완 장애 환자의 도플러 파형** 확장 장애 환자에서는 E파가 낮고, A파가 높다. 또 DT가 연장되어 좌심실의 완전 확장에 시간이 필요하다.

다. 이 때 이동하는 혈액은 심 초음파에서 E파로 평가한다(**그림 4-10**). E파는 심전도의 T파 후반에서부터 P파 시작 전 부분에 해당한다. 좌심실 이완의 신속함은 E파의 감쇠 속도, DT[03]*로 평가할 수 있다. 혈액 이동이 신속할

역자주* ─────────

03    DT (DT, DcT, Deceleration Time)

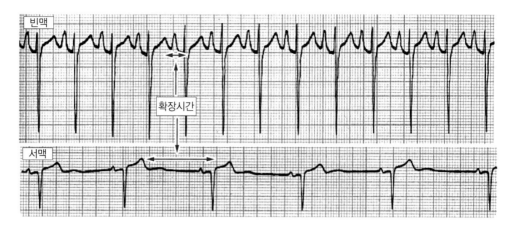

**그림 4-12** **서맥과 빈맥의 확장 시간** 빈맥에서 확장 시간이 짧아 진다.

수록 이완능이 좋다고 생각하므로 DT가 작으면 이완능이 좋다고 평가할 수 있다. 다음에 좌심방 근육이 수축하여 혈액이 이동한다. 심 초음파에서 A파 높이로 평가한다. 심전도의 P파 시작에서부터 QRS 시작까지의 부분이다. 좌심실에는 이 2단계의 과정으로 혈액이 차게 되며, 일반적으로 좌심실 확장 시에 반 이상의 혈액이 이동하므로 E파가 A파보다 높다(E/A > 1). 그러나 좌심실 이완 장애가 있으면 E파가 작아지고(E/A < 1), DT가 길어진다(**그림 4-11**).

　운동 등에 의해 심박수가 증가하면 심실 이완 시간(이완기)이 주로 단축된다(**그림 4-12**). QT 시간은 심박수에 의존하며 약 400 msec이다. PQ 시간이 길어져서 200 msec이 되면, QT 시간과 PQ 시간이 더해져 약 600 msec가 된다. RR 간격 600 msec에 심박수는 100/분이 된다. 즉 심박수가 100/분에 이르면 T파와 P파, E파와 A파가 근접하며, 110/분이면 이들이 모두 겹쳐져서 좌심실이 완전히 이완되기 전에 좌심방 수축이 시작되고 이완 기능은 저하된다(**그림 4-13**).

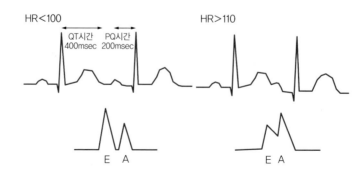

**그림 4-13** **심박수에 따른 확장 패턴의 차이** 심박수가 100 이상이면 E파와 A파가 근접하고, HR >110에서는 중첩 된다.

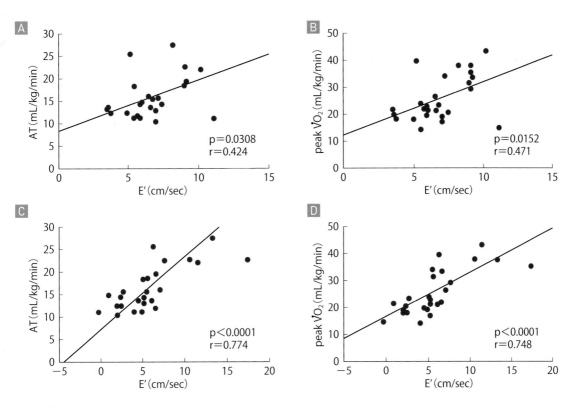

**그림 4-14**  **운동 중 확장능의 변화**  운동 수용능이 좋을수록 안정시 이완능(E')이나 운동 중 이완능 개선도(ΔE')가 좋다.

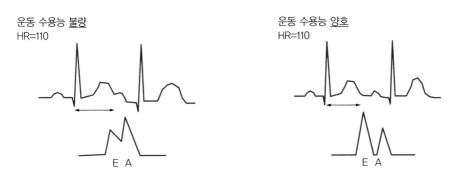

**그림 4-15**  **운동 수용능에 따른 운동 중 확장기능의 개선도 여부**  운동 수용능이 정상이면 운동 중 수축 시간(화살표)이 단축하는 동시에 이완 기능(DT)이 개선되므로 약간 빈맥이 되어도 E파와 A파가 중첩되지 않는다.

정상인은 운동 중에 이완능이 개선된다. 운동 수용능이 높을수록 개선율이 좋다(**그림 4-14**)[6]. 따라서 이완기가 단축되어도 심 초음파에서 E파와 A파가 겹치지 않는 상태를 유지할 수 있다(**그림 4-15**).

심근 수축능은 빈맥에서 저하될 수 있다. 정상인은 실험적으로 심박수를 증가시키면 LV dp/dt가 개선되

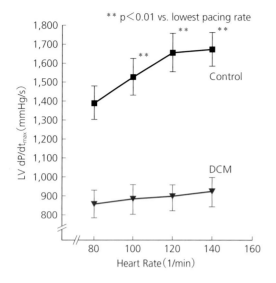

** p＜0.01 vs. lowest pacing rate

**그림 4-16** **심부전 환자의 좌심실 수축능** 심박수 증가에 따른 심장 수축 증가 효과가 심부전에서는 없다.
DCM: 확장성 심근병증[04]*

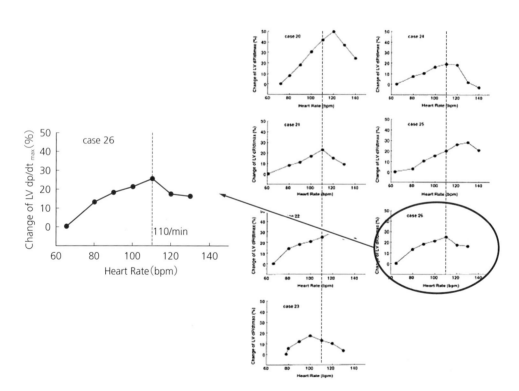

**그림 4-17** **심박수에 따른 좌심실 수축능의 변화** 110/분 정도에서 수축능이 급격히 저하하는 증례가 적지 않다.

역자주* ──────────

04　DCM (Dilated Cardiomyopathy, 확장성 심근병증)

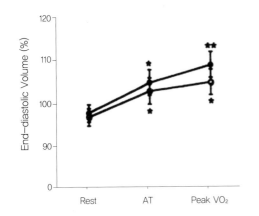
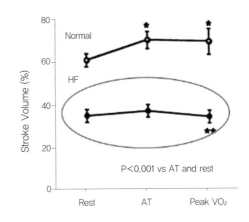

**그림 4-18** 심부전 환자의 운동 중 1회 심 박출량의 변화   운동을 시행해도 심부전 환자에서는 SV가 증가하지 않는다(동그라미 안).

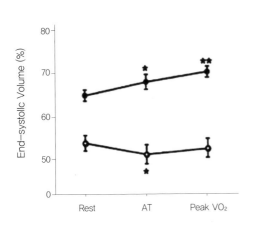
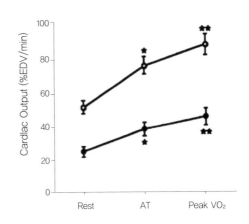

**그림 4-19A** 심부전 환자의 운동 중 심 박출량

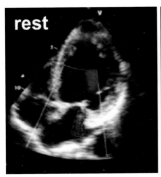
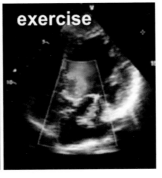
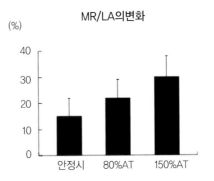

**그림 4-19B** 운동 중에 발생한 MR   운동 중에 MR이 증가한다.

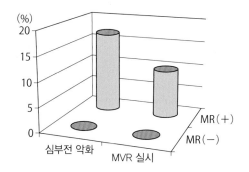

**그림 4-20** 운동 중에 MR이 출현한 환자의 예후  MR(+)에서 MVR 시행률과 심부전 악화율이 높다.

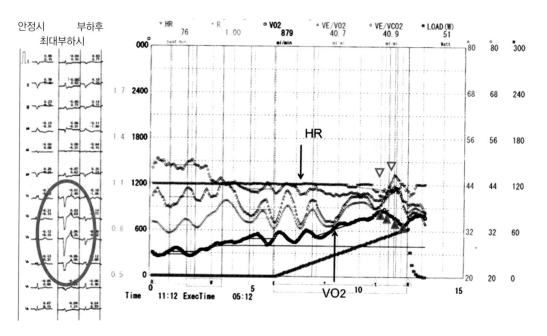

**그림 4-21**  RAMP 부하 중에 나타난 CRT 자극 이상과 V̇O₂의 변화  CRT 자극이 우심실을 pacing하면 V̇O₂가 저하 한다. 심전도 파형 변화를 볼 수 있다(검은색 원).

나, DCM 환자는 개선되지 않는다(**그림 4-16**)[7]. 심부전 환자에서 심박수가 110/분 이상이 되면 force-frequency relationship의 파탄으로 수축능이 오히려 저하한다고 보고되었다(**그림 4-17**)[8]. 운동 중에 이완 장애와 수축 장애가 일어난 결과, 심 박출량이 대부분 증가하지 않는다(**그림 4-18**)[9].

심부전 환자에게 최대 운동 부하에 가까운 부하를 주면, 약 30%의 환자에서는 승모판 역류가 악화된다[10]. 승모판 역류는 AT 수준에서 증가하기 시작하며(**그림 4-19 A, B**), 최대 부하 수준에 이르면 I도 이상 증가하는 중증도 드물지 않다[11]. 운동 중에 승모판 역류가 일어나면 심 박출량이 저하되어 V̇O₂/HR이나 ΔV̇O₂/ΔWR이 저하한다. 이런 증례는 예후가 나쁘다(**그림 4-20**)[12].

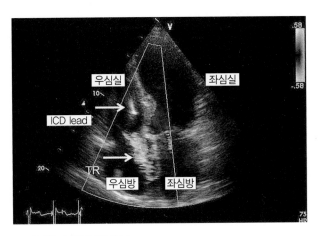

인공심박동기 lead에 의한 삼첨판 역류(TR)

CRT-D 삽입 환자에서 AV delay가 지연되면, 운동중에 방실 전도성이 높아져 인공 심박동기의 자극보다 먼저 자신의 전위가 좌심실에 도달할 수 있다. 그러면 CRT-D가 기능하지 않아 심 펌프 기능이 갑자기 저하될 수 있다(그림 4-21). 또 CRT-D 삽입 환자에서, 정도의 차이는 있지만 lead에 의한 삼첨판 역류(TR)(그림 4-22)가 대부분 나타나며, 이것이 운동 중에 악화할 수 있다. 이것도 운동중 심 펌프 기능 저하의 한 요인이다.

## 3 폐동맥 쐐기압, 폐동맥압

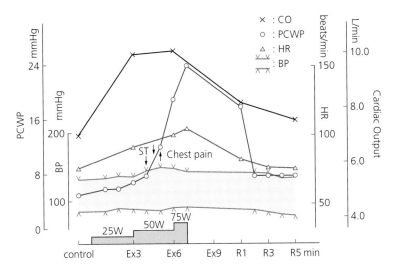

심근 허혈에 동반한 PAWP 상승  ST 저하(검은색 화살표)와 함께 PAWP가 상승한다.

안정시          최대 부하시

기타 3% 780mL    뇌 4% 900mL
피부 2% 600mL    심장 4% 1,000mL
위장관 2% 500mL
신장 1% 250mL

25,000mL

골격근
84% 21,000mL

**그림 4-24**   안정 및 최대 부하 시 혈류 분배

정상인은 운동중 PAWP[05]$^*$ 또는 PCWP[06]$^*$이 거의 상승하지 않아 고작 8 mmHg이지만 심부전에서는 상승한다. 운동 수용능이 낮을 수록 PAWP 상승 정도가 심하다. PAWP 25 mmHg 이상이 되면 폐 울혈이 일어나기 시작하므로, 그 이상 강도의 운동 요법은 위험하다. PAWP는 심근 허혈에서도 상승한다(**그림 4-23**)[13].

폐동맥압(PAP, pulmonary arterial pressure)도 심부전 환자에서 상승한다. 수축 장애가 없이 이완 장애만 있는 환자도 약 20 mmHg 정도까지 상승한다[14].

## 4 혈류 분배

심장에서 박출된 혈액은 안정시에는 **그림 4-24**의 왼쪽과 같은 형태로 여러 장기에 분배된다. 혈류 배분을 결정하는 것은 국소의 혈관 저항이며, 안정시에는 혈관 수축성 교감신경과 이완성 부교감신경, 그리고 혈관 내피세포에서 유래한 혈관 작동성 물질인 일산화질소(NO)나 프로스타사이클린(PGI$_2$) 등의 균형에 의해 조절된다.

중등도 강도의 운동에서는 칼륨 등의 대사 물질이 혈관 이완성으로 작용하는 것으로 생각하고 있다. 심 박출량 증가에 따른 혈관 내 전단 응력 증가도 NO 생산을 증가시켜 혈관은 더 이완한다. 또 혈압 상승도 혈류량을 증가시킨다. 이런 경과는 비활동 근육에도 영향을 미치며, 중등도 이하의 운동에서 비활동 근육의 혈류량도 약간 증가한다.

중등도 이상의 운동 강도에서는 교감신경이 활성화하기 시작한다. 교감신경은 비활동 근육에 혈관 수축성으로 작용하여 혈류량이 감소한다. 한편 활동 근육에는 NO 생산 항진과 동시에 H+나 체온 상승에 따른 혈관 확장 작용이 교감신경에 의한 혈관 수축 작용을 능가한다. 이른바 functional sympatholysis[15,16]이 일어나 혈관이 확

역자주$^*$ —————

05   PAWP (pulmonary artery wedge pressure, 폐동맥 쐐기압)

06   PCWP (Pulmonary Capillary Wedge Pressure, 폐모세혈관 쐐기압)

장된다. 그 결과 운동 중 혈류 분배는 **그림 4-24**의 오른쪽처럼 바뀐다.

참·고·문·헌

1. Squirers RW. Exercise training after cardiac transplantation. Med Sci Sports Exerc. 1991; 23: 686-94.

2. Nytrøen, Myers J, Chan KN, et al. Chronotropic responses to exercise in heart transplant recipients. 1-Yr Follow-Up. Am J Phys Med Rehabil. 2011; 90: 579-88.

3. Astrand PO, Cuddy TE, Saltin B, et al. Cardiac output during submaximal and maximal work. J Appl Physiol. 1964; 19: 268-74.

4. Nesto RW, Kowalchuk GJ. The ischemic cascade: temporal sequence of hemodynamic, electrocardiographic and symptomatic expressions of ischemia. Am J Cardiol. 1987; 59: 23C-30C.

5. Carlens P, Holmgren A. Left ventricular function curves at rest and during exercise in effort angina. In Ventricular function at rest and during exercise. In: Roslamm H, et al. editors. Berlin: Springer-Verlag; 1976; p.35.

6. Sekiguchi M, Adachi H, Ohshima S, et al. Effect of changes in left ventricular diastolic function during exercise on exercise tolerance assessed by exercise-stress tissue Doppler echocardiography. Int Heart J. 2009; 50: 763-71.

7. Hasenfuss G, Holubarsch C, Hermann HP, et al. Influence of the force?frequency relationship on haemodynamics and left ventricular function in patients with non-failing hearts and in patients with dilated cardiomyopathy. Eur Heart J. 1994; 15: 164-70.

8. Inagaki M, Yokota M, Izawa H, et al. Impaired force-frequency relations in patients with hypertensive left ventricular hypertrophy. A possible physiological marker of the transition from physiological to pathological hypertrophy. Circulation. 1999; 99: 1822-30.

9. Nappi A, Cuocolo A, Imbriaco M, et al. Ambulatory monitoring of left ventricular function: walk and bicycle exercise in congestive heart failure. J Nucl Med. 1997; 38: 948-53.

10. Stoddard MF, Prince CR, Dillon S, et al. Exercise-induced mitral regurgitation is a predictor of morbid events in subjects with mitral valve prolapse. J Am Coll Cardiol. 1995; 25: 693-9.

11. Takano H, Adachi H, Ohshima S, et al. Functional mitral regurgitation during exercise in patients with heart failure. Circ J. 2006; 70: 1563-7.

12. Lapu-Bula R, Robert A, Van Craeynest D, et al. Contribution of exercise-induced mitral regurgitation to exercise stroke volume and exercise capacity in patients with left ventricular systolic dysfunction. Circulation. 2002; 106: 1342-8.

13. 村山正博. 運動に対する循環器系の反応. In：外畑　巖, 他編. 運動心臓病学. 東京：医学書院；1989. p.20.

14. Anderson MJ, Olson TP, Melenovsky V, et al. Differential hemodynamic effects of exercise and volume expansion in people with and without heart failure. Circ Heart Fail. 2015; 8: 41-8.

15. Remensnyder JP, Mitchell JH, Sarnoff SJ. Functional sympatholysis during muscular activity. Observations on influence of carotid sinus on oxygen uptake. Circ Res. 1962; 11: 370-80.

16. Jendzjowsky NG, DeLorey DS. Short-term exercise training enhances functional sympatholysis through a nitric oxide-dependent mechanism. J Physiol. 2013; 15, 1535-49.

# 5장
# Ramp 부하 검사의 실제

## 1 Ramp 부하 강도 설정법

Ramp 부하가 8-12분에 끝나도록 부하를 설정한다. 운동 강도 변화에 대한 생체 반응은 약간 늦으므로 Ramp 속도가 빠르면 엇갈림이 커져, AT나 peak를 정확하게 구할 수 없게 된다. 한편 Ramp 증가가 너무 느리면 환자가 지루해하거나 자전거 에르고미터에서는 엉덩이가 아파 최대 부하를 얻을 수 없다. 따라서 표 5-1과 같은 계산식[1, 2]을 이용하여 예측 최고 산소 섭취량을 계산하고, $\Delta \dot{V}O_2 / \Delta WR$를 10으로 정해 최대 부하량을 예측하며, 이것을 10으로 나누어 Ramp 부하 강도를 설정하는 방법이 있다. 그러나 이 방법은 복잡하며, 예측치의 폭이 10 mL/min/kg로 크게 어긋나는 일이 많아 필자는 이용하지 않는다.

필자는 **표 5-2**와 같이 설정하고 있다. 심 질환 환자에서 최대 부하강도는 100 Watt 전후이므로 기본은 10 Watt Ramp로 한다. 40세 이하나 그 이상의 연령에서도 평소에 충분히 운동하고 있으면 20 Watt Ramp로 한다.

심장 재활이나 약물 요법의 치료 효과 판정을 목적으로 CPX를 반복 시행하는 경우에는, 전후에 같은 Ramp 부하법을 이용한다.

## 2 안정시 관찰 요점

안정시에 다음 파라미터에 주목한다.

**표 5-1** peak $\dot{V}O_2$ 예측식

| 자전거 에르고미터 | 트레드밀 | 단위 | 참고문헌 |
|---|---|---|---|
| 남 −0.272 x 나이 + 42.29 | −0.509 x 나이 + 61.06 | mL/min/kg | 1) |
| 여 −0.1960 x 나이 + 35.38 | −0.208 x 나이 + 40.65 | | |
| 남 0.9 x 체중 x [0.0521 − 0.00038 x 나이] | | L/min | 2) |
| 여 0.9 x 체중 x [0.0404 − 0.00023 x 나이] | | | |

**표 5-2** RAMP 부하의 간이 설정법

| | 자전거 에르고미터 | 트레드밀 |
| --- | --- | --- |
| 심 질환 환자 | 10 w/분 | $\dot{V}O_2$가 2–3 mL/분 증가 |
| 50세 이상의 정상 남성 | | |
| 40세 이상의 정상 여성 | | |
| 50세 미만의 정상 남성 | 20 w/분 | $\dot{V}O_2$가 3–4 mL/분 증가 |
| 40세 미만의 정상 여성 | | |
| 체력 단련자 | 30–40 w/분 | $\dot{V}O_2$가 4–5 mL/분 증가 |

## A 심전도, 혈압

운동 부하 검사를 시행해도 좋은지 판단하는 중요한 정보의 하나이다. 심전도 판독 순서, 알아 두어야 할 각종 부정맥, 빈맥 감별, 운동을 중단해야 할 부정맥, 급성 심근경색에 동반한 심전도 변화 등이며, 부록에 설명되어 있다.

안정시 혈압이 수축기 혈압 180 mmHg 이상 또는 80 mmHg 미만이면 CPX를 시행하지 않는다.

## B 심박수

안정시 심박수는 호흡이나 정신적 동요에 따라 변동한다. 심박수는, 안정시에는 부교감신경이 주로 조절하고, 운동중에는 교감신경이 조절한다. 부교감신경 활성은 신속하게 변화하므로 피험자의 기분 동요에 따라 정상에서도 심박수는 미세하게 변화하고 있다. 그러나 심부전, 중증 당뇨병, 중증 고혈압이나 몸 상태가 나쁘면 교감신경이 우세하게 되어, 안정시의 심박수도 교감신경에 의해 조절된다. 교감신경 활성 변동에는 시간이 걸리므로 심박수의 미세한 변동이 소실한다. 이런 상황에서는 교감신경 활성이 부교감신경 활성보다 우세하다고 생각하며, 부정맥 등의 심장 사고(cardiac accident)가 평소보다 일어나기 쉬운 것을 예상하여 주의깊게 CPX를 시행한다.

## C 산소 섭취량($\dot{V}O_2$)

체중 70 kg, 40세 남성의 안정 좌위에서 산소 섭취량은 3.5 mL/min/kg이며, 이것을 1 METs라고 부른다. 자전거 에르고미터를 타면 몸 전체에 약간 힘이 들어가므로 산소 섭취량은 1 METs보다 많아져, 1.2-1.8 METs 정도가 된다. 산소 섭취량으로 나타내면 체중 60 kg인 사람에서 250-400 mL/분 정도이다. 따라서 안정시 산소 섭취량이 200 mL/분 미만, 또는 500 mL/분 이상이면 검사를 중지하고 기기를 다시 교정한다.

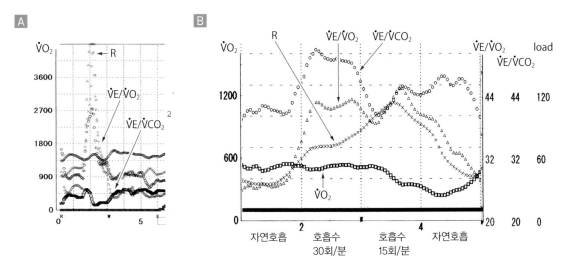

**그림 5-1** 과환기에 의한 호기 가스 분석 파라미터의 변화

A: 안정시 주위의 이야기에 반응하여 과환기가 되어 R, $\dot{V}E/\dot{V}CO_2$, $\dot{V}E/\dot{V}O_2$가 급격히 상승.  B: 보통 호흡 후, 2초에 1회 호흡(30회/분), 4초에 1회(15회/분)으로 다시 자연스러운 호흡을 시행한 경우의 변화. 강제 과환기에 의해 R, $\dot{V}E/\dot{V}CO_2$, $\dot{V}E/\dot{V}O_2$가 예민하게 증가했다.

### Ⓓ 이산화탄소 배출량($\dot{V}CO_2$), 가스 교환비(Respiratory Exchange Ratio)

가스 교환비는 $\dot{V}CO_2/\dot{V}O_2$로 계산한다. 안정시의 가스 교환비는 호흡상[01]과 거의 같은 수치를 나타낸다. 그러나 기초대사량 측정에서와 같은 완전한 안정 상태가 아니기 때문에 CPX에서는 안정시에도 가스 교환비라고 부른다.

일반 식사를 하고 있을 때 가스교환비는 0.82-0.83 정도이다. 지방만을 섭취하면 0.70 정도, 탄수화물만이면 1.0이 된다. 따라서, 안정시 가스 교환비가 0.70 미만 또는 1.0이상이면 일반적으로 비정상이며, 산소 섭취량이나 이산화탄소 배출량을 올바르게 예상하지 못했을 가능성이 있으므로 검사를 중단하고 다시 교정한다.

그러나 가스 교정이 정확해도 안정시 가스 교환비가 1 이상이 될 수 있다. 주위의 대화에 예민하여 과호흡을 일으킬 때나(**그림 5-1**) 심부전이 비교적 심한 상태이다. 과호흡에서는 침착하게 호흡하도록 지시하면 서서히 0.8 정도로 돌아간다.

### Ⓔ $\dot{V}E/\dot{V}CO_2$

$\dot{V}E/\dot{V}CO_2$는 $CO_2$ 환기 당량[02]이라고 부른다. $CO_2$ 1 mol 배출에 필요한 환기량[03]으로 생각하면 이해하기 쉽다. $\dot{V}/\dot{Q}$ mismatch에 의존하는 지표이다. 안정시에 30-50 정도의 값을 나타낸다.

역자주* ────────────

01   Respiratory Quatient (호흡상(呼吸商))

02   $\dot{V}E/\dot{V}CO_2$ (ventilation equivalent,  $CO_2$ 환기 당량  $CO_2$ 1 mol 배출에 필요한 환기량)

03   ventilation (환기량)

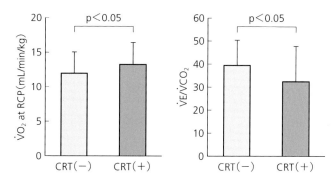

**그림 5-2** $\dot{V}O_2$와 $\dot{V}E/\dot{V}CO_2$에 대한 심 박출량의 영향

효과적 CRT에서 CRT 시행[CRT(+)]과 자기맥으로 CPX 시행[CRT(−)]의 비교에서 $\dot{V}O_2$가 증가하여 $\dot{V}E/\dot{V}CO_2$가 저하된다. 이런 결과는 산소 섭취량의 관련을 나타내고 있다

이 수치가 비정상적으로 증가하는 대표 질환은 심부전이나 폐 순환 제한에 의한 폐 혈류 제한, 흉골 절개술 후에 호흡이 얕은 경우 및 폐포 저환기 등이다. 일차성이나 이차성 폐동맥고혈압에서도 증가하며, ACE 억제제[04]나 산소 치료에 의해 폐동맥이 확장되는 효과가 있는지 판정에도 사용할 수 있다. 또 폐혈관 확장 예비능이나 심 박출량의 지표로도 유용하다.

안정시 $\dot{V}E/\dot{V}CO_2$의 의의와 RCP(혹은 AT)에서 $\dot{V}E/\dot{V}CO_2$ (minimum $\dot{V}E/\dot{V}CO_2$), $\dot{V}E$ vs. $\dot{V}CO_2$ slope의 의의는 V/Q mismatch 를 반영하는 점에서 같다. 오차가 적고 측정 하기 쉬운 것은 minimum $\dot{V}E/\dot{V}CO_2$와 $\dot{V}E$ vs. $\dot{V}CO_2$ slope이며, 환자에게 부하를 주지 않고 측정할 수 있는 것은 안정시 $\dot{V}E/\dot{V}CO_2$이다.

심부전에서는 폐동맥이 운동 중에도 확장하지 않으며 심 박출량이 적기 때문에 폐 혈류량이 증가하지 않아 폐포 주위의 가스 교환율이 저하한다. 폐동맥 확장이 어려운 것은 혈관 내피세포 기능 저하에 의해 혈관 확장 작용이 있는 NO 분비가 저하되고, 혈관 수축성 프로스타글란딘이나 아드레노메듈린 분비 항진 및 카테콜아민 분비 과잉에 의한다. 이것은 심부전의 중증도에 따라 악화 된다. 따라서 안정시 $\dot{V}E/\dot{V}CO_2$는 심부전 중증도를 반영한다고 생각할 수 있다. 심부전에서 운동 요법이나 베타-차단제, 혈관 확장제 등의 치료에 의해 이 수치는 2주 정도부터 개선되기 시작한다. CRT가 효과적일 때, 호기 가스를 측정하면서 CRT 설정을 바꾸어 심 박출량을 변화시켜 보면, 이 수치가 비교적 신속하게 변화하는 것을 볼 수 있다(**그림 5-2**).

흉골 절개술 후에는 흉골부 통증으로 호흡이 얕아진다. 이런 호흡 패턴에서는, 흡기에 의해 폐포가 충분히 확장되기 전에 호기가 시작되므로 가스 교환율이 나쁘다. 따라서 일정한 $\dot{V}CO_2$를 얻기 위해 다량의 환기가 필요하므로 $\dot{V}E/\dot{V}CO_2$가 증가 한다.

수술 후 환자에서 폐포 주위 울혈도 이 수치 악화에 관여할 가능성을 생각할 수 있다. 수술 후 운동 요

역자주[*] ─────────

04　Angiotensin Converting Enzyme Inhibitor (ACE 억제제)

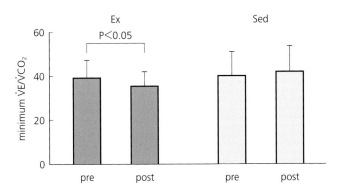

**그림 5-3** $\dot{V}E/\dot{V}CO_2$에 대한 운동 요법의 효과

개심술 후 환자에 2주간 운동 요법 시행의 결과. $\dot{V}E/\dot{V}CO_2$가 유의하게 개선 되었다.
Ex: 운동 요법군, Sed: 안정군, pre: 운동 요법 시작 전, post: 2주간 후

법을 하지 않으면 약 2주에 $\dot{V}E/\dot{V}CO_2$가 저하한다. 그러나 운동 요법을 시행하면 어느 정도 개선된다(**그림 5-3**)[3].

중증 폐기종에서는 폐포 저환기에 의해 생리학적 사강량/1회 환기량[05]★이 증가하며, 폐포압이 모세혈관압보다 높아 폐 혈류량이 감소하므로 $\dot{V}/\dot{Q}$ mismatch가 증가되어 $\dot{V}E/\dot{V}CO_2$가 높아진다.

# 3 Warming up (준비 운동)

## A 지속 시간과 강도 결정법

필자는 warming up을 3분간 시행하고 있다. 중증 심부전에서 산소 섭취량이 정점 지속(plateau)에 이르기까지 3분 정도가 걸리므로 warming up을 4분 가량 시행하는 것이 일반적이다. 최근에는 중증 심부전의 운동 요법으로 유산소 운동이 아니라 0 Watt 를 이용한 pre-training을 시행하고 있으며, 급성기에는 CPX를 시행하지 않기 때문에, 3분 이내에 정점 지속이 나타나는 증례는 없다. 이런 이유에서 필자는 warming up 시간을 3분간으로 하고 있다.

warming up의 운동 강도는 0 Watt를 이용한다. 과거에는 20 Watt를 이용했으나, 이것은 자전거 부하 장치가 20 Watt 이하의 부하량은 부정확하기 때문이었다. warming up 부하 강도로 20 Watt를 이용하면 warming up 중에 AT 이상이 나타날 수 있어 정확한 AT를 결정할 수 없다. 필자는 후쿠타전자사의 ML 9000과 미츠비시전기 엔지니어링의 스트렝스에르고 8을 사용하고 있으며, 이것은 정확하게 0 Watt 를 부하 할 수 있어 체력이 낮은 심장질환 환자에서 안심하고 사용하고 있다.

역자주★ ────────────

05  VD/VT (Deadspace/Tidal Volume Ratio, 생리학적 사강량/1회 환기량)

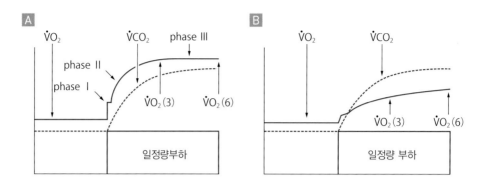

**그림 5-4** Warming up 시작에 따른 $\dot{V}O_2$및 $\dot{V}CO_2$변화

A는 정상 예. $\dot{V}O_2$는 2분 정도에 안정 상태에 이르러 3분[$\dot{V}O_2$ (3)]과 6분[$\dot{V}O_2$ (6)]에 차이가 없다. B는 심부전 환자. warming up을 시작하고 좀처럼 안정 상태가 되지 않고 3분[$\dot{V}O_2$ (3)]보다 6분[$\dot{V}O_2$ (6)] 쪽이 크다. 운동 시작 직후 약 15초 정도의 급격한 $\dot{V}O_2$상승 부분을 phase I 이라고 한다. $\dot{V}CO_2$는 $\dot{V}O_2$보다 상승 속도가 늦지만. $\dot{V}O_2$와 달리 운동 강도나 운동 수용능에 따라 최종적으로 정점 지속이 된다.

## Ⓑ 산소 섭취량(phase I, phase II, $\tau$)

warming up을 시작하면 산소 섭취량이 급속히 증가한다. $\dot{V}O_2$는 warming up 시작 후 15초 정도에 일단 안정 상태가 되며, 그 후 곧바로 지수 함수적으로 증가하나, 3분 이내에 정점 지속(plateau) 상태가 된다(**그림 5-4 A**).

$\dot{V}O_2$의 처음 15초간 수직 증가를 phase I이라고 부른다. 운동 시작에 따라 심 박출량과 c (A-V) $O_2$ difference[06]*가 급속히 일어나는 변화이며, 골격근에서 산소 섭취 증가를 나타내는 것은 아니다. 앞서서 하는 운동에서 phase I의 1/3은 c (A-V) $O_2$ difference의 급속한 증가에 의한 것이다[4]. 누워서 하는 운동 부하 검사 중에는 phase I이 감소한다.

phase I에 이어지는 $\dot{V}O_2$의 지수 함수적 증가를 phase II라고 부른다. phase II에서 평정 상태의 1/e에 도달할 때까지의 시간을 시정수(時定數, $\tau$)라고 부른다. $\tau$은 안정 상태에서 warming up에 의해 어느 정도나 빠르게 이행되는가에 대한 지표이며, 노화나 심혈관 행동 동태 조절능이 저하되는 심부전에서는 연장[5] 된다. 그리고 연장 정도는 예후의 지표가 된다[6].

$\tau$ on은 운동 강도에 의존하며, 정상인은 AT 이하의 운동 강도에서는 운동 강도에 의하지 않고 3분 이내에 정상 상태에 이른다.

정상 상태 후 단계를 phase III라고 부른다. 이론적으로 운동 부하 강도가 AT 이하이면 산소 섭취량은 변화하지 않는다. 동시에 심박수도 변화하지 않는다. 한편 warming up에서 이미 AT를 넘은 경우에는 산소 섭취량도 심박수도 정상 상태가 되지 않는다(**그림 5-4B**). 따라서 warming up으로 산소 섭취량이 정상 상

역자주* ──────────

06  c (A-V) $O_2$ difference (동정맥 산소 함유량차)

82

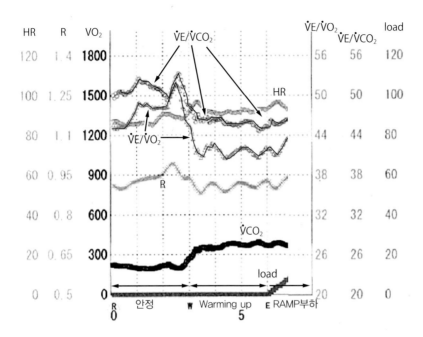

**그림 5-5** Warming up 시작에 따른 $\dot{V}E/\dot{V}O_2$와 $\dot{V}E/\dot{V}CO_2$

Warming up을 시작하면 $\dot{V}E/\dot{V}O_2$와 $\dot{V}E/\dot{V}CO_2$는 신속히 저하한다. 안정시에는 자율신경 활성 변동에 동반하여 환기가 쉽게 변화하므로 $\dot{V}E/\dot{V}O_2$와 $\dot{V}E/\dot{V}CO_2$ 변동이 심하다. $\dot{V}O_2$보다 $\dot{V}CO_2$와 $\dot{V}E$ 변화가 늦어 $\dot{V}E/\dot{V}O_2$변화 쪽이 $\dot{V}E/\dot{V}CO_2$보다 빠르다.

태가 되지 않으면, warming up 시에 이미 AT를 넘은 것을 의미한다. 또 운동 요법 중에 서서히 심박수가 증가하면 그 운동 강도가 AT를 넘은 것을 의미한다.

## ⓒ $\dot{V}E/\dot{V}O_2$ , $\dot{V}E/\dot{V}CO_2$ 의 변화

$\dot{V}E/\dot{V}O_2$와 $\dot{V}E/\dot{V}CO_2$는 warming up 시작에 따라 저하한다(**그림 5-5**). 안정시에는 **그림 5-6A**와 같이 폐첨 부위의 폐 혈류는 매우 적으며, 폐포 내압이 PAWP 이상이므로 가스 교환이 일어나지 않는다. 한편 폐 하부는 중력에 의해 폐포가 충분히 확장되지 않은 상태에 있다. 따라서 극단적으로 말하면, 가스 교환은 폐 중앙 1/3에서만 일어나고 있는 것이다. 그런데 운동을 시작하면 ergoreflex에 의해 환기가 증가한다. 이 때문에 호흡이 깊어지고 폐포가 확장되어 가스 교환에 관여하는 폐의 표면적(유효 가스 교환상)이 증가 한다. 동시에 심 박출량도 증가 하며 하지 운동 시작과 함께 $\dot{V}/\dot{Q}$ mismatch가 감소한다(**그림 5-6B**).

심부전에서는 운동을 시작해도 폐 혈류의 증가 정도가 미약하고 환기도 약하여 $\dot{V}/\dot{Q}$ mismatch 의 개선 정도가 적다(**그림 5-6C**). 폐포 내압과 정맥압의 관계는 그림 5-7과 같다. $\dot{V}E/\dot{V}CO_2$가 어느 정도 저하하는 지 보면 심부전의 중증도를 추측할 수 있다.

한편 warming up에서 이미 AT에 도달하면 이런 수치가 특징적으로 변화한다. warming up 시작 후 곧 바로 $\dot{V}E/\dot{V}O_2$가 증가하기 시작하여 $\dot{V}E/\dot{V}CO_2$ 이상이 된다. warming up이 RCP 이상이면 $\dot{V}E/\dot{V}CO_2$도 명

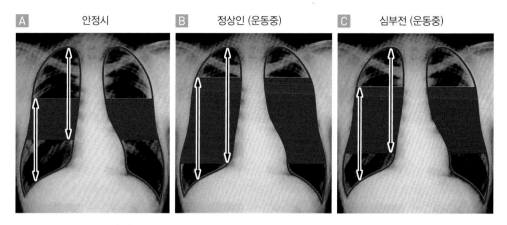

**그림 5-6** 안정시 및 운동 중 V̇/Q̇ mismatch 분포

A: 환기는 위 2/3. 혈류는 아래 2/3에서 일어나므로 중앙 1/3의 붉은 부분에서 가스 교환을 하고 있다.

B: 운동을 시작하면 호흡이 깊어지는 동시에 혈류가 증가 하여 가스 교환 영역(붉은 부분)이 확대된다.

C: 심부전에서는 그 개선율이 적다.

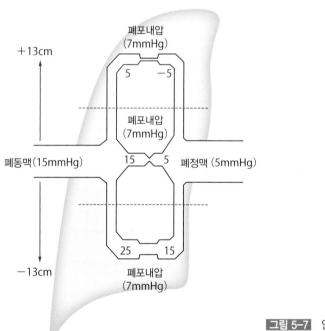

**그림 5-7** 안정시 폐동맥압과 폐포내압

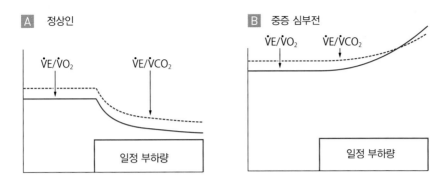

| A 정상인 | B 중증 심부전 |
| --- | --- |
| $\dot{V}E/\dot{V}O_2$  $\dot{V}E/\dot{V}CO_2$ | $\dot{V}E/\dot{V}O_2$  $\dot{V}E/\dot{V}CO_2$ |
| 일정 부하량 | 일정 부하량 |

**그림 5-8**  Warming up 시작에 따른 $\dot{V}E/\dot{V}O_2$와 $\dot{V}E/\dot{V}CO_2$의 변화

확히 증가한다(**그림 5-8**).

피험자의 운동 수용능이 매우 높은, 건강한 정상인이면 warming up을 시작해도 이런 수치는 변화하지 않는다. 안정시 가스 교환율이 매우 좋아 안정시 $\dot{V}E/\dot{V}O_2$와 $\dot{V}E/\dot{V}CO_2$가 이미 20-30 정도이면 이 현상이 나타난다. 필자는 심 질환 환자용의 warming up을 0 Watt 로 설정하고 있으나, 이 설정으로 20세 정도의 정상인에게 부하 검사를 시행하면 이런 현상이 생긴다.

중증 심부전과 건강한 정상인에서는 안정시부터 warming up에 걸쳐 $\dot{V}E/\dot{V}CO_2$저하가 적지만, 그 감별은 쉽다. $\dot{V}E/\dot{V}CO_2$ 값이 중증 심부전에서는 높고, 안정시에는 60 이상을 나타내는 한편, 건강한 정상인에서는 안정시에 30대 전반으로 낮은 값을 나타낸다. $\dot{V}E/\dot{V}CO_2$의 절대치를 보면 틀리지 않는다.

## D  심박 반응

심박수는 warming up 시작과 동시에 증가한다. 이 때 심박수 증가 반응은 부교감신경 활성 쇠퇴가 중요 요인이다. 이 반응은 산소 섭취량보다 빠르다. 중증 심부전에서도 CPX가 가능한 정도의 증례는 부교감신경 활성이 완전

**표 5-3**  심박 반응이 극단적으로 저하되는 상황

- 인공심박동기 리듬
- 신경 절단(개심수술 후, 심장 이식 후)

히 쇠퇴되지 않기 때문에, 심박 반응 저하가 완전히 소실되지 않는다. 이 반응이 소실되는 경우는 **표 5-3**과 같으며, 심박수 제어가 동결절이나 방실결절 전도에 의존하지 않는 경우나 체액성 카테콜아민에 의해 리듬이 제어되는 경우다.

심방세동에서는 warming up 시작 시에 심박 반응이 과도하여 부하량 0 Watt 에서도 심박수가 100 이상이 될 수 있다. 과로나 스트레스가 심부전과 동반되어 교감신경 활성이 과도하고 부교감신경 활성이 감소되어 있으면, 방실 결절에서 심방으로 가는 전위 전도가 증가되어 warming up 정도의 운동에도 심박 반응이 과도하게 된다. 증상으로 두근거림을 느끼는 경우가 많다. 이런 증례는 베타-차단제 또는 운동 요법에

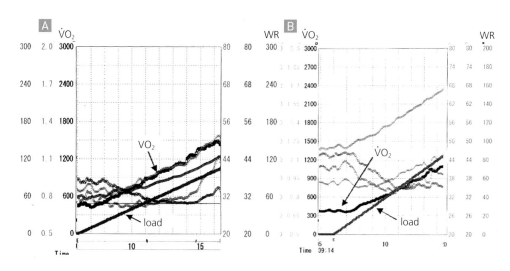

**그림 5-9** RAMP 부하 중 산소 섭취량($\dot{V}O_2$)과 일률(WR; work rate, load)의 관계

$\dot{V}O_2$와 일률의 스케일 10:1에서 (A) 양자는 거의 평행하지만, 스케일이 다르면 (B) 평행하게 증가하지 않는다

의한 맥박 조절이 필요하다. 운동 요법은 금기가 아니며, 오히려 적극적인 운동 요법으로 치료해야 한다.

## 4 Ramp 부하에서 얻는 지표

### A 산소 섭취량 ($\dot{V}O_2$)

유산소 운동 수준의 일상 활동에서 산소 섭취량의 증감은 ATP[07]*의 증감 자체이다. 생체 활동 수요에 반응하여 산소 섭취량은 증가한다. 산소 섭취량이 어떤 이유에서 증가하지 않으면 다양한 증상이 나타난다.

Ramp 부하 중 산소 섭취량은 1 Watt에 대해 거의 10 mL 증가한다. 따라서 CPX Ramp 부하 중 산소 섭취량과 부하량을 10:1의 스케줄로 나타나도록 해두면 산소 섭취량과 부하량이 평행하게 증가하는 것을 볼 수 있다(**그림 5-9**). 부하량과 산소 섭취량의 관계를 $\triangle \dot{V}O_2 / \triangle WR$라고 한다. $\triangle \dot{V}O_2 / \triangle WR$의 정상치는 약 10 mL/Watt가 된다[7].

Ramp 부하가 시작되어도 산소 섭취량 증가가 곧바로 시작되지는 않는다. warming up 시에 시정수로 평가된 '생체 반응 지연'이 여기서도 관찰된다. 이 기간 중에는 몸 안의 산소를 이용하여 ATP를 생산하거나 무산소적으로 ATP를 생산한다. 정상인에서 약 1분간, 심부전이면 2분 정도는 산소 섭취량 증가가 시작되지 않는다.

역자주* ──────────

07  ATP (Adenosine Triphosphate, 에너지)

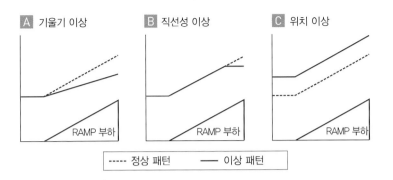

| A 기울기 이상 | B 직선성 이상 | C 위치 이상 |
|---|---|---|
| RAMP 부하 | RAMP 부하 | RAMP 부하 |

----- 정상 패턴     —— 이상 패턴

**그림 5-10** RAMP 부하 중 V̇O₂의 이상 패턴

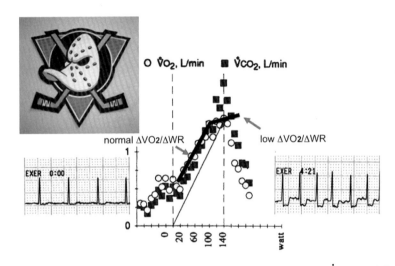

O V̇O₂, L/min    ■ V̇CO₂, L/min

normal ΔVO2/ΔWR     low ΔVO2/ΔWR

EXER 0:00     EXER 4:21

watt

**그림 5-11** 아이스하키 스틱 모양   애너하임 마이티덕스의 마크에 그려진 아이스하키의 스틱. V̇O₂가 꺾여지는 형태를 닮았다.

## 1) 산소 섭취량 증가에 대한 3개의 이상 패턴

　Ramp 부하 중 산소 섭취량 증가에 3 종류의 이상 패턴이 있다. 첫째는 부하 처음부터 ΔV̇O₂/ΔWR가 저하되는 패턴이며, 산소 섭취 '기울기의 이상'이다 **(그림 5-10A)**. 확장성 심근병증 같은 심부전 증례나 deconditioning이 진행된 증례에서 나타난다. 유산소

**표 5-4** ΔV̇O₂/ΔWR 기울기가 낮아지는 질환

- 심부전
- CRT에서 운동 중 기능 부전
- 폐고혈압
- 폐색성 동맥경화
- 운동 부족

대사 능력이 저하되고, Ramp 부하 초기부터 무산소 대사 비율이 높은 것이 원인이다. 표 5-4는 ΔV̇O₂/ΔWR이 저하되는 병태이다. 심부전에서는 7 mL/Watt까지 저하한다.

　둘째는 ΔV̇O₂/ΔWR의 '직선성 이상'이다**(그림 5-10 B)**. 운동시에 유산소 대사가 정상적으로 일어나지만, 어느 부하 수준에 도달하면 무산소 대사 비율이 증가하여 이 패턴을 나타낸다. 협심증, 이완기능 장애[고혈압,

당뇨병, 비만(인슐린 저항성), 심근증 등], 승모판 폐쇄 부전 등의 기저 질환에 있을 때 나타난다. Wasserman은 아이스하키 스틱과 비슷하다고 hockey-stick pattern이라고 했다(**그림 5–11**).

셋째는, 기울기는 정상이지만 위쪽으로 이동하는 '위치 이상' 패턴이다(**그림 5–10C**). 산소 섭취량이 warming up 때부터 예측치보다 증가하며, 안정시에는 정상인 것이 특징이다. 이것은 고도 비만에서 볼 수 있다. 하지가 무겁기 때문에 자전거 에르고미터를 돌릴 때 필요한 에너지 수요가 하지 무게가 정상인 사람보다 많은 것이 원인이다. 이런 패턴은 동양인에서는 드물다.

## 2) 최고 산소 섭취량(peak $\dot{V}O_2$, peak oxygen uptake)

산소 섭취량에서 가장 중요한 지표는 peak $\dot{V}O_2$다. 이것은 피험자가 더 이상 운동할 수 없는 강도의 산소 섭취량을 나타낸다. 이에 비해 maximum $\dot{V}O_2$ ($\dot{V}O_2$ max)는 운동을 계속할 수 있으나 그 이상으로 운동 강도를 증가해도 산소 섭취량이 증가하지 않는 수준의 산소 섭취량을 말한다. 운동 선수에게 평소 보다 낮은 수준의 부하나 환자에서 장애에 따라 $\dot{V}O_2$ 증가가 정지하는 경우가 있다. 심 질환 환자에서 $\dot{V}O_2$ max에 도달 후 무신경한 부하 증가는 위험하다.

최대 운동시에 몸이 앞쪽으로 많이 기울어지면서 페이스 마스크에서 호기 가스가 새면 peak $\dot{V}O_2$가 낮게 나온다. $\dot{V}E$가 직선적으로 증가하지 않을 때 혹시 호기 가스 누출은 없는지 조사해야 한다(**그림 5–12**).

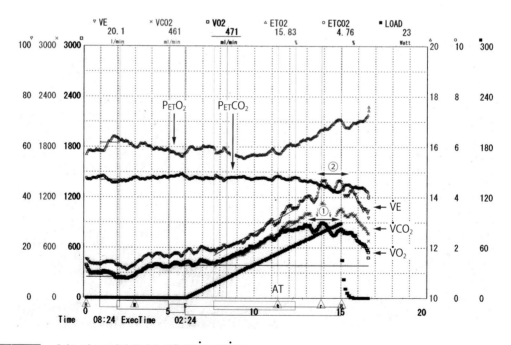

**그림 5–12** 페이스 마스크에서 공기가 샜을 때 $\dot{V}O_2$와 $\dot{V}E$
최대 부하 근처에서 $\dot{V}O_2$ 증가율이 저하되고(①) $\dot{V}E$도 같은 변화를 나타내서(②) 마스크에서 호기 가스 누출을 알 수 있다.

1. $\dot{V}CO_2$, $\dot{V}E$가 $\dot{V}O_2$에서 벗어남이 증가하기 시작하는 점
2. V-slope법에서 slope가 45도 이상이 되기 시작하는 점
3. $\dot{V}E/\dot{V}O_2$의 증가 시작점
4. R 증가 시작점
5. $P_{ET}O_2$ 증가 시작점

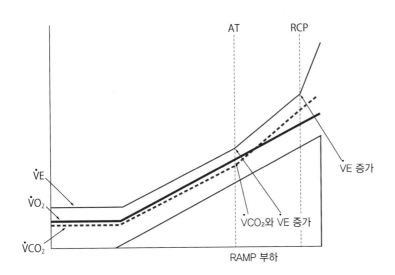

그림 5-13   RAMP 부하 중 $\dot{V}O_2$, $\dot{V}CO_2$, $\dot{V}E$의 변화   $\dot{V}CO_2$와 $\dot{V}E$는 AT에서 증가율이 크다. $\dot{V}E$는 RCP에서 크다.

## 3) 무산소성 역치(anaerobic threshold: AT)

최대 부하에 이른 상태의 산소 섭취량 지표는 2개가 있다.

첫째는 무산소성 역치이다. AT는 '호기적(好氣的) 대사에 무호기적 대사가 더해지는 시점의 산소 섭취량'으로 정의한다. 따라서 AT는 산소 섭취량이며 AT ($\dot{V}O_2$)라는 표기는 잘못이다.

AT 결정법은 다음과 같다(표 5-5).

① $\dot{V}O_2$, $\dot{V}CO_2$, $\dot{V}E$의 경향 곡선(trend graph)에서 $\dot{V}CO_2$와 $\dot{V}E$ 기울기가 급격히 올라가기 시작하는 점(그림 5-13).

② $\dot{V}O_2$와 $\dot{V}CO_2$의 관계에서 $\dot{V}O_2$에 비해 $\dot{V}CO_2$가 증가하기 시작하여 45도 곡선보다 급격하게 되기 시작하는 점[V-slope법(그림 5-14)].

AT 이하의 slope를 slope 1 (S1), AT 이후를 slope 2 (S2)라고 부른다. 젖산 생산량이 많으면 slope 2의 각도가 급격하게 된다.

필자는 V-slope에서 "AT는 플롯 한 점이 드문 곳에 흔히 존재한다"라고 배웠다. 확실히 그런 일이 많기 때문에 그 기전을 고찰해 보았다. 다음에 설명할 RR threshold가 AT와 일치하는 경우에 볼 수 있는 것이 많았다. AT 이하에서는 $\dot{V}O_2$와 $\dot{V}CO_2$가 일정한 비율로 증가 하는 것과 동시에 호흡수도 거의 일정하므로 slope 1의

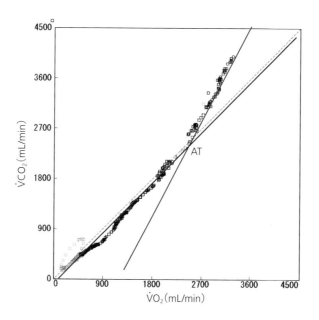

**그림 5-14** V-slope

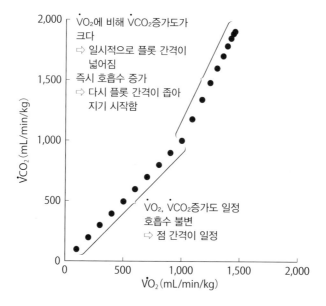

**그림 5-15** V-slope법에서 플롯의 밀도   AT 근처에서는 플롯이 드문드문하게 되는 것이 많다

플롯 점 밀도는 일정하다. 그러나 AT에 이르면 $\dot{V}CO_2$ 증가도가 항진되므로 점과 점 사이의 간격이 멀어진다. 그 후 곧바로 호흡수가 증가하기 시작하므로 다시 점과 점 사이가 좁아진다. 결과적으로 AT 부근에서 점들의 분포가 드물게 되는 것이라고 생각할 수 있다(**그림 5-15**). RR threshold와 더불어 관찰하면 AT 결정에

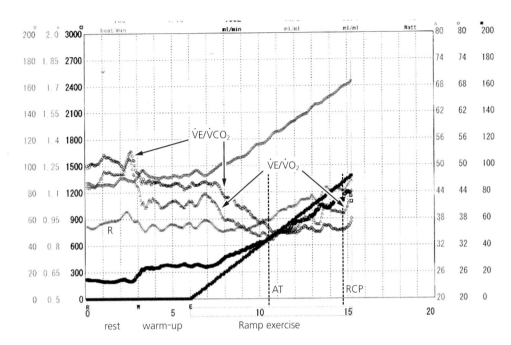

**그림 5-16** $\dot{V}E/\dot{V}O_2$와 $\dot{V}E/\dot{V}CO_2$의 경향 곡선   AT에서 $\dot{V}E/\dot{V}O_2$증가가 시작되고, RCP에서 $\dot{V}E/\dot{V}CO_2$가 증가하기 시작한다.

참고가 된다.

③ $\dot{V}E/\dot{V}O_2$와 $\dot{V}E/\dot{V}CO_2$의 경향 곡선에서 $\dot{V}E/\dot{V}O_2$가 증가하기 시작하는 점(**그림 5-16**). $\dot{V}O_2$에 비해 $\dot{V}CO_2$와 함께 $\dot{V}E$가 증가하기 때문이다.

④ $\dot{V}CO_2/\dot{V}O_2$에서 계산한 R의 경향 곡선에서 R이 증가하기 시작하는 점. R이 1 이상이 되면 이미 AT를 넘고 있다(**그림 5-16**).

⑤ $P_{ET}O_2$[08]*와 $P_{ET}CO_2$의 경향 곡선에서 $P_{ET}O_2$가 증가하기 시작하는 점(**그림 5-12**). 운동 시작과 더불어 환기가 항진되어 가스 교환 효율이 개선되는 것과 동시에 $\dot{V}O_2$가 증가하기 시작하므로 호기 중의 산소가 체내로 이행하는 양이 증가한다. 따라서 호기 중 산소 분압이 저하되어 $P_{ET}O_2$가 저하한다. AT에 이르면 환기 항진과 동시에 무산소 대사 비율이 급격히 증가하므로 가스 교환에 관여하지 않는 $O_2$는 증가하나 흡기의 산소가 호기 안으로 그대로 나온다. 그 결과 $P_{ET}O_2$는 정점 지속에 약간 증가한다.

AT 이후 젖산 생산이 진행되어 서서히 산증(Acidosis)이 되기 시작한다. 산증 진행을 억제하기 위해 우선 신장이 작동하여 $HCO_3^-$(중탄산염)을 생산한다. AT에 이르면 $HCO_3^-$ 유래한 $CO_2$가 $\dot{V}CO_2$에 추가되어 $\dot{V}O_2$에 비해 $\dot{V}CO_2$가 많아져, $\dot{V}O_2$와 $\dot{V}CO_2$의 균형이 깨진다. 따라서 $\dot{V}E$도 증가하여 $\dot{V}E/\dot{V}O_2$와 $\dot{V}E/\dot{V}CO_2$가 괴리되는 움직임이 나타나게 된다.

AT는 peak $\dot{V}O_2$의 약 60%이다. 몸이 산성이 되기 시작하면 AT 근처에서 발에 열기를 느끼는 사람이 있고,

역자주* ————————

08   $P_{ET}O_2$ (End Expiratory $O_2$ pressure, 말기 호기 중 $O_2$ 분압)

표 5-6 Weber-Janicki 분류

| | AT (mL/min/kg) | Peak V̇O₂ (mL/min/kg) | severity |
|---|---|---|---|
| A | 14< | 20< | none–mild |
| B | 11~14 | 16~20 | mild–moderate |
| C | 8~11 | 10~16 | moderate–severe |
| D | 5~8 | 6~10 | severe–very severe |
| E | <4 | <6 | very severe |

표 5-7 METs 표를 이용한 생활 지도 방법

일상 활동에 필요한 산소 소비량

| METs | 활동 | 취미 | 운동 |
|---|---|---|---|
| 1-2 | 식사, 세면<br>재봉, 뜨개질<br>자동차 운전 | 라디오, 텔레비전<br>책, 카드게임<br>바둑, 장기 | 매우 천천히 걸음<br>(1.6 km/시) |
| 2-3 | 교통기관 탑승<br>조리, 간단한 세탁<br>마루 닦기(자루걸레로) | 볼링<br>분재 손질<br>골프(전동 카트 사용) | 천천히 평지 보행<br>(3.2 km/시),<br>(2층까지 천천히 오른다) |
| 3-4 | 샤워<br>10 kg의 짐을 짊어지고 걷기<br>취사 일반, 이불 펴기<br>창 닦기, 무릎 꿇고 마루 닦기 | 라디오 체조<br>낚시<br>배드민턴(비경기)<br>골프(백 메고) | 조금 빠른 보행<br>(4.8 km/시)<br>(2층까지 오르기) |
| 4-5 | 10 kg의 짐을 안고 걷기<br>풀 베기<br>서서 마루 닦기<br>부부 생활, 목욕 | 도예, 댄스<br>탁구, 테니스<br>캐치볼<br>골프(셀프) | 속보(5.6 km/시) |
| 5-6 | 10 kg의 짐을 한 손에 들고 걷기<br>삽질(흙일) | 계곡 낚시<br>아이스 스케이팅 | 빠른 속보<br>(6.5 km/시) |
| 6-7 | 삽으로 땅파기<br>눈 치우기 | 포크 댄스<br>스키 투어(4.0 km/시) | |
| 7-8 | | 수영, 등산, 스키<br>헬스클럽에서 에어로빅 댄스 | 조깅(8.0 km/시) |
| 8- | 계단을 10층 이상 오르기 | 줄넘기, 각종 스포츠 경기 | |

자전거 에르고미터의 페달 회전 속도가 느려지는 피험자도 있다. 이것은 AT가 되었는지, 환자가 고통을 느끼기 시작하는지 판단하는 중요한 소견이다.

산소 섭취량은 운동 수용능 자체이다. 산소 섭취량에 대한 Weber-Janicki 분류는 **표 5-6**과 같다(보통 'Weber 분류'라고 한다)[8].

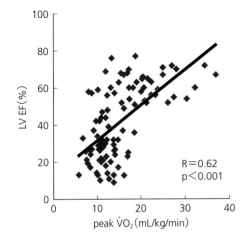

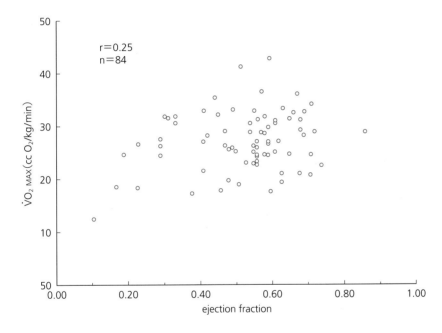

**그림 5-17** AT와 EF의 관계 대상 설정에 따라 EF와 peak $\dot{V}O_2$가 상관 관계를 나타낸다.

**그림 5-18** AT와 EF의관계

환자 교육에 보통 METs표(**표 5-7**)를 사용하지만, 이 자료는 미국 정상인을 기준으로 한 것이다. 미국인과 동양인의 생활에 차이가 있을 가능성이나, 정상인과 심 질환이 있는 사람의 $\Delta \dot{V}O_2/\Delta$ WR에 차이가 있을 가능성을 고려하여 교육한다.

AT나 peak $\dot{V}O_2$에 의한 운동 수용능이 심 초음파로 측정한 좌심실 구혈률과 상관을 나타낸다는 보고가 있으나(**그림 5-17**)[9], 거의 상관이 없다는 보고도 많다(**그림 5-18**)[10, 11].

이것은 산소 섭취량이 심 박출량 뿐 아니라 골격근 기능, 혈관 내피세포 기능, 자율신경 기능 등 모든 기능을 종합한 것이기 때문이다. 또 심 초음파는 누워서 측정된 안정된 지표이며, 운동 중 지표인 산소 섭취량과 차이가 날 수 있다. 게다가 EF는 이완말기와 수축말기의 면적 또는 용적 차이이므로, 좌심실의 확대가 있으면 같은 EF에서도 심 박출량은 커진다. 또 후부하 의존성이므로 EF는 진정한 심 펌프 기능이라고 할 수 없다. 따라서 EF는 심 박출량을 정확히 나타내지 못하며 운동 수용능과 상관이 없을 수 있다. 이상과 같이 심부전에서 EF가 저하되어 있어도 운동 수용능이 유지되고 있으면 예후가 불량하지 않으며, 이것을 환자에게 설명하면 많은 심부전 환자가 매우 기뻐한다.

### 4) 호흡 보상 시작점(respiratory compensation point: RCP)

최대 부하 이하에서 산소 섭취량에 대한 2번째 지표다.

AT 이후 $HCO_3^-$ 생산에 의한 보상 기전이 일어나지만 이윽고 신장에 의한 보상에 한계가 온다. 그 후 산증을 보상하기 위해 과환기가 시작된다. 호흡기계에 의한 보상의 시작이다. 이 시점을 RCP라고 한다. 단계적으로 증가하는 운동 부하가 10분에 끝나면 AT와 RCP 간격은 약 3분인 경우가 많다. AT와 RCP 사이의 보상 기전을 isocapnic buffering이라고 부른다.

RCP에서 자각적 목표 운동 강도는 대략 Borg 17이다. RCP 이후에는 호흡수가 반드시 증가하여 대화가 어려워진다.

### Ⓑ 최고 산소맥 酸素脈 (peak $\dot{V}O_2$/HR, oxygen pulse)

$\dot{V}O_2$/HR를 산소맥이라고 하며, 산소 섭취량을 심박수로 나누어 1회 심 박출량에서 산소를 얼마나 섭취하는지 평가하는 지표이다. Fick의 산소 섭취량과 심박수의 관계식;

$\dot{V}O_2$= CO × c(A-V)$O_2$ diff.에서

$\dot{V}O_2$/HR=SV × c(A-V)$O_2$ diff.를 유도하면

peak $\dot{V}O_2$/HR은 최대 부하 시 심 박출량의 지표가 된다.

[CO: 심 박출량, c(A-V)$O_2$ diff.: 동정맥 산소 함유량차, SV: 1회 심 박출량, c(A-V)$O_2$ diff.는 최대 부하시에 14-17 vol%로 일정한 값]

$\dot{V}O_2$/HR의 정상치는 표 5-8과 같다[12]. 동양인은 미국인 보다 peak $\dot{V}O_2$가 작기 때문에 peak $\dot{V}O_2$/HR도 작은 수치이다. 필자는 60대의 운동 습관이 없는 사람에서 10 mL/beat 이상이면 정상이라고 설명한다. 유산소 운동 요법을 시행하면 AT나 peak $\dot{V}O_2$가 증가하여 표준 치의 120-150%가 되지만, $\dot{V}O_2$/HR은 100% 이상으로 되지 않는다. 심근경색 후 정상보다 50% 정도 저하된 환자에서 반년에서 1년에 이르는 심장 재활 훈련에 의해 100% 정도가 되었으나, 다시 1년간의 유산소 운동으로도 120%가 되는 것은 드물

**표 5-8** 격렬한 운동 습관이 없는 성인에서 $\dot{V}O_2$/HR의 표준치

| Wasserman의 textbook에 의한 계산 |
| --- |
| M (키 − 나이) x 20/(220 − 나이) |
| F (키 − 나이) x 141(220 − 나이) |

| 일본 순환기학회의 표준치 (1992년판)의 계산 |
| --- |
| M (−0.1 x 나이 + 34.5) x 체중/(220 − 나이) |
| F (−0.1 x 나이 + 28.9) x 체중/(220 − 나이) |

었다. 이것은 운동 요법이 중추와 말초에 미치는 효과에 차이가 있기 때문이라고 생각할 수 있다. 즉 골격근 기능이나 혈관 내피세포 기능 개선에 의한 산소 섭취량 개선 쪽이, 심 기능 개선보다 일어나기 쉬운 것이 원인이라고 생각된다. 그러나 운동 습관이 평균 이상인 경우나 운동 선수는 $\dot{V}O_2/HR$이 150% 정도까지 증가한다.

이 지표에서 주의 해야 할 점은, 베타-차단제 등 심박수를 늦추는 약제를 사용하면 수치가 높게 나오는 것이다. CPX를 2회 시행했을 때, 나중에 베타-차단제를 시작했다면 심박수가 감소되어 $\dot{V}O_2/HR$가 증가되므로 결과를 비교할 수 없다.

UCLA의 Stringer 등은 Ramp 부하 중 산소 섭취량과 운동 강도가 최대 부하의 몇%가 되는지, 다음과 같이 1회 심박량(SV)으로 계산할 수 있다고 보고했다[13].

$$SV = \dot{V}O_2 \text{ (mL/min)} \times 100/[c \text{ (A-V) } O_2 \text{ diff. (mL/dL)} \times HR \text{ (/min)}]$$
$$= \dot{V}O_2 \times 100/[(5.72 + 0.10 \times X) \times HR]$$

여기서 X는 peak $\dot{V}O_2$에 대한 현 시점에서 $\dot{V}O_2$의 %

비침습적으로 심 박출량을 예측할 수 있는 식이지만, 'peak $\dot{V}O_2$에 대한 현 시점의 $\dot{V}O_2$의 %'라고 예측하므로 정상인 이외에는 적용하기 어렵다.

이 지표에서 주의해야 할 점이 몇 가지 있다.

첫째, 이 지표는 어디까지나 심 박출량을 나타내는 지표이며 심근 장력이나 이완능을 나타내는 지표가 아니다. 예를 들어, 폐동맥 고혈압에서 폐 혈관 확장 불량으로 산소 섭취량이 감소할 수 있다. 이 경우에 $\dot{V}O_2/HR$은 낮은 값을 나타내지만 이것은 심 수축력 자체가 저하된 것이 아니라, 후부하가 높기 때문에 심 박출량이 감소한 것이다. 또 장기간 병상에만 누워있어 골격근이 위축되거나 산화 효소 활성이 저하되어도 산소 섭취량은 감소한다. 이 경우에도 $\dot{V}O_2/HR$은 낮은 수치를 나타내지만 이것도 심 기능 자체의 이상에 의한 것은 아니다.

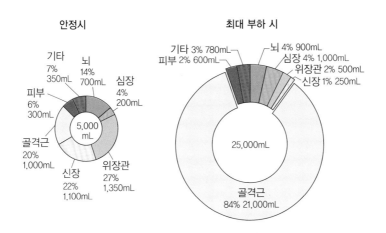

**그림 5-19** 안정시 및 최대 부하 시 각 장기의 혈류 분배

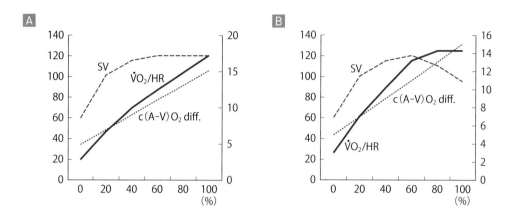

그림 5-20   RAMP 부하 중 $\dot{V}O_2$/HR의 증가 양식

둘째, Fick 식에 대한 오해이다. 산소 섭취량은 심 박출량과 동정맥 산소 함유량의 곱이라고 했지만, 정확하게는 활동근 혈류량과 동정맥 산소 함유량차의 곱이다. 심장에서 박출된 혈액은 활동근에만 분포하는 것이 아니다. **그림 5-19**에서 보듯이 안정시에 비해 운동 중에는 활동근에 5배 이상의 혈류가 분배되지만 그런데도 100%는 아니다. 또 운동 강도 AT 이하에서 혈관 확장능을 결정하는 것은 주로 일산화질소(NO)이며, 활동근뿐 아니라 비활동근의 혈류도 증가시킨다. AT 이상이 되어 교감신경 활성이 항진되면 비활동근의 혈관은 수축되고, 활동근의 혈류만 증가한다. 즉 운동 강도에 따라 혈류 분배가 다르다. 게다가 건강한 상태와 중등증 이상의 심부전 사이에서도 운동 중 혈류 분배가 다르다. 따라서 Fick 식으로 구한 $\dot{V}O_2$/HR을 순수하게 1회 심 박출량이라고 생각할 수 없다.

Ramp 부하 중 $\dot{V}O_2$/HR은 위쪽으로 약간 볼록한 곡선으로 증가한다. 거의 직선적으로 증가를 계속하

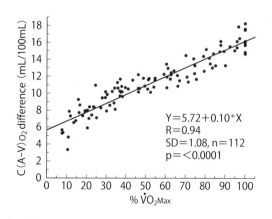

$$Y = 5.72 + 0.10*X$$
$$R = 0.94$$
$$SD = 1.08, n = 112$$
$$p = <0.0001$$

그림 5-21   RAMP 부하 중 c(A-V) O₂ difference
성별, 질환, 나이에 따라 c(A-V) O₂ difference는 직선적으로 증가한다. 안정시에는 대략 6 vol%. 최대 부하 시에는 16 정도가 된다.

여 최종적으로 예측치의 100%에 도달하는 패턴인 **그림 5–20A**와 AT 근처에서 예측치의 100%가 되어 그 후 평탄화하는 패턴인 **그림 5–20B**가 있다. 전자는 Ramp 부하 중에 SV가 점차 증가하여 최대 부하의 40-60%에 정점 지속에 이르며, 심 펌프 기능이 정상인 경우이다. 후자는 SV가 최대 부하 근처에서 오히려 감소된다. % peak $\dot{V}O_2$/HR가 100%이면 정상이다. Ramp 부하 중 c(A-V)$O_2$ diff.의 부하 중 증가 양식은 **그림 5–21**과 같다[13].

## ⓒ $\dot{V}E/\dot{V}O_2$, $\dot{V}E/\dot{V}CO_2$

$\dot{V}E$와 $\dot{V}CO_2$사이에 다음과 같은 관계 식이 있다.

$$\dot{V}E = 863 \times \dot{V}CO_2/[PaCO_2 \times (1-VD/VT)]$$

VD는 생리적 사강이며 해부학적 사강과 폐포 사강(기계적 사강)을 더한 것,

VT는 1회 환기량, VD/VT는 사강 환기율이다.

양변을 $\dot{V}CO_2$로 나누면 $\dot{V}E/\dot{V}CO_2 = 863/[PaCO_2 \times (1-VD/VT)]$이 되어, $\dot{V}E/\dot{V}CO_2$에 VD/VT가 관련되는 것을 이해할 수 있다.

VD가 커지면 $\dot{V}/\dot{Q}$ mismatch 증가를 의미한다. 또 VT가 작아지면 얕고 빠른 호흡 패턴을 나타낼 때이다.

$\dot{V}E/\dot{V}O_2$와 $\dot{V}E/\dot{V}CO_2$는 Ramp 부하 중 서서히 저하된다. 호흡이 깊어져 폐포가 확장하는 것과 동시에 폐에 혈액 환류 증가에 의해 VD/VT가 감소, 즉 $\dot{V}/\dot{Q}$ mismatch 분포가 개선되기 때문이다. $\dot{V}E/\dot{V}O_2$는 AT까지 계속하여 저하하였다가 그 후 상승된다. $\dot{V}E/\dot{V}CO_2$는 AT 또는 RCP까지 저하되고, RCP 이후에 상승된다.

이런 결과에 영향을 주는 주된 인자에는, 폐동맥 혈전 색전증, SV 저하, 혈관 내피세포 기능 저하, 교감 신경 활성 이상, 얕고 빠른 호흡 양식 등이다.

심부전에서는 운동 중 1회 심 박출량이 낮아 혈관벽에 전단 응력을 증가시키지 못해 혈관 내피세포에서 혈관 확장물질인 일산화질소 생산이 증가하지 않는다. 따라서 폐 혈류가 증가하지 않게 된다. 또 교감신경 활성도 항진되어 혈관 확장을 어렵게 한다.

얕고 빠른 호흡 패턴에서는 충분한 흡기가 이루어지기 전에 호기가 시작되므로 폐포가 충분히 확장되지 못하여 $\dot{V}/\dot{Q}$ mismatch가 일어난다. 그러나 폐기종처럼 운동 중 $PaCO_2$가 증가할 정도의 폐포 저환기는 드물다.

AT에서 RCP에 이르는 동안 나타나는 $\dot{V}E/\dot{V}CO_2$의 최저비는 minimum $\dot{V}E/\dot{V}CO_2$라고 부르며, 심부전 중증도의 좋은 지표이다. 필자는 이 값이 38 이상이면 예후 불량이라고 생각한다. 이 값은 사강에 의존하므로, 사용하는 호기 가스 수집 장치가 페이스 마스크와 마우스 피스인가에 따라 다르다. 다른 병원의 자료와 비교할 때 하는 경우에는 주의해야 한다. Was-

**표 5-9** minimum $\dot{V}E/\dot{V}CO_2$의 정상치

| 나이 | minimum $\dot{V}E/\dot{V}CO_2$ |
|---|---|
| <20 | 23.5 ± 2.0 |
| 21–30 | 23.9 ± 2.1 |
| 31–40 | 25.0 ± 2.7 |
| 41–50 | 26.1 ± 2.2 |
| 51–60 | 28.0 ± 2.9 |
| 61– | 29.4 ± 2.3 |

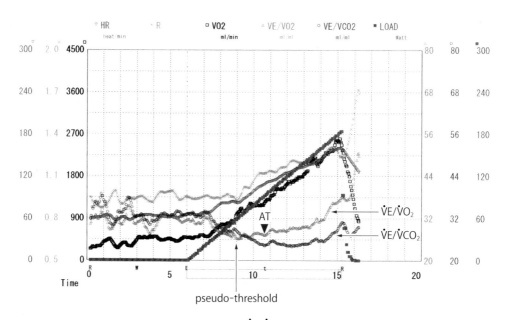

**그림 5-22** Pseudo-threshold의 1 예  운동 부하 초기에 $\dot{V}E/\dot{V}O_2$가 증가 반응을 나타내면 pseudo-threshold가 나타난다. 이 증례는 AT 부위에서 이미 R > 1이 되어 $\dot{V}E/\dot{V}O_2$가 nadir(저부)에서 상승으로 바뀌고 있으며, 그림에는 표시하지 않았으나 $P_{ET}O_2$가 이 시점에서 상승하기 시작했기 때문에 이 점을 AT로 했다.

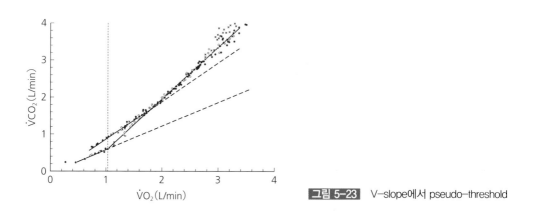

**그림 5-23** V-slope에서 pseudo-threshold

serman 등에 의한 minimum $\dot{V}E/\dot{V}CO_2$의 정상치는 표 5-9와 같다.[14]

심근경색 후 4일째나 개심술 후 7일 경의 CPX 시행에서 최대 부하를 주지 않고 AT를 결정하고 싶으면 앞에서 설명한 $\dot{V}E/\dot{V}O_2$- $\dot{V}E/\dot{V}CO_2$관계를 이용한다. 최대 부하를 주지 않고 AT를 결정할 수 있어 안전하다.

Ramp 부하 중에 $\dot{V}E/\dot{V}O_2$가 일단 완만한 하강에서 평형을 보이다가 증가하고, 다시 감소하는 일이 있다. 운동 중에 일어나는 첫번째 저하를 pseudo-threshold라고 부른다(**그림 5-22**)[15,16].

이 pseudo-threshold는 안정시에서 warming up을 지나면서 과환기가 일어나서 $CO_2$의 감소와 고갈에 의해 Ramp 부하 시작 시점에서는 $\dot{V}CO_2$와 $\dot{V}E$가 저하 되어 $\dot{V}E/\dot{V}O_2$가 저하되었다가, Ramp 부하 시작에 따라 $CO_2$생산량이 회복되어 $\dot{V}E/\dot{V}O_2$가 상승하기 시작하는 현상이다. $\dot{V}E/\dot{V}O_2$의 변동 패턴이 AT 패턴과 비슷하여 pseudo-threshold라고 부른다. V-slope에서 보면 조기에 $\dot{V}CO_2$가 증가하기 시작한다(**그림 5-23**)[17]. 과환기에 의한 $CO_2$가 저하된 알카리증에서는 말초 혈관을 수축시켜 젖산 생산량이 증가한다. 이것도 Ramp 부하 시작 후, 신속하게 $\dot{V}CO_2$와 $\dot{V}E$가 증가하기 시작하는 기전의 하나이다. 또 저장된 글리코겐량이 적어도 $\dot{V}E$와 $\dot{V}CO_2$는 저하되며, 이것은 안정시부터 저하가 지속되는 점에서 구별할 수 있다.

## Ⓓ $\dot{V}E$ vs. $\dot{V}CO_2$ slope

$\dot{V}E$ vs. $\dot{V}CO_2$ slope는 minimum $\dot{V}E/\dot{V}CO_2$처럼 $V/Q$ mismatch가 어느 정도 개선될 수 있는지 아는 지표이며, 심부전 중증도의 지표이다. 이 값이 34 이상이면 예후 불량이다(**그림 5-24**)[18]. UCLA의 정상치는 표 5-10과 같다[12].

$\dot{V}E$ vs. $\dot{V}CO_2$ slope 측정은 Ramp 부하 중 $\dot{V}E$가 증가하기 시작한 점에서 RCP까지의 범위에서 선택한다. RCP 이후에 $\dot{V}E$가 $\dot{V}CO_2$보

**표 5-10** $\dot{V}E$ vs. $\dot{V}CO_2$의 정상치

| 나이 | $\dot{V}E$ vs. $\dot{V}CO_2$ |
| --- | --- |
| <20 | 22.9 ± 2.8 |
| 21–30 | 23.6 ± 2.8 |
| 31–40 | 23.9 ± 3.1 |
| 41–50 | 25.2 ± 2.9 |
| 51–60 | 27.2 ± 3.0 |
| 61– | 27.5 ± 3.1 |

다 증가하기 시작하므로 slope가 급격하게 된다. 최대 부하까지를 선택하면 slope가 실제 높은 수치를 나타내서, 충분한 체력으로 부하를 감당할 수 있을 정도로 slope 수치가 크다고 잘못 판단할 수 있다(**그림 5-25**).

$\dot{V}E$ vs. $\dot{V}CO_2$ slope와 minimum $\dot{V}E/\dot{V}CO_2$는 상관성이 좋지만, 드물게 수치가 맞지 않는 경우도 나타난다. $\dot{V}E$ vs. $\dot{V}CO_2$ slope는 Ramp 부하 중의 변화를 저강도에서부터 연속하여 샘플링하고 있기 때문에 저강도 부하 중에 과환기가 있으면 slope의 기점이 높아진다(**그림 5-26**). 따라서 slope의 기울기가 낮아진다.

## Ⓔ $P_{ET}CO_2$ , $P_{ET}O_2$

혈중 $CO_2$는 거의 완전히 폐포에서 확산되므로 $P(PA)CO_2$(폐동맥혈 $CO_2$분압)과 $P_ACO_2$(폐포내 $CO_2$ 분압)은 대략 같은 45-48 mmHg 정도이다. 모든 폐포에서 적절한 가스 교환이 일어나면 말기 호기 중 $CO_2$

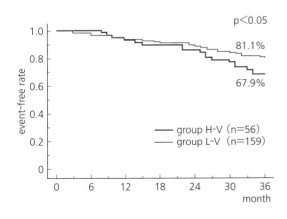

**그림 5-24** $\dot{V}E$ vs. $\dot{V}CO_2$ slope에 의한 심장사고 발생률의 차이 $\dot{V}E$ vs. $\dot{V}CO_2$ slope > 34 (Group H-V)에서 심장 사고 발생률은 $\dot{V}E$ vs. $\dot{V}CO_2$ slope < 34 (Group L-V)보다 유의하게 높다.

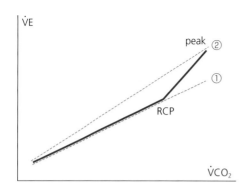

**그림 5-25** $\dot{V}E$ vs. $\dot{V}CO_2$ slope 구하는 방법

$\dot{V}E$ 증가 시작점에서 RCP까지의 구간으로 계산한다(①). RCP 이상에서 $\dot{V}E$는 $\dot{V}CO_2$에 대해 급격히 증가한다. 따라서 최대 부하까지의 구간에서 $\dot{V}E$ vs. $\dot{V}CO_2$ slope를 구하고(②), RCP 이후의 부분이 긴 환자, 즉 건강한 환자는 $\dot{V}E$ vs. $\dot{V}CO_2$ slope 가 급격하여 운동 수용능이 낮은 결과가 된다.

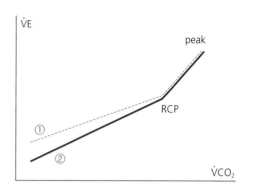

**그림 5-26** Warming up시에 과환기가 있을 때 $\dot{V}E$ vs. $\dot{V}CO_2$ slope

warming up 시 과환기(①)에서 정상(②)에 비해 $\dot{V}E$ vs. $\dot{V}CO_2$ slope이 낮다.

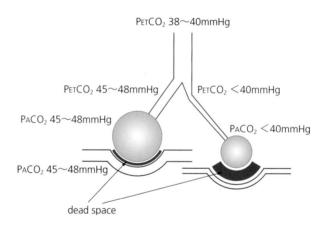

**그림 5-27** $P_ACO_2$, $P_aCO_2$, $P_{ET}CO_2$의 관계

저관류 부위에서 폐동맥 혈중 $CO_2$가 충분히 폐포에 확산되지 않기 때문에 $P_ACO_2$는 $P_aCO_2$와 같지 않다. $P_ACO_2$를 모은 $P_{ET}CO_2$는 $P_aCO_2$보다 작은 값이 된다. 저관류 부위가 많으면 $P_{ET}CO_2$가 저하된다.

분압[09]$^\star$ 은 45-48mmHg [$ETCO_2$ (말기 호기의 탄산가스 농도)는 대기압이 760 mmHg이면 6.3-6.7%]이 며, 안정시에 중폐야 이외에서는 가스 교환을 하지 않고, 그런 부위에서 $P_ACO_2$는 $P(PA)CO_2$보다 낮은 수 치가 된다. 그리고 폐 전체의 $CO_2$축적인 $P_{ET}CO_2$도 45-48 mmHg 보다 낮은 값이다. 즉 $P_{ET}CO_2$는 폐 혈류 가 적거나 환기-혈류 불균형이 크면 저하된다(**그림 5-27**). 따라서 $P_{ET}CO_2$는 폐 혈류량, 심 박출량, 폐혈전

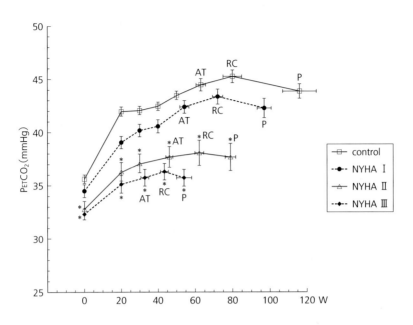

**그림 5-28** $P_{ET}CO_2$와 NYHA의 관계   NYHA 심 기능 분류

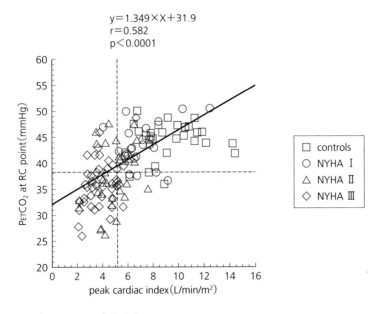

$y = 1.349 \times X + 31.9$
$r = 0.582$
$p < 0.0001$

**그림 5-29** $P_{ET}CO_2$와 CI (cardiac index)의 관계

색전증에 의한 폐 혈관상 감소도의 지표가 된다. $P_{ET}CO_2$와 NYHA 분류 사이에는 **그림 5-28**과 같은 관계가 있으며, 심 박출량과의 사이에는 **그림 5-29**와 같은 관계가 있다[19]. $P_{ET}CO_2$의 정상치는 안정시에 36-42 mmHg, 운동 중에 최대 50 mmHg 정도에 이른다. 필자는 RCP에서 $P_{ET}CO_2$45 mmHg 또는 $ETCO_2$ 6%

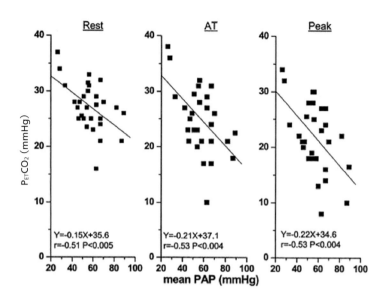

**그림 5-30** $P_{ET}CO_2$와 폐동맥압의 관계

이상을 정상이라고 한다.

운동 중 심 박출량의 지표로 $\dot{V}O_2$/HR가 있으며, 이것은 베타-차단제 사용에서는 이용할 수 없다. 한편 $P_{ET}CO_2$는 베타-차단제를 사용해도 영향을 받지 않아, 이런 환자에서 $P_{ET}CO_2$는 운동 중 심 펌프 기능 추정에 참고가 된다. 그러나 심 박출량 이외의 요인으로 $\dot{V}/\dot{Q}$ mismatch가 있으면 심 박출량 지표로서 사용할 수 없다.

$P_{ET}CO_2$는 폐동맥압과도 관련이 있다. 폐동맥고혈압 환자에서 안정시와 AT 수준, 최대 부하시 PAP 와 $P_{ET}CO_2$사이에 **그림 5-30**과 같은 관계가 있다[20]. 또 $P_{ET}CO_2$는 좌우 단락(Left-to-Right Shunt) 존재의 지표가 된다. PFO (난원공 개존, patent foramen ovale) 에서 처럼 운동 부하에 의해 좌우 단락이 일어나면 $P_{ET}CO_2$가 갑자기 저하된다(**그림 5-31**)[21].

Ramp 부하 중에 가스 교환 효율이 서서히 개선되면 혈중 $CO_2$의 폐포 확산이 증가 한다. 따라서 $P_{ET}CO_2$가 점차 증가한다. 그러나 RCP에 이르면 $\dot{V}CO_2$이상으로 $\dot{V}E$가 항진되어 양자의 불균형이 생기면 확산되는 $CO_2$와 외부 공기의 $CO_2$가 섞여 $P_{ET}CO_2$가 감소하기 시작한다. 즉 $P_{ET}CO_2$는 $\dot{V}CO_2$와 $\dot{V}E$의 괴리가 시작되는 징후다.

$P_{ET}O_2$는 부하 중에 점차 감소한다. 이것은 운동에 따른 $\dot{V}O_2$ 증가와 동시에 호흡이 깊어져서 가스 교환 효율이 개선되고, 흡기 중 $O_2$의 이용이 증가되며, 호기 중에 남아 있는 $O_2$가 감소하기 때문이다. 그러나 AT에 이르러 혐기적 대사 비율이 증가하면 $\dot{V}O_2$ 증가가 약간 감소하는 동시에 $\dot{V}O_2$ 이상의 $\dot{V}E$ 증가, 즉 산소 필요량 이상으로 환기가 항진되면 가스 교환에 사용하지 않았던 산소가 그대로 호기 중으로 돌아와 $P_{ET}O_2$가 증가하기 시작한다. $P_{ET}O_2$는 $\dot{V}O_2$와 $\dot{V}E$의 괴리가 시작된 징후이며, 이것은 대체로 AT 수준의 운동 강도에서 나타나는 현상이다.

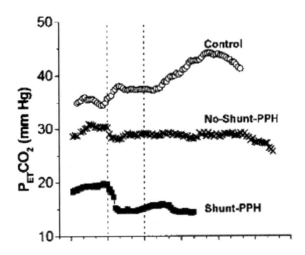

**그림 5-31** 좌우 단락에서 $P_{ET}CO_2$

좌우 단락이 생기면 폐동맥 혈류가 감소하여 $P_{ET}CO_2$가 감소한다(shunt-PPH[10*]). 폐고혈압에서도 폐혈류량이 현저히 제한되어 $P_{ET}CO_2$가 증가하지 않지만, 혈류량이 감소되지 않기 때문에 거의 저하되지 않는다.

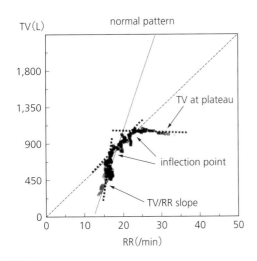
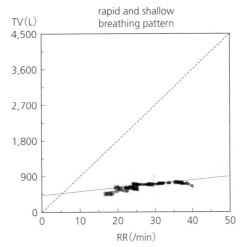

**그림 5-32** TV-RR의 관계

## **F** TV-RR 관계

얕고 빠른 호흡 패턴을 평가하는 지표로 TV-RR 관계가 있다. 그래프의 X축에 호흡수(RR), Y축에 1회 환기량(TV)을 취해 Ramp 부하 중에 플롯한다(**그림 5-32**). 정상에서는 AT까지 호흡수는 대부분 증가하지

역자주* ━━━━━━━━

10  PPH (Primary pulmonary hypertension, 일차성 폐동맥고혈압)

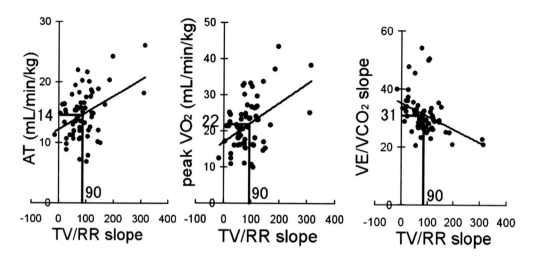

**그림 5-33** TV−RR slope와 운동 수용능

편차가 있지만 TV/RR slope 90은 AT의 14 mL/min/kg, peak $\dot{V}O_2$의 22 mL/min/kg에 해당한다. 이 수치는 Weber 분류의 A와 B 의 경계치와 일치한다.

않고 1회 환기량만 증가한다. 따라서 TV-RR 관계는 Y축 방향으로 신장한다. 그 후 호흡수가 증가하기 시작하면 TV-RR slope는 비스듬하게 우상방을 향한다. RCP가 되면 1회 환기량 증가는 정지되고 호흡수만 증가하여 TV-RR 관계는 X축 방향으로 신장한다. TV-RR 관계에서 꺾이는 점을 inflection point라고 부른다.

**표 5-11** 얕고 빠른 호흡 패턴을 나타내는 병태

- 심부전
- 개심 수술후 초기
- 운동 부족, deconditioning
- 불안감

최초의 inflection point까지의 TV-RR 관계를 필자는 TV-RR slope라고 부르며[22], 이것은 '호흡 속도'의 지표이다. 필자의 자료에서, AT 14 mL/min/kg, peak $\dot{V}O_2$ 21 mL/min/kg, $\dot{V}E$ vs. $\dot{V}CO_2$ slope 31에서 거의 정상 운동 수용능이었고, TV-RR slope는 90 이상이었다(**그림 5-33**).

두번째 inflection point 이후의 TV를 TV at plateau라고 부르며, 이것은 '호흡의 얕음' 지표가 될 수 있다. 얕고 빠른 호흡이 나타나는 상태는 표 5-11과 같다.

실제로 inflection point가 모든 증례에서 나타나는 것은 아니다. inflection point 후에도 TV가 점차 증가하거나, 호흡 패턴이 지그재그가 되거나 운동 진행에 따라 호흡수가 감소하는 예도 있다. 따라서 slope의 기울기나 정점 지속 수준의 TV를 수치화하기 어려운 경우도 있다. 따라서 이 지표는 가벼운 운동에서 비정상적 호흡 패턴이 있는지 판정하는 지표라고 생각하면 좋다.

**G** RR threshold

RR을 경향 곡선으로 플롯하면 **그림 5-34**와 같이 AT를 경계로 급격히 증가하기 시작한다. AT가 되면

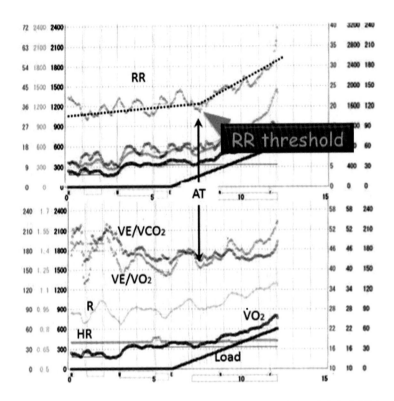

**그림 5-34** RAMP 부하 중 호흡수의 변화  호흡수(RR)는 보통 AT 근처에서 급격히 증가하기 시작한다

카테콜아민 분비가 증가하여 VE를 항진시키지만, 이 무렵에 TV는 이미 증가할 수 없는 상황이 되어 RR이 증가할 것으로 생각된다. AT가 Borg 지수 11-13 정도면 더 이상 숨이 차서 대화하기 어려운 상태이다.

### ⒣ Ti/Ttot

호흡 이상에 대한 지표로 Ti/Ttot가 있다(**그림 5-35 A**). Ti[11]*는 inspiration time(흡기 시간), Ttot[12]*는 total respiration time(총 호흡 시간)이다. 따라서 Ti/Ttot는 한 호흡(흡기 + 호기)에서 흡기에 필요한 시간의 비율이다. 최대 부하 시에 주목해야 할 지표이며, 정상에서 0.4 이상이다. air trapping이 있으면 호기가 연장되어 Ti/Ttot는 0.4 이하가 된다.

Ti/Ttot가 감소하는 대표적 질환은 폐기종이다. 폐포 벽의 파괴로 폐포가 융합되어, 최대 부하 근처의 호기시에 폐포 주위뿐 아니라 종말 세기관지 주위의 평활근도 수축하여, 폐포의 호기 출구를 수축시키므로 호흡하기 어려워진다. 운동 종료 시에 '하지 피로' 정도 보다 심한 '숨찬 느낌'을 심하게 호소하는 동시에 Ti/Ttot가 0.4 미만으로 급격히 저하(**그림 5-35 B**) 하면, 환자의 운동 수용능 저하 원인은 폐기종에 의한 air

---

역자주* ───────

11  Ti (Inspiration Time, 흡기 시간)

12  Ttot (Total Respiration Time, 총 호흡 시간)

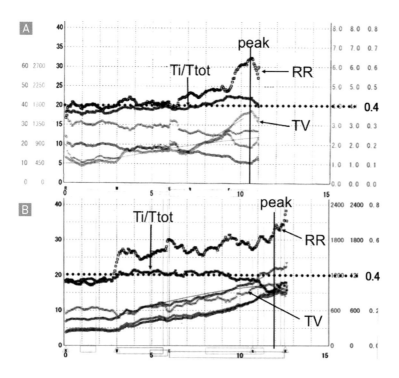

**그림 5-35** Ti/Ttot

정상 예(A)에서 Ti/Ttot는 최대 부하시에도 0.4 미만이 되지 않지만, COPD[13]* (B)에서는 운동 종료 직전에 급격히 저하되어 0.4 미만이 된다. 이런 환자의 운동 종료시 증상은 하지 피로보다 숨찬 느낌이 심하다.

trapping에 있다고 할 수 있다.

### ⓘ 호흡 예비능 (breathing reserve)

호흡곤란 평가에 유용한 지표로 호흡 예비능이 있다. 이것은 MVV[14]*와 peak V̇E, IC[15]*와 peak TV의 비교이며, COPD에서는 MVV-peak V̇E가 11 L/분 이하, 또는 MVV-peak V̇E와 MVV의 비가 10% 미만이 된다. 폐 섬유증에서는 peak TV/IC가 80에서 90% 이상이 된다. 이 때 운동 수용능 저하 원인은 폐 질환에 의한 호흡 예비능 저하이다.

### ⓙ SpO₂

심부전 및 호흡 부전 환자는 CPX 시행 중 SpO₂를 모니터해야 한다. 중증 심부전이나 단락성 질환에서

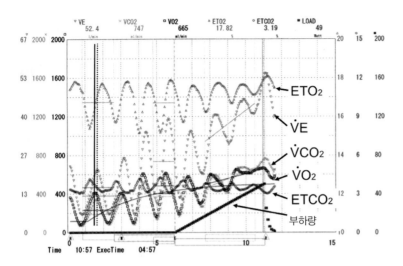

**그림 5-36**　Oscillatory ventilation

최대 부하 근처에서 SpO₂가 저하한다. 한편 호흡 부전에서는 비교적 가벼운 부하에서부터 SpO₂가 저하한다. 그러나 SpO₂는 손가락이나 귓바퀴에서 측정하므로 혈류가 저하되면 실제 PaO₂보다 낮은 수치를 나타내므로 주의한다.

## K  Oscillatory ventilation

$\dot{V}E$가 주기적으로 감소를 반복하는 현상이 나타날 수 있는데(**그림 5-36**), oscillatory hyperventilation[23]이나 EOV[16*]이라고 부른다. 전체 운동 시간의 60% 이상 지속하고, 안정시 $\dot{V}E$의 15% 이상 동요하는 것으로 정의한다[24].

Wasserman은 주기적 동요의 원인이 혈류의 oscillation 때문이라고 한다(personal communication). 동맥압은 호흡보다 늦은 0.75-1.5분 주기의 Traube-Hering파로 동요하며, 심부전에서 심 박출량은 후부하 의존성이므로 Traube-Hering 곡선에 따르는 심 박출량도 0.75-1.5분 주기로 동요한다. 그 결과 먼저 $\dot{V}O_2$가 oscillation를 일으키고, 3초 정도 늦게 $\dot{V}CO_2$가 oscillate하며, 이어서 6초 정도 늦게 $\dot{V}E$가 oscillate 한다. 정상인에서도 oscillation 같은 주기성 호흡을 나타내는 일이 있지만, 대부분 $\dot{V}O_2$, $\dot{V}CO_2$, $\dot{V}E$의 타이밍이 갖추어져 있다. 이것은 다른 기전에 의한 oscillation이나 contamination이라고 Wasserman은 말하고 있다.

호흡의 강약 발생에는 폐 혈류량의 저하 이외에 혈류 속도 저하, 화학 수용체 감수성 항진에 의한 과잉 반응, 또 PaCO₂ 저하 등이 중요하다. 심부전에 의한 골격근 기능 장애와 자율신경 활성 이상이 과잉 환기를 유발하여 PaCO₂는 약간 저하한다. 폐 혈류량 저하로 $\dot{V}/\dot{Q}$ mismatch가 악화되면 PaCO₂가 상승한다. 그

역자주* ――――――――

16　EOV (Exercise Oscillatory Ventilation)

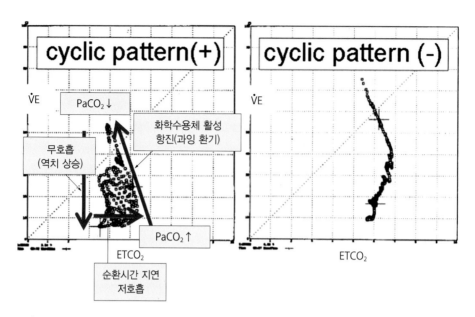

**그림 5-37** $\dot{V}E$와 $ETCO_2$의 관계

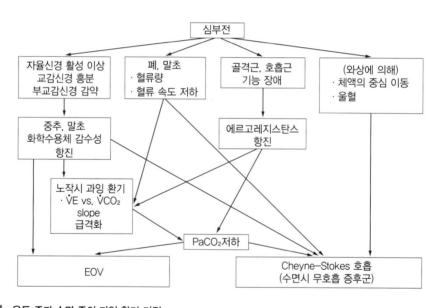

**그림 5-38** 운동 중과 수면 중의 과잉 환기 기전

러나 혈류 속도가 늦어져 연수에 있는 화학 수용체에 상승된 $CO_2$분압의 혈액 도달에 시간이 걸린다. 그 이후에 $PaCO_2$상승을 화학 수용체가 감지하면 반응성이 항진되어 있으므로 과잉 반응으로 과환기를 일으킨다. 그러면 $PaCO_2$가 저하하고, 혈류 속도가 늦으므로 화학 수용체에서 인지가 늦어 당분간 환기가 감소한 채로 있다. 이 반복이 EOV다. 이것은 $\dot{V}E$와 $\dot{V}CO_2$그래프를 보면 알기 쉽다(**그림 5-37**).

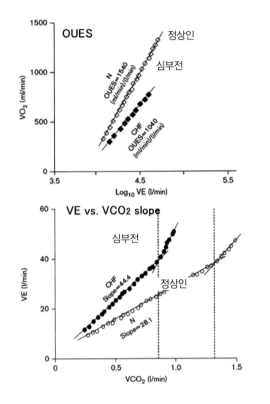

그림 5-39 Oxygen Uptake Efficiency Slope (OUES)

운동 강도가 오르면 oscillation은 없어진다. 이것은 운동 중 교감신경 활성 항진에 의한 환기 항진이 EOV보다 우세하기 때문이다.

EOV가 있는 환자는 수면 무호흡 증후군을 동반하기 쉽다. 심부전에서 누워 있으면 하반신에 저류되었던 체액이 흉부로 이동, 즉 Central Shift(체액의 중심이동)를 일으킨다. 그러면 PAWP가 상승되어 폐 울혈을 일으키고, 이것이 폐에 분포된 교감신경 수용체를 자극하여 환기를 항진시킨다. 동시에 체액이 목부분에도 이동하여 기도 협착을 일으킨다. 이것이 EOV 발생 기전이 되는 동시에 Cheyne-Stokes 호흡을 일으키는 원인이다(그림 5-38).

심부전 환자에서 나타난 EOV는 peak $\dot{V}O_2$와 관계 없이 독립된 예후 규정 인자다[26].

## ⓛ 산소 섭취 효율 slope (oxygen uptake efficiency slope: OUES)

OUES[17*][27] 환기에 의해 산소가 어느 정도 섭취 되는지 나타내는 것으로 $\dot{V}E$ vs. $\dot{V}CO_2$ slope와 비슷한 지표이다. 그러나 OUES는 $\dot{V}E$ vs. $\dot{V}CO_2$ slope와 달리 Y축에 $\dot{V}O_2$, X축에 $\dot{V}E$를 로그스케일로 취한다. $\dot{V}E$와 $\dot{V}O_2$의 관계는 AT와 RCP에서 꺾이지만, 이것을 대수 곡선으로 바꾸어 피팅시킨 것이다. 이것은 젖

---

역자주* _____

17  OUES (oxygen uptake eciency slope, 산소 섭취 효율 slope)

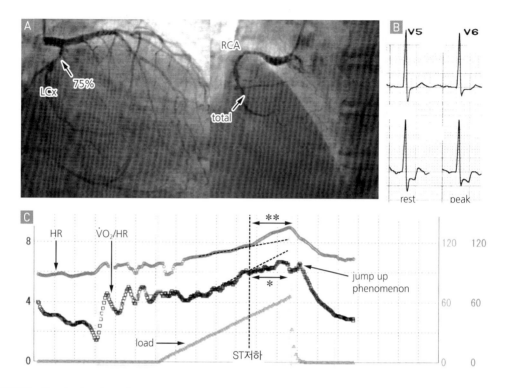

**그림 5-40** 운동 중 산소맥 증가율 저하와 동시에 심박 반응이 증가한 예

관상동맥 좌회선지 근위부의 75 %협착, 우관동맥의 완전 폐색을 보이고 있다(A). 부하 시작 후 30 Watt 근처에서 ST가 유의하게 저하(B). 그 후 VO₂/HR 증가율 저하(*)와 심박수 증가율이 급격하다(**). 운동 종료와 동시에 VO₂/HR의 jump up phenomenon가 나타났다(C).

산 산증의 정도나 골격근량, 생리학적 사강량 등에 영향을 받는다. 정상에서 1,500 전후이고, 심부전에서 1,000 정도로 저하한다(**그림 5-39**)[28].

# 5 회복기

## A $\dot{V}O_2$ /HR의 jump up phenomenon(점프 업 현상)

운동을 중단하면 $\dot{V}O_2$/HR는 신속하게 감소하기 시작한다. 그러나 중단 직후 1분 이내에 산소 섭취량과 $\dot{V}O_2$/HR가 급격히 증가 하는 일이 있다[29]. 이것을 jump up phenomenon라고 한다(**그림 5-40**).

이 현상은 심근 허혈이 Ramp 부하 중에 있으면 나타난다. 특히 운동중에 hibernation(동면, 심근 허혈에 의해 심근 수축력이 저하하는 현상)과 비슷한 현상이 있을 때 볼 수 있다. 운동이 심해지면, 심박수가 증가하고 이완 시간이 단축된다. 관상동맥 혈류는 이완기에 흐르므로 격렬한 운동 중에 심근 허혈이 일어나기 쉬운 상태가 된다. 그런 상태에서 관상동맥에 협착 병변이 있으면, 혈류 부족으로 hibernation과 같은 기전으로 심 펌프 기능 저하가 일어난다. 운동이 끝나고 이완 시간이 길어지면 관상동맥 혈류가 개선되어 심장 수축력이 회복한다. 따라서 1회 심 박출량이 증가하여 $\dot{V}O_2/HR$가 일시적으로 증가 한다. 이것이 jump up phenomenon의 원인이다.

또 운동 중에 LVEDP가 상승한다. 따라서 심내막쪽의 허혈이 유도되기 쉬워지며, 이것도 운동 중 심 펌 프 기능 저하를 일으키는 원인이 된다. 그리고 운동 중단 후 좌심실 이완기말 압력 저하에 따라 허혈이 해 소되어 심 박출량이 증가한다. 게다가 운동을 중단하면 골격근의 과잉 수축이 정지하는 것과 동시에 혈압 이 저하되어 후부하가 감소한다. 이것도 운동 종료 직후에 심 박출량이 증가하는 한 요인이다.

## B $\dot{V}O_2$ ($\tau$off)

회복기 산소 섭취 동태의 지표가 $\tau$off이다. 안정 상태가 되면 산소 섭취량은 지수 함수적으로 감소한다. 최대 산소 섭취량의 1/e이 될 때까지의 시간을 $\tau$off 라고 부른다. 운동 수용능이 높을수록 회복이 빠르기 때 문에 $\tau$off는 작아진다. 심부전의 예후를 예측할 수 있는 지표이다.

회복기 산소 섭취량 동태는 2개 phase로 나눌 수 있으며, 급격히 저하하는 부분과 천천히 저하하는 부분이 다. 처음 phase는 부교감신경 활성이 회복하는 부분이고, 두 번째는 교감신경 활성이 감소하기 시작하는 부분 이다. Phase 변화를 명확히 인식할 수 있는 경우가 있지만, 그렇지 않은 경우도 있다. 이런 phase가 바뀔 때까 지의 시간이나, 부하 종료 2분 후 산소 섭취량의 회복 정도가 회복기 산소 섭취 동태의 지표로 되어 있다.

참 · 고 · 문 · 헌

1. Itoh H, Ajisaka R, Koike A et al. Heart rate and blood pressure response to ramp exercise and exercise capacity in relation to age, gender, and mode of exercise in a healthy population. J Cardiol 2013;61:71-8.

2. Itoh H, Taniguchi K, Koike A et al. Evaluation on severity of heart failure using ventilatory gas analysis. Circulation.1990;81(Suppl II):1131-7.

3. Adachi H, Itoh H, Sakurai S et al. Short-term physical training improves ventilatory response to exercise after coronary arteial bypass surgery. Jpn Circ J.2001;65:419-23.

4. Casaburi R, Daly J, Hansen JE et al. Abrupt changes in mixed venous blood gas composition after the onset of exercise. J Appl Physiol.1989;67:1106-12.

5. Sietsema KE, Daly JA, Wasserman K. Early dynamics of $O_2$ uptake and heart rate as affected by exercise work rate. J Appl Physiol.1989;67:2535-411.

6. Koike A, Koyama Y, Itoh H, et al. Prognostic significance of cardiopulmonary exercise testing for 10-year survival in patients with mild to moderate heart failure. Jpn Circ J. 2000;64:915-20.

7. Hansen JE, Sae PY, Oren A et al. Relation of oxygen uptake to work rate in normal men with circulatory disorders. Am J Cardiol.1987;59:669-741.

8. Weber KT, Janicki JS. Cardiopulmonary exercise testing for evaluation of chronic cardiac failure. Am J Cardiol.1985;55:22A-31A.

9.  Hasse1berg NE, Haugaa KH, Sarvari SH, et al. Left ventricular global longitudinal strain is associated with exercise capacity in failing hearts with preserved and reduced ejection fraction. Eur Heart J Cardiovasc Imaging. 2014 [Epub ahead printing]

10. Froelicher VF. Interpretation of specific exercise test responses. In: Froelicher VF, editor. Exercise and the Heart, 2nd ed. Chicago: Year Book Medical Publishers Inc; 1987. p.83-145

11. Franciosa JA, Park M, Levine TB. Lack of correlation between exercise capacity and indexes of resting left ventricular performance in heart failure. Am J Cardiol. 1981;47:33-9.

12. Wasserman K. et al. Principles of exercise testing and interpretation 3rd ed. Philadelphia, Lippincott Williams and W ilkins; 1999. p.130.

13. Stringer W, Hansen JE, Wasserman K. et al. Cardiac output estimated noninvasively from oxygen uptake during exercise. J Appl Physiol.1997;82:908-12.

14. Wasserman K. et al. Principles of exercise testing and interpretation 5th ed. Philadelphia: Lippincott Williams and Wilkins, 1999. p.168.

15. Ward SA et al. Influence of body $CO_2$ store on ventilator-metabolic coupling during exercise. In control of breathing and its modelling perspective. In Honda Y et al. editors. New York: Plenum Press: 1992. p.168.

16. 福場良之, 他. ランプ負荷運動テストにおけるガス交換諸標の解析. 呼吸と循環. 1997:45:1103-11.

17. Ozcelik O, Ward SA, Whipp BJ. Effect of altere body $CO_2$ stores on pulmonary gas exchange dynamics during incremental exercise in humans. Exp Physiol. 1999:84:999-1011.

18. Tsurugaya H, Adachi H, Kurabayashi M.et al. Prognostic impact of ventilator efficiency in heart disease patients with preserved exercise tolerance.Cir J. 2006;70:1332-6.

19. Matsumoto A, It oh H, Eto Y, et al. End-tidal $CO_2$ pressure decreases during exercise in cardiac patients: association with severity of heart failure and cardiac output reserve. J Am Coll Cardiol.2000;36:242-9.

20. Yasunobu Y, Oudiz RJ, Sun XG et al. End-tidal $PCO_2$ abnormality and exercise limitation in patients with primary pulmonary hypertension. Chest.2005;127:1637-46.

21. Xing-Guo Sun, Hansen JE, Oudiz RJ, et al. Gas exchange detection of exercise-induced right-to-left shunt in patients with primary pulmonary hypertension. Circulation. 2002;105:54-60.

22. Akaishi S, Adachi H, Oshima S, et al. Relationship between exercise tolerance and TV vs. RR relationship in patients with heart disease. J Cardiol. 2008;52:195-201.

23. Kremser CB, O'Toole MF, Leff AR. Oscillatory hyperventilation in severe congestive heart failure secondary to idiopathic dilated cardiomyopathy or to ischemic cardiomyopathy. Am J Cardiol.1987;59:900-5.

24. Corra U, Giordano A, Bosimin E, et al. Oscillatory ventilation during exercise in patients with chronic heart failure: clinical correlates and prognostic implications. Chest.2002;121:1572-80.

25. Corra U, Pistono M, Mazzani A, et al. Sleep and exertional periodic breathing in chronic heart failure. prognostic importance and interdependence. Circulation. 2006;113:44-50.

26. Arena R, Myers J, Abella J, et al. Prognostic value of timing and duration characteristics of exercise oscillatory ventilation in patients with heart failure. J Heart Lung Transplant.2008;27:341-7.

27. Baba R, Nagashima M, Nagano Y, et al. Oxygen uptake efficiency slope: a new index of cardiorespiratory functional reserve derived from the relation between oxygen uptake and minute ventilation during incremental exercise. JACC.1996;28:1567-72.

28. Mezzani A, Agostoni P, Cohen-SalaiA, et al. Standards for the use of cardiopulmonary exercise testing for the functional evaluation of cardiac patients: a report from the Exercise Physiology Section of the European Association for Cardiovascular Prevention and Rehabilitation. Eur J Cardiovasc Prev Rehabl.2009;16:249-67.

29. Koike A, Itoh H, Doi M, et al. Beat-to-beat evaluation of cardiac function during recovery from upright bicycle exercise in patients with coronary artery disease. Am Heart J.1990;120:316-23.

# 6장
# 9 패널 판독법

Wasserman의 CPX 교과서(Principles of Exercise Testing and Interpretation) 제5판은 9 패널의 배치를 바꾸었으나, 여기서는 종래의 패널 위치(**그림 6-1**)로 설명 한다. CPX는 다음 차례대로 패널을 판독한다.

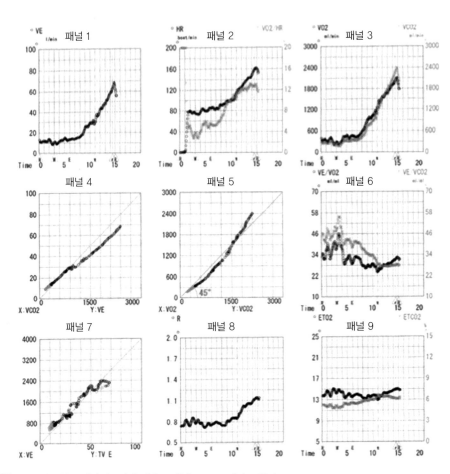

**그림 6-1** 9 패널 왼쪽 위에서부터 순서대로 패널 1, 2, 3...이라고 한다.

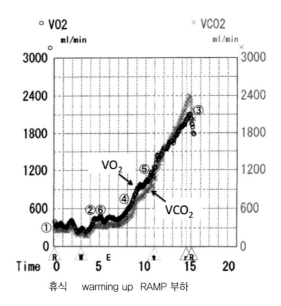

°  VO2                 × VCO2

**그림 6-2**    패널 3

## * 패널 3(그림 6-2) $\dot{V}O_2$ , $\dot{V}CO_2$

운동 부하 검사의 타당성 평가, peak $\dot{V}O_2$ 결정, AT 결정에 이용한다

① 안정시 $\dot{V}O_2$가 250-500 mL/min로 올바르게 교정되었는지 점검.

② warming up의 $\dot{V}O_2$가 예상보다 크면 비만의 영향이 크다고 생각한다.

③ peak $\dot{V}O_2$ 결정.

④ $\triangle \dot{V}O_2 / \triangle$ WR 평가($\dot{V}O_2$와 WR의 스케일을 10:1로 하여 $\dot{V}O_2$와 WR가 평행하게 변화하는지 판단 한다).

⑤ AT 추정($\dot{V}O_2$와 $\dot{V}CO_2$의 평행성이 무너지는 지점).

⑥ warming up에서 $\dot{V}O_2$가 정점 유지가 되지 않으면 이미 AT를 넘은 것을 시사.

## * 패널 5(그림 6-3) V slope

AT 결정, 심부전 중증도 판정에 이용한다.

① AT (45도 라인에서 벗어나는 지점. 플롯 점이 갑자기 적어지는 지점).

② AT 이하의 slope를 slope 1 (S1)이라고 부른다. AT 이후를 slope 2 (S2)라고 한다.

③ 젖산 생산이 많을수록 slope 2의 기울기가 급격하게 된다.

④ S1의 기울기는 일반적으로 0.95-1이다. Ramp 부하 직전에 과환기가 있으면 0.7 정도가 되어 pseudo-thresh-old와 AT의 2개 breaking point가 나타난다.

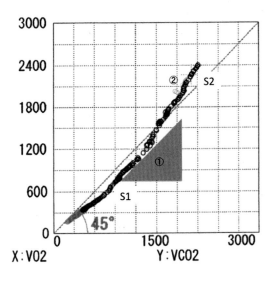

그림 6-3 패널 5  V-slope

## * 패널 6(그림 6-4) $\dot{V}E/\dot{V}CO_2$ , $\dot{V}E/\dot{V}O_2$ 의 경향 곡선

AT 결정, 심부전 중증도 판정, 생리학적 사강량 ($\dot{V}/\dot{Q}$ mismatch 정도) 평가에 사용

① $\dot{V}E/\dot{V}CO_2$의 최저 비가 34 이하인가[그 이상이면 생리학적 사강량/환기량 비(VD/VT)가 큰 것을 의미한다].

② AT에서 $\dot{V}E/\dot{V}CO_2 > \dot{V}E/\dot{V}O_2$를 확인.

③ warming up에서 $\dot{V}E/\dot{V}CO_2 < \dot{V}E/\dot{V}O_2$가 되면 이미 AT를 넘은 것을 나타낸다.

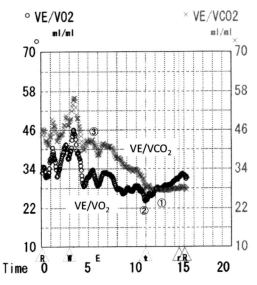

그림 6-4 패널 6  $\dot{V}E/\dot{V}CO_2$, $\dot{V}E/\dot{V}O_2$경향 곡선

## * 패널 2(그림 6–5) $\dot{V}O_2$ /HR와 HR

운동 중 심 펌프 기능, 심박 반응 평가에 사용

① 베타-차단제를 사용하지 않는 경우에 SV의 지표가 된다.

② 부하가 충분하지 못하고 중단한 경우에는 % peak $\dot{V}O_2$/HR와 % peak $\dot{V}O_2$를 비교하여 심 펌프 기능을 평가.

③ HR 기울기의 변화($VO_2$/HR의 평탄화를 HR로 보상하고 있는가)

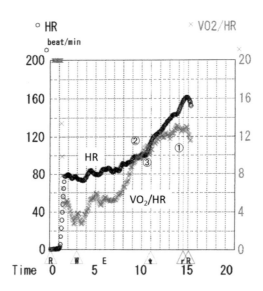

**그림 6–5** 패널 2

## * 패널 8(그림 6–6) 가스 교환비(R)

최대 부하 확인, 피험자의 긴장 상태 파악, AT 결정에 참고

① 가스 교정이 올바르게 되었는지 평가. 일본인의 안정시 가스 교환비는 0.83 정도가 정상. 0.7 이하나 1.0 이상이면 다시 교정한다.

② 안정시 및 warming up 시에 R가 1에 가깝거나 1 이상(과환기 가능성).

③ 최대 부하시 R가 1.15 이상인지(1.15 이상이면 충분한 부하가 걸렸다고 말할 수 있다).

④ AT 결정에 참고(R=1이면 이미 AT에 이르고 있다).

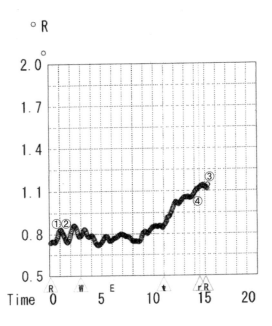

**그림 6-6** 패널 8

* 패널 4(그림 6-7) $\dot{V}E$ vs. $\dot{V}CO_2$ slope

　　운동 수용능, $\dot{V}/\dot{Q}$ mismatch 평가에 사용

　　표준치는 약 30이다. $\dot{V}E$ 스케일과 $\dot{V}CO_2$ 스케일을 30:1로 한다.

① slope가 45도 이하인가(45도 이상이면 VD/VT가 큰 것을 시사).

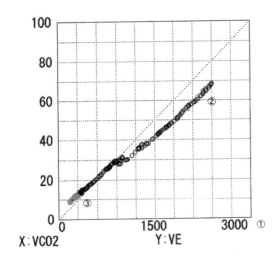

**그림 6-7** 패널 4. $\dot{V}E$ vs $\dot{V}CO_2$ slope

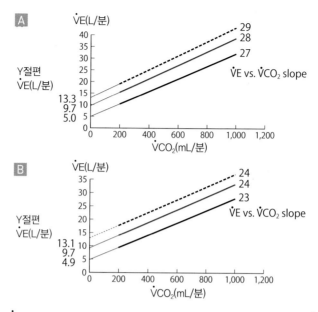

**그림 6-8** 사강과 $\dot{V}E$ vs. $\dot{V}CO_2$ slope  A는 심부전 환자에서 사강 0, 250, 500 mL에서 부하 시 $\dot{V}E$ vs. $\dot{V}CO_2$ slope. B는 정상이하 부하에서 부하시 slope. $\dot{V}E$가 커서 $\dot{V}E$ vs. $\dot{V}CO_2$ slope는 변하지 않는다.

② $\dot{V}E$ vs. $\dot{V}CO_2$ slope는 RCP 이하 부분에서 평가한다.

③ slope 시작점이 높으면($\dot{V}E$ > 15/분) 안정시 VD/VT가 큰 것을 시사. 심부전, 불안, 폐동맥 고혈압 등이 원인이다

④ 폐혈전증에 의한 혈관 폐색처럼 운동을 시행해도 폐혈관상이 증가하지 않으면 그대로 상승을 지속한다(그림 6-8)[1].

## * 패널 9(그림 6–9) ETCO₂, ETO₂[01]*의 경향 곡선

생리적 사강량, 심 박출량과 폐동맥 혈류량 평가

$P_{ET}CO_2$ (mmHg)= [대기압(mmHg) – 47] × ETCO₂(%).

47은 체온(37℃)에서 증기압

① ETO₂ 증가 시작점= AT.

② ETCO₂ 감소 시작점=RCP.

③ ETCO₂ 최대치는 $\dot{V}/\dot{Q}$ mismatch가 없으면 심 박출량의 지표.

④ ETCO₂가 갑자기 저하하면 우좌단락의 존재를 시사.

⑤ $P_{ET}CO_2$ > 46 mmHg, ETCO₂>6.4%이면 정상 심 박출량(CO)이라고 생각한다.

역자주* ───────────

01  ETO₂ (End Tidal O₂, 호기말 산소 분압)

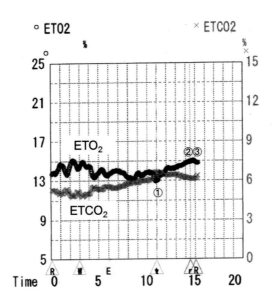

**그림 6-9** 패널 9

## * 패널 1(그림 6-10) V̇E

안정시 과환기, 공기 누출 평가에 사용

① 과잉 환기 유무.

② 부하 중 마스크에서 누출 평가(V̇E 기울기 저하).

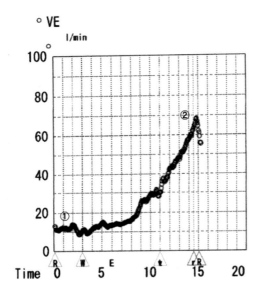

**그림 6-10** 패널 1

* 패널 7(그림 6–11) TV/V̇E slope

호흡 예비능, 환기 양식 평가에 사용.

① 호흡 예비능(MVV-peak V̇E, IC-peak TV).

② 얕고 빠른 호흡 유무. 각도가 낮으면 얕고 빠른 호흡을 생각한다.

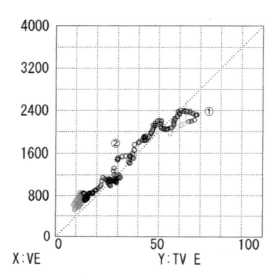

**그림 6–11** 패널 7

이상과 같이 9개 패널에서, 패널 3, 5, 6, 9는 운동 수용능(AT, peak V̇O₂)을 평가, 패널 2, 3, 5는 심혈관계 이상 평가, 패널 4, 6는 사강 평가, 패널 1, 7은 환기를 평가한다.

참 · 고 · 문 · 헌

1. Gargiulo P, ApostoloA, Perrone-Filardt PA, et al. A non invasive estimate of dead space ventilation from exercise measurements. PLoS One. 2014;9: e87395.

# 7장
# 파라미터의 종합적 분석

## 1 운동 수용능의 지표

AT와 peak $\dot{V}O_2$표준치를 일본 순환기학회가 1992년에 작성한 것이 있다(**표 7-1**)[1]. 필자가 사용하는 미나토 호기 가스 분석 장치(AE-301S)는 이 표준치를 이용하며, AT와 peak $\dot{V}O_2$를 결정하면 피험자의 나이와 성별에 따른 표준치와 해당되는 퍼센트가 자동적으로 보고된다. 필자는 이 퍼센트가 80% 이상이면 피험자에게 정상 범위라고 설명한다(**그림 7-1**).

한편 2013년에 새롭게 작성한 표준치도 있으며, 과거의 자료보다 전반적으로 수치가 향상되어 일본인이 건강하게 된 것을 나타내고 있다(**그림 7-2**). 또 과거의 자료는 60세 이상의 운동으로 단련된 사람이 많이 포함되어 젊은 세대보다 양호한 수치를 나타내고 있었으나, 새로운 자료는 이 점이 수정되었다. 그러나 과거의 기준을 이용해도, 같은 환자의 전후 비교나, $\dot{V}O_2$와 $\dot{V}O_2$/HR 등의 비교에는 문제가 되지 않는다.

미국에는 Weber-Janicki 분류라는 기준치가 있다(**표 7-2**)[3]. 이것은 운동 수용능을 class A부터 E로 나누었으며, 미국에서 발간되는 의학잡지에 논문을 투고하려면 이 분류를 이용해야 하지만, 일본인의 운동 수용능은 미국인보다 낮기 때문에 Weber 분류의 중증도를 일본인에 적용하기는 합당하지 않다.

개심술 후 7일째나 급성 심근경색 4일에 CPX를 시행하면, 일반적으로 AT는 정상인의 70-80%로 저하되어 있다. 따라서 필자는 이 시기의 표준치는 정상인의 75% 정도라고 환자에게 설명한다.

**표 7-1** 일본인의 표준치(자전거 에르고미터)

AT (V-slope mL/min/kg)

| age | 20~29 | 30~39 | 40~49 | 50~59 | 60~69 |
|---|---|---|---|---|---|
| M | 18.4 | 16.1 | 15.1 | 15.3 | 17.5 |
| F | 15.6 | 16.6 | 16.2 | 16.0 | 15.5 |

peak $\dot{V}O_2$ (mL/min/kg)

| age | 20~29 | 30~39 | 40~49 | 50~59 | 60~69 |
|---|---|---|---|---|---|
| M | 33.5 | 29.7 | 27.4 | 25.9 | 29.5 |
| F | 25.7 | 27.3 | 23.6 | 23.8 | 22.7 |

| 검사일자 | No. 62 |
|---|---|
| 2003년 12월 16일 18시 29분 | |

# 심폐운동부하검사(CPX) 보고서

**ID 데이터**

| 등록번호 | 000000 | | | 부하법 | | | |
|---|---|---|---|---|---|---|---|
| 성명 | | | | 측정모드 | Ramp20 | | |
| 성별 | 남성 | 연령 | 22 | 검사자 | HA | | |
| 체중 | 60kg | Nu배설량 | 0 mg/min | 데이터 수 | 320 | 기온 | 28.4℃ |
| 키 | 177cm | FRC | 0L | 습도 | 23.1% | 기압 | 751 mmHg |

**측정 데이터**

| 데이터 명 | 단위 구간 | Rest | Warm up | Att Trend | AT V-Slope | Rc Reak | |
|---|---|---|---|---|---|---|---|
| Real Time | Min : Sec | 00:18 | | 13:09 | 13:09 | | 18:18 |
| Start/End | Min : Sec | 03:03 | | | | | 18:27 |
| Exec Time | Min : Sec | | | 07:09 | 07:09 | | 12:18 |
| HR | beat/min | 95 | | 152 | 152 | | 193 |
| $\dot{V}O_2$ | ml/min | 314 | | 1925 | 1925 | | 3243 |
| $\dot{V}CO_2$ | ml/min | 328 | | 1791 | 1791 | | 3947 |
| $\dot{V}O_2/W$ | ml/gk/min | 5.2 | | 32.1 | 32.1 | | 54.0 |
| $\dot{V}E$ | l/min | 13.3 | | 41.5 | 41.5 | | 111.5 |
| $\dot{V}E/\dot{V}CO_2$ | ml/ml | 38.6 | | 23.2 | 23.2 | | 28.2 |
| RR | n/min | 11.9 | | 17.0 | 17.0 | | 41.6 |
| $ETCO_2$ | % | 5.49 | | 7.43 | 7.43 | | 5.99 |
| LOAD | Watt | 0 | | 142 | 142 | | 247 |
| TV E | ml | 1029 | | 2440 | 2440 | | 2700 |

① peak $\dot{V}O_2$
② peak $\dot{V}O_2/HR$
③ 최고 심박수
④ AT
각각 연령별 기준치와 %

**분석결과**

| 데이터명 | 단위 | 분석치 | 비(%) | 기준치 | 데이터명 | 단위 | 분석치 | 비(%) | 기준치 |
|---|---|---|---|---|---|---|---|---|---|
| Presume $\dot{V}O_2/WMax$ | ml/kg/min | 50.8 | 146 | 34.8 | Peak $\dot{V}O_2/W$ | ml/kg/min | 54.0 | 155 | 34.8 |
| Peak HR | beat/min | 193 | 98 | 198 | Peak $\dot{V}O_2/HR$ | | 16.8 | 103 | 16.3 |
| minimum $\dot{V}E/\dot{V}CO_2$ | ml/ml | 22.5 | 81 | 28.0 | AT trend $\dot{V}O_2/W$ | ml/kg/min | 32.1 | 159 | 20.2 |
| AT V-Slope $\dot{V}O_2/W$ | ml/kg/mi | 32.1 | 167 | 19.2 | $\dot{V}e=\dot{V}CO_2$ Slope | | 20.6 | 88 | 23.4 |

**회귀 계산**

| 데이터명 | 단위 | 분석치 | 비(%) | 기준치 | 회귀식 | | |
|---|---|---|---|---|---|---|---|
| $\triangle\dot{V}CO_2/\triangle\dot{V}O_2$VsU | | 1.82 | | | Y= 1.82X | −1976 | R= 0.988 |
| $\triangle\dot{V}CO_2/\triangle\dot{V}O_2$VsD | | 1.07 | | | Y= 1.07X | −192 | R= 0.995 |
| $\triangle\dot{V}O_2/\triangle$LOAD | | 11.4 | 111 | 10.3 | Y= 11.4X | +262 | R= 0.992 |
| $\triangle$HR/ $\triangle$LOAD × 100 | | 44.4 | | | Y= 1.82X | −89 | R= 0.992 |

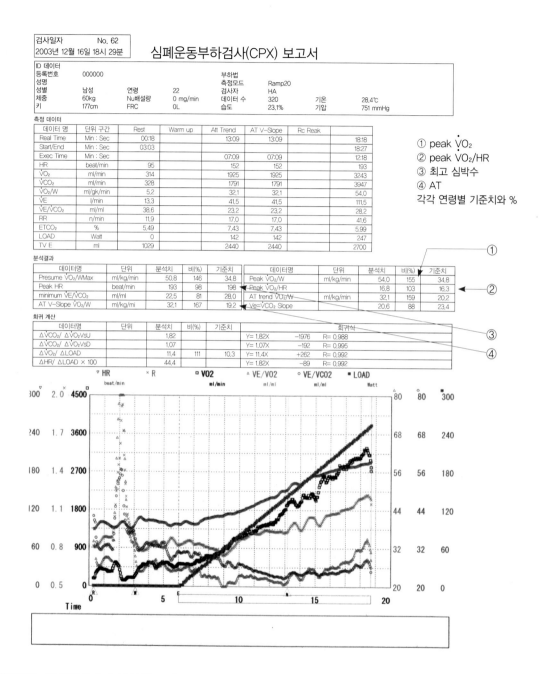

**그림 7-1** 미나토사의 호기가스분석보고서

각 항목의 표시 위치는 병원에 따라 배치 가능하다. 이 예는 $\dot{V}O_2$의 스케줄과 일률의 스케줄이 10:1이 되지 않아 양자가 평행하게 보이지 않는다. 안정시 주위의 대화에 반응하여 과환기를 일으켜 일시적으로 $\dot{V}E/\dot{V}O_2$, $\dot{V}E/\dot{V}CO_2$, R이 증가하는 pseudo-threshold가 나타났다.

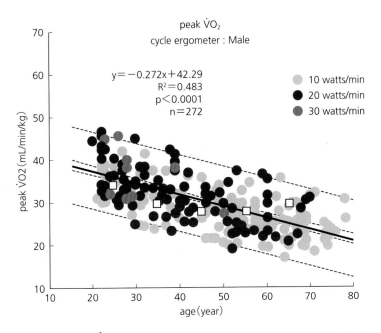

peak $\dot{V}O_2$
cycle ergometer : Male

$y = -0.272x + 42.29$
$R^2 = 0.483$
$p < 0.0001$
$n = 272$

○ 10 watts/min
● 20 watts/min
● 30 watts/min

**그림 7-2** 자전거 에르고미터에서 peak $\dot{V}O_2$의 일본인 표준치  2013년 자료(원)와 1992년 자료(사각형)의 중첩. 약 20년 동안에 운동 수용능의 약간 상승된 것을 볼 수 있다. 1 세트당 0.08 METs 감소했다.

**표 7-2** Weber-Janicki 분류

|   | AT (mL/min/kg) | Peak $\dot{V}O_2$ (mL/min/kg) | Severity |
|---|---|---|---|
| A | 14< | 20< | none—mild |
| B | 11~14 | 16~20 | mild—moderate |
| C | 8~11 | 10~16 | moderate—severe |
| D | 5~8 | 6~10 | severe—very severe |
| E | <4 | <6 | very severe |

# 2 종합적 분석

## A 운동 수용능

CPX의 모든 자료가 환자 상태를 파악하기 위해 필요한 파라미터이지만 운동 수용능이나 심부전의 중증도 평가에 특히 중요한 것은 % AT, % peak $\dot{V}O_2$, % peak $\dot{V}O_2$/HR, % HR이며, 호흡곤란의 정밀 조사에

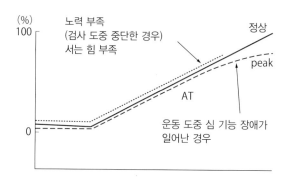

**그림 7-3** % AT와 peak $\dot{V}O_2$ 비교(% AT > peak $\dot{V}O_2$의 경우)

필요한 것은 이상의 파라미터에 더해, 안정시 폐 기능검사[% VC, FEV1%[01]*, 최대 흡기량(IC)], 최대 환기량(MVV)], TV-RR 관계, Ti/Ttot 이다.

% AT와 % peak $\dot{V}O_2$는 거의 같은 수치가 정상이다. % AT가 거의 정상이지만 % peak $\dot{V}O_2$가 저하되어 있으면 R을 확인한다. R이 1.15 이상이면 충분히 노력을 했다고 생각할 수 있어, AT 이상으로 산소 섭취량이 제한된 상태라고 생각한다. peak $\dot{V}O_2$가 저하하는 패턴에는 2종류가 있다. $\Delta \dot{V}O_2/\Delta$ WR이 AT 이후에도 변하지 않으면(**그림 7-3 점선**) 다리 힘의 부족이나 노력 부족을 생각한다. $\dot{V}O_2/\Delta$ WR이 AT 이후에 저하되면(**그림 7-3 파선**) 심 박출량이 저하되는 협심증, 고혈압이나 당뇨병에 의한 이완 장애, 승모판 협착증 등을 생각할 수 있다. 전자는 심 펌프 기능은 저하하지 않기 때문에 % peak $\dot{V}O_2$/HR이 % peak $\dot{V}O_2$ 이상이다. 후자는 심 펌프 기능이 저하되어 % peak $\dot{V}O_2$/HR은 % peak $\dot{V}O_2$와 같거나 저하된다. 그리고 후자에서 베타-차단제를 사용하고 있지 않으면 AT 이후에 심박 반응이 항진된다.

전자에서, 노력 부족과 다리 힘 부족의 감별은 최대 부하시 R에 주목한다. R이 1.15 이상이면 충분히 노력했다고 생각할 수 있어 다리 힘 부족으로 진단한다. 1.15 보다 낮으면 최대 부하를 시행하지 않아 peak $\dot{V}O_2$가 저하된 것으로 생각하여 노력 부족으로 진단한다.

급성기에 검사를 시행하여 최대 부하를 피한 경우나 수축기 혈압이 250 mmHg에 도달하여 종료한 경우, 피험자의 노력 부족으로 종료한 경우에는 운동 종료시 자각적 운동 강도로 구별할 수 있다. 검사자의 지시에 의해 운동을 종료했으면 Borg 13-15이며, 피험자가 스스로 중단했으면 비록 실제로 괴로운 수준에 도달하지 않았어도 Borg 19를 호소하는 경우가 많다.

% AT가 저하되면 심 펌프 기능이 가벼운 운동 부하시부터 저하하는 동시에 골격근 기능도 저하되며, 심부전인 경우가 많다. 일반적으로, % peak $\dot{V}O_2$는 % AT와 같은 정도의 수치를 나타낸다. 피험자가 충분히 노력하면 % AT< % peak $\dot{V}O_2$가 되어, R > 1.15인 경우가 많다.

**그림 7-4**처럼 % AT < % peak $\dot{V}O_2$이면, 일상적으로 운동을 충분히 하고 있는 증례이다. 심장 재활훈

역자주* ───────
01  FEV1 (Forced Expiratory Volume 1 second, 1초간 노력성 호기량) / FEV 1% = $FEV_1/VC \times 100$

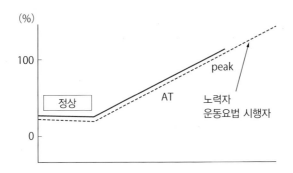

**그림 7-4** % AT와 peak $\dot{V}O_2$ 비교(% AT < peak $\dot{V}O_2$의 경우)

련을 효과적으로 시행할 수 있다.

## Ⓑ 심 펌프 기능

운동 중 심 펌프 기능은 % peak $\dot{V}O_2$/HR과 % peak $\dot{V}O_2$, $P_{ET}CO_2$의 비교, 심 초음파에서 측정하는 E/A, E/E', DT, 좌심실 형태, 운동 부하 검사 중 ST 변화, 증상 등을 종합적으로 평가하여 판단한다.

$\dot{V}O_2$/HR은 SV와 c(A-V) $O_2$ diff.의 곱이다. c(A-V) $O_2$ diff.가 거의 직선적으로 증가하여 SV가 부하 도중에 일정하게 되면 $\dot{V}O_2$/HR은 **그림 7-5**처럼 약간 볼록한 모양으로 증가하는 패턴을 나타낸다. 따라서 정상에서는 부하 증가 중 % peak $\dot{V}O_2$/HR은 항상 % peak $\dot{V}O_2$보다 크고, 최대 부하시에 함께 100%가 된다 **(그림 7-6)**.

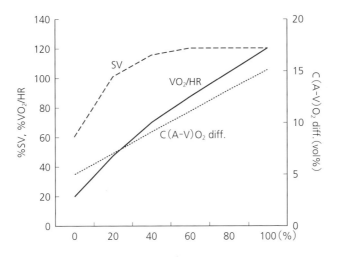

**그림 7-5** RAMP 부하 중 SV, $CO_2$, HR의 관계   CO = SV × HR의 관계에서 그림과 같은 변화가 나타난다.

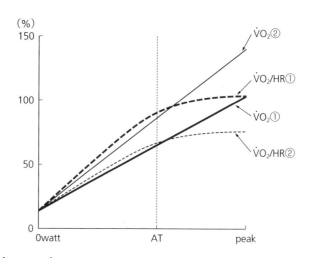

**그림 7-6** RAMP 부하 중 $\dot{V}O_2$/HR와 $\dot{V}O_2$의 관계

운동 수용능과 심 펌프 기능이 정상인 피험자가 최대 노력을 하지 않고 AT 직후 운동을 종료($\dot{V}O_2$①, $\dot{V}O_2$/HR①)하여 %$\dot{V}O_2$/HR > % $\dot{V}O_2$가 되었다. % $\dot{V}O_2$/HR ≤% $\dot{V}O_2$이면 운동 중 심 기능이 저하되나($\dot{V}O_2$①와 $\dot{V}O_2$/HR②의 조합) 운동 수용능은 우수하다($\dot{V}O_2$①와 $\dot{V}O_2$/HR①의 조합). 후자는 심 기능이 정상인지 저하인지 판단하기 어렵다.

운동 부하 검사 종료시 R이 1.15 이상이면, 즉 충분한 부하가 걸렸으면 심 펌프 기능을 최대 부하 시 peak $\dot{V}O_2$/HR이 표준치의 몇%에 도달했는지로 평가한다. 80% 미만이면 저하되어 있다고 생각한다. % peak $\dot{V}O_2$/HR이 낮아도 % peak $\dot{V}O_2$가 양호하면 심 기능 장애가 있어도 심장 재활에 의해, 골격근 기능이나 자율신경 활성 개선을 기대할 수 있다.

한편 운동 부하를 충분히 할 수 없었던 경우, 즉 R이 1.05 이하이면 % peak $\dot{V}O_2$/HR과 peak $\dot{V}O_2$를 비교하여, % peak $\dot{V}O_2$/HR ≤ % peak $\dot{V}O_2$에서 운동 중 심 펌프 기능이 저하되어 있다고 생각한다.

베타-차단제 사용 중에는 심박수가 저하되므로 peak $\dot{V}O_2$/HR을 심 펌프 기능의 지표로 생각할 수 없다. 그 대신 심 펌프 기능을 유추 할 수 있는 것은 $P_{ET}CO_2$이다. $P_{ET}CO_2$는 폐 혈류량에 따라 운동 중에 증가 한다. 좌우 단락이나 폐 색전증이 없으면 폐 혈류량은 심 박출량과 같다. 대기압이 760 mmHg일 때 45-48 mmHg ($ETCO_2$는 5.9-6.3%) 이상이 정상이다. RCP에서 이 수치 미만이면 심 박출량이 낮다고 생각한다. $P_{ET}CO_2$와 심박출 계수의 관계는 **그림 7-7과 같다**[4]. 베타-차단제를 사용하지 않는 환자에서 $ETCO_2$와 % peak $\dot{V}O_2$/HR 사이에는 **그림 7-8과 같은** 관계가 있다. 이 그래프에서 % peak $\dot{V}O_2$/HR의 80% 이상이 $ETCO_2$의 6.4에 해당한다.

## ⓒ 호흡곤란

호흡곤란은 심부전, 심 펌프 기능 장애, 호흡 기능 장애, 하지 근력 저하, 저산소 등이 원인이 된다. 따라서 폐 기능, 심 초음파와 CPX를 조합하여 원인을 생각한다. 폐 기능에서 % VC와 FEV1% 이외에 MVV와 IC도 검사하며, CPX에서는, AT, peak $\dot{V}O_2$, peak $\dot{V}O_2$/HR, $P_{ET}CO_2$, $\dot{V}E/\dot{V}CO_2$ 이외에 peak $\dot{V}E$, peak TV,

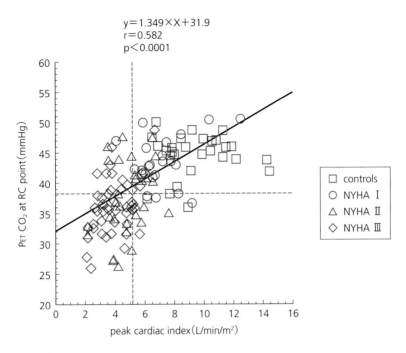

$$y = 1.349 \times X + 31.9$$
$$r = 0.582$$
$$p < 0.0001$$

P_ET CO₂ at RC point(mmHg)

peak cardiac index(L/min/m²)

□ controls
○ NYHA Ⅰ
△ NYHA Ⅱ
◇ NYHA Ⅲ

**그림 7-7** $P_{ET}CO_2$ 와 심계수(Cardiac index) 의 관계

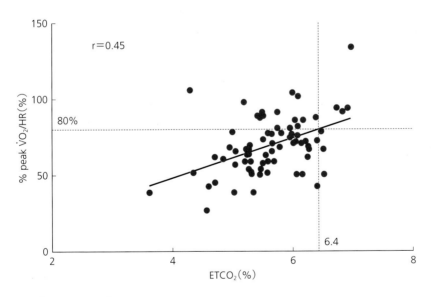

r = 0.45

% peak $\dot{V}O_2$/HR (%)

80%

6.4

ETCO₂(%)

**그림 7-8** peak $\dot{V}O_2$와 % peak $\dot{V}O_2$/HR의 관계  편차가 있으나 대략 peak ETCO₂ 6.4 이상이면 정상 심 기능으로 생각 한다.

TV-RR 관계, Ti/Ttot와 최대 부하시 하지 피로와 호흡곤란에 해당하는 Borg 지수와 SpO₂를 평가한다. 심초음파는 EF, E/A, DT, E', E/E'와 승모판 역류를 평가한다.

**표 7-3** 숨찬 느낌의 원인이 되는 병태와 파라미터.

| | 심 초음파 | 호흡 기능검사 | CPX | 참고 |
|---|---|---|---|---|
| 심부전 | EF저하<br>심이완능저하<br>승모판역류<br>(+또는 −) | 정상 | AT저하<br>최고 산소 섭취량 저하<br>최고 산소맥저하<br>$\dot{V}E/\dot{V}CO_2$증가 | |
| 호흡 부전 | 정상<br>(때로 우심 부하 소견) | FEV 1% < 70% | AT저하<br>최고산소 섭취량 저하<br>최고 산소맥 저하−정상<br>$\dot{V}E/\dot{V}CO_2$증가<br>MVV가 $\dot{V}E$의 80% 이상<br>Ti/Ttot가 peak 직전에<br>급격히 저하(0.4 이하가 많다)<br>종료시 호흡곤란 > 하지 피로 | obstructive pattern<br>(폐쇄성 호흡장애;<br>폐기종 등) |
| | | % $\dot{V}C$ < 80% | AT저하<br>최고 산소 섭취량 저하<br>최고 산소맥 저하−정상<br>$\dot{V}E/\dot{V}CO_2$증가<br>peak TV가 IC의 80%이상<br>종료시 호흡곤란>하지 피로 | restrictive pattern<br>(제한성 호흡장애;<br>폐섬유증 등) |
| 체력 부족 | 정상 | 정상 | 때로 운동 수용능 저하<br>산소맥은 정상 | |
| 정신적 장애,<br>심인성 | 정상 | 정상 | 정상. 가끔 최고 산소 섭취량<br>저하 | |
| 호흡 패턴 장애 | 정상 | 정상 | TV/RR slope 저하 | |

심부전이 원인이면, CPX에서 peak $\dot{V}O_2$, AT, peak $\dot{V}O_2$/HR, $P_{ET}CO_2$, $\dot{V}E/\dot{V}CO_2$에 이상치가 있으며, 심초음파에서 EF나 E/A 등에 이상을 나타낸다. 운동 종료시 Borg 지수는 하지 피로감에서 17-19, 호흡곤란이 15-17로 하지 피로감 쪽이 숨찬 느낌보다 강하게 느낀다. 호흡 양식에서 TV-RR이 이상 패턴을 나타낸다.

호흡 부전은 폐 기능검사에서 폐쇄성 및 제한성의 특징을 나타내며, CPX에서 운동 수용능 저하와 $SpO_2$가 저하한다. 그리고 Ti/Ttot가 운동 종료 후 급격히 저하하여 보통 0.4 이하가 되며, 종료시 증상으로 호흡곤란을 하지 피로감보다 강하게 호소한다.

호흡곤란의 원인이 되는 병태와 지표는 **표 7-3**과 같다.

## ⓓ % peak $\dot{V}O_2$ 와 % $\dot{V}E/\dot{V}CO_2$ 의 관계

이 2개의 파라미터는 **그림 7-9**과 같은 관계가 있다. peak $\dot{V}O_2$를 규정하는 인자는 호흡 기능, 심 기능, 골격근 기능, 폐 순환, 체 순환, 빈혈, 자율신경 활성 등이다. 한편 $\dot{V}E/\dot{V}CO_2$를 규정하는 인자는 생리적 사강량이다 **(그림 7-10)**.

심부전의 특징은 peak $\dot{V}O_2$감소와 심 박출량, 즉 폐순환 감소이다. 폐 순환 감소는 생리적 사강량을 증

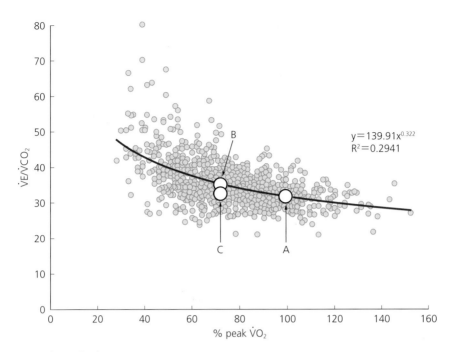

**그림 7-9** % peak $\dot{V}O_2$와 $\dot{V}E/\dot{V}CO_2$의 관계
완전한 직선 관계가 아니다. A 위치에 있으면 정상, B 위치는 심부전, C 위치는 안정 상태의 심부전

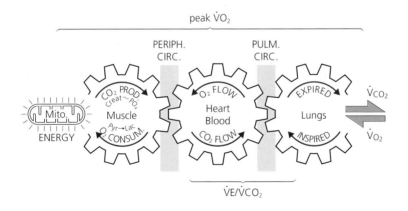

**그림 7-10** peak $\dot{V}O_2$와 $\dot{V}E/\dot{V}CO_2$의 의의와 차이
peak $\dot{V}O_2$는 톱니 전체의 관계이며 $\dot{V}E/\dot{V}CO_2$는 주로 폐 순환과 심 박출량의 관계이다.

가하여 $\dot{V}E/\dot{V}CO_2$가 증가되어 그림의 곡선에 플롯된다. 가벼운 심부전은 기본점(**그림 7-9A**) 근처이고 악화되면 좌상방으로 이동한다(**그림 7-9B**). 절대적으로 안정하고 있으면 운동 수용능 저하가 현저하여 곡선보다 아래쪽으로 이동한다(**그림 7-9C**). 이 선보다 아래쪽에 플롯 되면 경우에는 근력 저하가 현저한 경

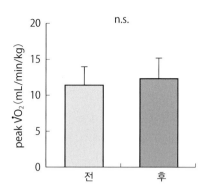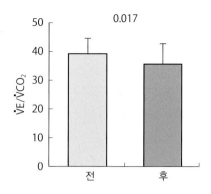

**그림 7-11** LVAD에서 심 박출량을 증가 시켰을 때 peak $\dot{V}O_2$와 $\dot{V}E/\dot{V}CO_2$에 대한 영향의 차이

우가 많다고 생각하여 저항 훈련을 주로 한 운동 요법을 시행한다. 곡선보다 위쪽에 플롯되는 경우도 있다. 이것은 생리적 사강량이 큰 경우이다. 임상적으로는 폐동맥고혈압[02]*과 만성 폐혈전 색전성 폐고혈압[03]*이 많다. 어떤 이유로 폐 용적이 확장되어도 peak $\dot{V}O_2$보다는 $\dot{V}E/\dot{V}CO_2$의 이상 정도가 커진다(**표 7-4**). LVAD (LV Assist Device)로 심 박출량을 증가시키면 $\dot{V}E/\dot{V}CO_2$만 개선되고 peak $\dot{V}O_2$개선은 불량하다(**그림 7-11**)[5].

**표 7-4** $\dot{V}E/\dot{V}CO_2$ 이상 정도가 peak $\dot{V}O_2$ 이상 정도보다 심한 경우

| |
| --- |
| PAH |
| CTEPH |
| 흉수 저류 |

## Ⓔ $\dot{V}E/\dot{V}CO_2$ 와 $\dot{V}E$ vs. $\dot{V}CO$ slope

이 2개의 파라미터는 **그림 7-12**와 같은 관계를 나타낸다. 이 직선보다 위쪽에 플롯되면 $\dot{V}/\dot{Q}$ mismatch가 호흡이나 폐 혈류 증가에 의해 개선되지 않는 경우이다. 불안감으로 인해 안정시부터 warming up 시에 과환기가 있었으면 $\dot{V}E$는 증가하나 $\dot{V}CO_2$는 증가 하지 않아 안정시의 $\dot{V}E$-$\dot{V}CO_2$관계가 높은 수치를 나타낸다. 중등도 이상의 운동에서 일반적으로 $\dot{V}E$-$\dot{V}CO_2$관계를 만들기 위해 $\dot{V}E$ vs. $\dot{V}CO_2$ slope은 약간 낮은 수치를 나타낸다(**그림 7-13**).

$\dot{V}/\dot{Q}$ mismatch가 호흡이나 폐혈류 증가로 개선되지 않는 경우 즉 CTEPH처럼 혈전으로 폐 혈관상이 감소하면 운동에 의해 폐포가 확장되어도 혈류가 도달하지 않는 영역이 있어 $\dot{V}E/\dot{V}CO_2$는 현저히 높은 상태에 있다. 한편 $\dot{V}E$-$\dot{V}CO_2$관계는 저강도 부하 시부터 이미 높아져 있어 slope의 기울기는 약간 낮게 된다. 따라서 PAH 보다 CTEPH 쪽이 $\dot{V}E/\dot{V}CO_2$와 $\dot{V}E$ vs. $\dot{V}CO_2$ slope의 괴리가 크다.

역자주* ───────────

02 PAH (Pulmonary Artery Hypertension, 폐동맥 고혈압)

03 CTEPH (Chronic Thromboembolic Pulmonary Hypertension, 만성 혈전색전성 폐동맥 고혈압)

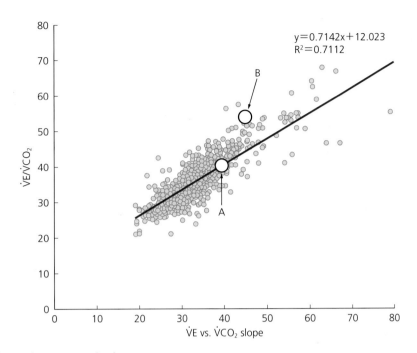

**그림 7-12** $\dot{V}E$ vs. $\dot{V}CO_2$ slope과 $\dot{V}E/\dot{V}CO_2$의 관계
A는 일반 심부전. B는 CTEPH 등 운동 중 폐혈류 증가가 극단적으로 억제되는 경우

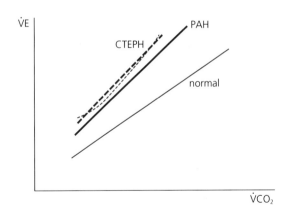

**그림 7-13** PAH과 CTEPH의 $\dot{V}E$ vs. $\dot{V}CO_2$ slope
PAH에서 slope는 표준[가는 실선(normal)]보다 급격하다(굵은 실선). CTEPH는 시작점이 PAH 보다 위쪽($\dot{V}E$가 크다)에 있어 부하 시작과 함께 정상 폐혈관 부분은 확장하므로 slope가 약간 낮아진다. 부하가 강하면 PAH처럼 폐혈관 확장이 물리적으로 일어나지 않아 slope가 급격하게 된다(가는 점선). 평균하면 굵은 점선과 같다.

**표 7-5** PAH와 CTEPH의 감별

|  | peak $\dot{V}O_2$ | $\dot{V}E$ vs. $\dot{V}CO_2$ slope | minimum $\dot{V}E/\dot{V}CO_2$ |
|---|---|---|---|
| CHF | ↓ | ↑ | ↑ |
| PAH | ↓ | ↑ ↑ | ↑ ↑ |
| CTEPH | ↓ | ↑ ↑ ↑ | ↑ ↑ ↑ |

peak $\dot{V}O_2$, $\dot{V}E/\dot{V}CO_2$, $\dot{V}E$ vs. $\dot{V}CO_2$ slope에 의한 심부전과 PAH, CTEPH의 감별은 **표 7–5**와 같다. 이 점에 대해 향후 자료 축적이 필요하다.

참 · 고 · 문 · 헌

1. 村山正博. 日本循環器学会・運動に関する診療基準委員会. 日本人の運動時呼吸循環指標の標準値. Jap Circ J.1992; 56: 1514-23.

2. Itoh H, Ajisaka R, KoikeA, et al. Heart rate and blood pressure response to ramp exercise and exercise capacity in relation to age, gender, and mode of exercise in a healthy population. J Cardiol.2013;61:71-8.

3. Weber KT, Janicki JS. Cardiopulmonary exercise testing for evaluation of chronic cardiac failure. Am J Cardiol.1985;55:22A-31A.

4. Matsumoto A, Itoh H, Eto Y, et al. End-tidal $CO_2$ pressure decreases during exercise in cardiac patients: association with severity of heart failure and cardiac output reserve. J Am Coll Cardiol.2000;36:242-9.

5. Dunlay SM. Changes in cardiopulmonary exercise testing parameters following continuous flow left ventricular assist device implantation and heart transplantation. J Card Fail. 2014;20:548-54.

# 8장
# 질환, 병태별 CPX

 ## 1 허혈성 심 질환

협심증에서 CPX의 특징은 표 8-1과 같다.

**표 8-1** 협심증의 CPX

| 파라미터 | 근위부 병변 | 원위부 병변 |
|---|---|---|
| AT | 허혈 출현 이전에는 정상 반응 | 운동 수용능은 저하되지 않음 |
| peak $\dot{V}O_2$ | 저하<br>←허혈에 의한 운동 조기 중단 + 심 펌프 기능 감소 | |
| $\dot{V}O_2/HR$ | 저하<br>←허혈에 의한 심 펌프 기능 감소 | 운동 중 심 기능은 정상 |
| $P_{ET}CO_2$ | 베타–차단제 사용시 $VO_2/HR$ 증가. $P_{ET}CO_2$는 저하한 채로 | |
| $\triangle\dot{V}O_2/\triangle WR$ | | |
| oscillation | – | – |
| $\dot{V}E/\dot{V}CO_2$ | 불변 | 불변 |
| $\dot{V}E$ vs.$\dot{V}CO_2$ slope | 허혈 출현 후 급격화<br>←허혈에 의한 폐순환 혈액량 감소<br>교감신경에 의한 환기자극 | $\dot{V}/\dot{Q}$ mismatch<br>생리학적 사강량 문제 없음 |
| OUES | 허혈 출현 후 평탄화<br>←허혈에 의한 폐 순환 혈액량 감소<br>교감신경에 의한 환기자극 | |
| breathing reserve | | |
| TV/RR | 환기에 문제 없음 | 환기에 문제 없음 |
| TV plateau | | |
| Ti/Ttot | | |
| Chronotropic incompetence | 허혈에 동반한 운동 조기 중단<br>베타–차단제에 의해 출현 | 베타–차단제 사용 중에 저하 |
| HR response | 상승<br>허혈에 동반한 보상(베타–차단제 사용 중 감소) | 불변 |
| 증상 | 흉통<br>중증 허혈에 의한 호흡곤란(+) | 흉통<br>[호흡곤란 있어도 심 기능 저하(–)] |

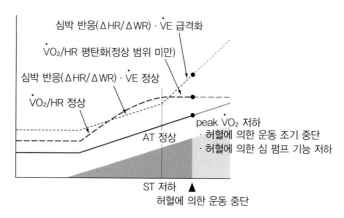

심박 반응(ΔHR/ΔWR)·V̇E 급격화

V̇O₂/HR 평탄화(정상 범위 미만)

심박 반응(ΔHR/ΔWR)·V̇E 정상

V̇O₂/HR 정상

peak V̇O₂ 저하
· 허혈에 의한 운동 조기 중단
· 허혈에 의한 심 펌프 기능 저하

AT 정상

ST 저하 ▲
허혈에 의한 운동 중단

**그림 8-1** **노작성 협심증의 전형적 CPX 소견** 허혈 출현에 따라 심 기능이 저하하거나 교감신경 활성이 항진되며, 그 이하의 부하 강도에서는 각 파라미터의 움직임이 정상적이다. ST 저하가 있어도 V̇O₂/HR에 영향을 주지 않으면 경증 허혈이다.

CPX의 대상이 된 협심증은 일반적으로 AT 이후에 허혈이 나타나고, 일상 활동에 제한이 없어 AT가 정상 범위인 경우가 많다. 그 후 허혈이 생겨 심전도상 ST 저하가 시작하면 V̇O₂/HR이 안정화되어 심박수 상승률이 증가한다. 베타-차단제를 충분히 사용하고 있으면 심박수 증가가 적어 ΔV̇O₂/ΔWR이 저하한다. 이 저하 정도가 클수록 중증 허혈이다.

심근 허혈에서는 카테콜아민 분비가 항진되어 허혈 출현과 함께 V̇E 기울기가 급격하게 된다. 또 허혈이 나타나면 젖산 생산이 항진되어 V slope의 AT 이후 부분(S₂)이 급격하게 되며, 그 정도가 허혈의 중증도를 표현한다.

당뇨병 등에서 흉통을 느끼지 않는 경우에는, 환기 항진에 의한 호흡곤란이 주 증상이 된다. 전형적 변화는 **그림 8-1**과 같다. 이런 변화가 일상 활동 수준의 어느 정도에서 나타나는가에 따라 협심증의 중증도를 결정한다.

## 2 심부전

심부전은 심 펌프 기능, 골격근 기능, 혈관 내피세포 기능, 자율신경 활성 등이 광범위하게 이상을 일으키므로 CPX 파라미터도 다양한 이상을 나타낸다(**표 8-2**).

운동 수용능으로는 AT와 peak V̇O₂, peak WR가 저하되고, 심 기능으로는 peak V̇O₂/HR과 max P$_{ET}$CO₂가 저하하며, V̇/Q̇ mismatch의 지표로 minimum V̇E/V̇CO₂가 상승한다. V̇/Q̇ mismatch를 일으키는 원인은 심 박출량 저하와 혈관 내피세포 기능의 이상이다. peak WR이 저하되면 골격근 근력의 문제도 고려한다. 자율신경 활성은 심박 반응으로 평가한다. 그 밖에 slope 2가 급격히 증가하여 TV/RR slope가 낮아진다. 이상의 모식도는 **그림 8-2**와 같다.

표 8-2 심부전의 CPX 파라미터

| 파라미터 | 변화 | 참고 |
|---|---|---|
| AT | 저하 | 운동 수용능 저하 |
| peak $\dot{V}O_2$ | 저하 | 운동 수용능 저하 + 심 기능 저하 |
| $\dot{V}O_2/HR$ | 저하 | 심 기능 저하 |
| $P_{ET}CO_2$ | 저하 | 심 기능 저하(V/Q mismatch↑) |
| $\triangle\dot{V}O_2/\triangle WR$ | 저하 | 산화 효소 활성 감소 |
| oscillation | (+) | 순환 기간 지연 |
| $\dot{V}E/\dot{V}CO_2$ | 상승 | 심 기능 저하 |
| $\dot{V}E$ vs.$\dot{V}CO_2$ slope | 급격화 | 심 기능 저하 |
| OUES | 저하 | 심 기능 저하 |
| Breathing reserve | 불변 | |
| TV/RR | 급격화 | 빠른 호흡 |
| TV plateau | 저하 | 얕은 호흡 |
| Ti/Ttot | 불변 | |
| chronotropic incompetence | (+) | |
| HR response | 저하 | |
| 증상 | | 하지 피로 > 호흡곤란 |

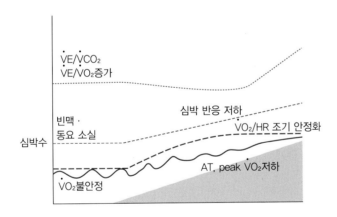

**그림 8-2 심부전에 전형적 CPX 소견** 심 기능 저하에 동반한 이상 소견, 자율신경 활성 이상에 의한 소견, 골격근 기능 저하에 의한 이상 소견 등이 나타난다. 이 중 어느 요소가 강한지 평가할 수 있으면, 그 부분을 우선 치료할 지 판단할 수 있다.

## 3 부정맥(발작성 심방세동과 심실 빈맥)

심방세동은 방실 관련성이 없어져서 1회 심 박출량이 20% 저하한다. 만성 심방세동의 CPX에서는 변화를 검출할 수 없다. 그러나 CPX 중 발작성 심방세동이 나타나면, 심박수의 갑작스런 상승과 함께 산소 섭취량과

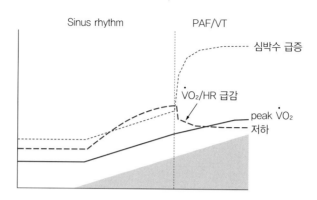

**그림 8-3** **부정맥 출현시 CPX 소견** A.fib이나 VT가 나타나면 심박수가 급증하여 $\dot{V}O_2$/HR과 $\dot{V}O_2$가 급속히 감소한다. 운동 수용능이 정상적이고, 부정맥이 AT 이후에 출현하면 AT는 정상이다. peak $\dot{V}O_2$는 저하한다

$\dot{V}O_2$/HR의 급격한 증가 불량이 생긴다. 이 현상은 심실 빈맥(VT[01]*)에서도 같다(**그림 8-3**).

## 4 폐동맥 고혈압

　폐동맥 고혈압에서는 호흡곤란으로 활동량이 감소하므로 AT 및 peak $\dot{V}O_2$가 저하한다. 폐 혈류가 감소되고 $\dot{V}/\dot{Q}$ mismatch가 증가하여 $\dot{V}E/\dot{V}CO_2$와 $\dot{V}E$ vs. $\dot{V}CO_2$ slope이 증가한다. 특히 CTEPH에서 현저하며, CTEPH에서는 또한 $\dot{V}E/\dot{V}CO_2$는 $\dot{V}E$ vs. $\dot{V}CO_2$ slope 보다 큰 수치를 나타낸다. 폐동맥 고혈압에서 CPX의 특징은 **표 8-3, 그림 8-4**와 같다.

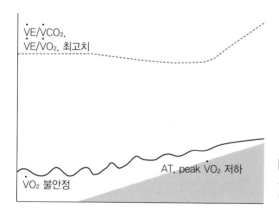

**그림 8-4** **PAH, CTEPH의 CPX 소견** 심부전에 비해 $\dot{V}E/\dot{V}O_2$와 $\dot{V}E/\dot{V}CO_2$가 높다. 숨찬 느낌이 있으면 우심부하에 의한 심 박출량 제한으로 운동 수용능이 저하된다.

역자주* ───────

01　VT (Ventricular Tachycardia)

표 8-3 폐고혈압의 CPX 특징

| 파라미터 | 변화 |
|---|---|
| AT | 저하 |
| peak $\dot{V}O_2$ | |
| $\dot{V}O_2$/HR | 저하 |
| $P_{ET}CO_2$ | 심 펌프 기능 저하 + $\dot{V}/\dot{Q}$ mismatch 증가 |
| $\triangle\dot{V}O_2$/$\triangle$WR | 저하 |
| oscillation | 없음 |
| $\dot{V}E/\dot{V}CO_2$ | 심 펌프 기능 저하 + $\dot{V}/\dot{Q}$ mismatch 증가<br>폐혈관 안에 혈전 색전이 있으면 현저히 증가 |
| $\dot{V}E$ vs. $\dot{V}CO_2$ slope | 심 펌프 기능 저하 + $\dot{V}/\dot{Q}$ mismatch 증가 |
| OUES | 저하 |
| Breathing reserve | 불변 |
| TV/RR | 빠른 호흡 |
| TV plateau | 얕은 호흡 |
| Ti/Ttot | 불변 |
| chronotropic incompetence | 불변 |
| HR response | 증가 |
| 증상 | 호흡곤란 |

## 5 우좌 단락(Right-Left Shunt)

우좌 단락가 있으면 **표 8-4, 그림 8-5**와 같은 이상이 나타난다[1]. 특히 눈에 띄는 것은 $P_{ET}CO_2$ 저하이다. $P_{ET}CO_2$는 Ramp 부하 중에 점차 증가하므로 갑자기 저하하여 그것이 지속되는 이상이 나타난다. 우좌 단락 양에 따라 변화 정도가 다르다(**그림 8-6**).

표 8-4 우좌 단락를 시사하는 CPX의 소견

1. $P_{ET}O_2$가 갑자기 상승되어 지속
2. $P_{ET}CO_2$가 갑자기 저하
3. RER이 갑자기 증가하여 지속
4. $\dot{V}E/\dot{V}O_2$가 갑자기 증가하여 지속
5. $\dot{V}E/\dot{V}CO_2$가 갑자기 증가하여 지속
6. $SpO_2$가 갑자기 저하

## 6 성인 선천성 심 질환

성인 선천성 심 질환에는 원 질환 및 수술 방법이 다양하여 개별적으로 구분하기는 어렵지만, 성인에서 CPX 대상이 되는 환자에게 일정한 특징이 있다.

선천성 심 질환의 수술 후에 운동이 제한이 많아, AT와 peak $\dot{V}O_2$가 낮다. 한편 심 기능은 유지되고 있기 때문에 peak $\dot{V}O_2$/HR는 정상에 가까운 것이 많다. 그러나 대혈관 전이 수술 후처럼 우심실이 좌심실의 역할을 담당하고 있으면 운동 중 심 기능이 저하하기 시작하여 CPX에서 peak $\dot{V}O_2$/HR 저하가 나타날 것으로 생각된다. 이런 상황이 되면 심장 이식이 유일한 치료법이다.

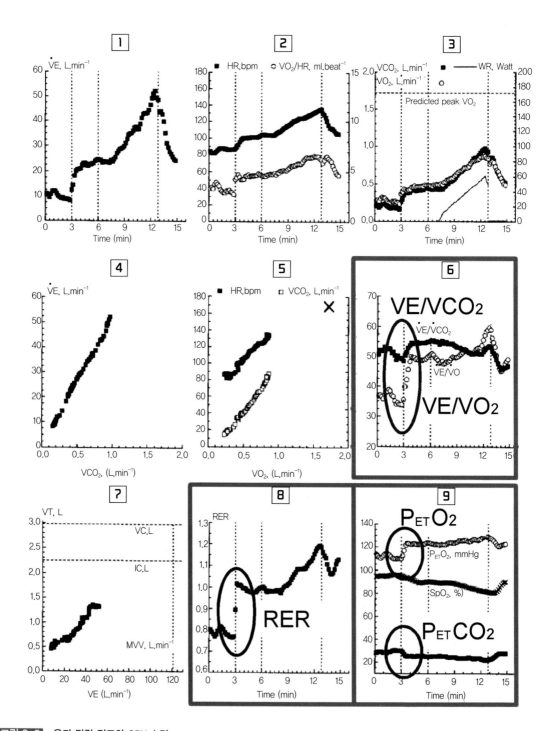

**그림 8-5** 우좌 단락 정도와 CPX 소견

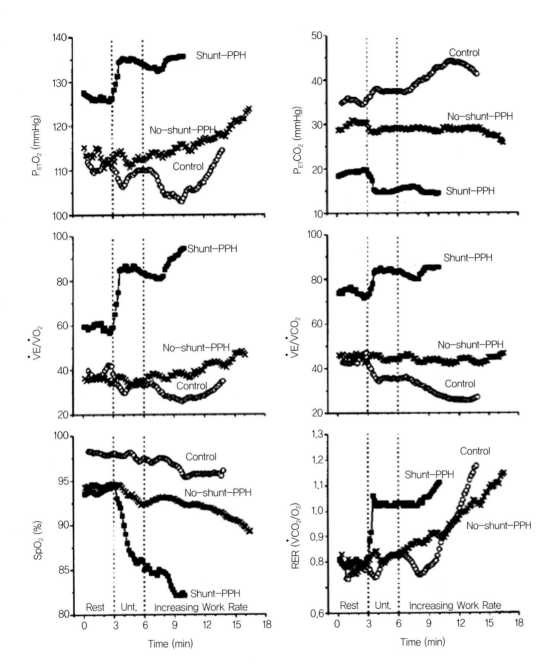

**그림 8-6** 우좌 단락 정도와 CPX 소견

No-Shunt-PPH[02]*: 좌우 단락이 없는 폐동맥 고혈압
Shunt-PPH: 좌우 단락이 있는 폐동맥 고혈압

역자주* ——————

02  PPH (Primary pulmonary Hypertension, 일차성 폐동맥 고혈압)

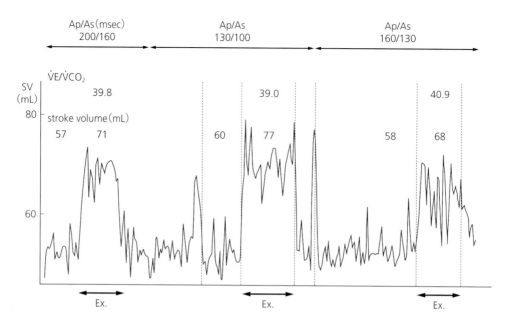

**그림 8-7**   AV delay 차이에 의한 SV의 차이

안정과 15 Watt 부하를 AV delay 3단계로 변화시켜 $\dot{V}E/\dot{V}CO_2$와 SV를 평가했다. pacing과 sencing의 AV delay가 각각 130 msec, 100 msec에서 SV가 가장 높은 동시에 환기 효율이 좋았다. 환자의 호흡곤란도 설정 변경 이후 개선되었다.

# ❓ CRT-D 삽입 후 심부전

    심부전 환자 자신에게 QOL[03]* 개선은 증상의 개선이다. "침대에만 누워 장수하고 싶다"는 환자는 없으며 "건강하게 장수"하고 싶은 것이다. 즉 호흡곤란이나 피로감의 개선이 심부전에서 가장 중요한 치료 목적이다. CRT-D 삽입 후에도 노작시의 증상이 가벼워지도록 설정해야 한다.

    CPX는 이런 증상을 평가할 수 있다. 물론 peak $\dot{V}O_2$나 AT가 좋은 지표이지만, 제대로 부하량을 알아낼 필요가 있다. CRT-D가 필요한 중증 심부전 환자는 CPX를 시행할 수 없는 경우가 많다. 그러나 0 Watt 부하는 산소 섭취량이 2 METs 미만이므로 지금부터 걸으려는 CRT-D 삽입 후 환자는 시행 가능하다. 측정 항목은 안정시부터 0 Watt 부하에 걸친 $\dot{V}E/\dot{V}CO_2$의 변화다. $\dot{V}E/\dot{V}CO_2$는 숨찬 느낌과 밀접하게 관련이 있어, 환자의 증상을 직접 평가할 수 있는 지표라고 생각해도 좋다. 0 Watt 부하이므로 여러 종류의 AV/PV delay를 시험해 보고, 가장 $\dot{V}E/\dot{V}CO_2$가 낮은 설정으로 결정하면 좋다(**그림 8-7**).

참 · 고 · 문 · 헌

1.   Sun XG, Hansen JE, Oudiz RJ et al. Gas exchange detection of exercise-induced right-to-left shunt in patients with primary pulmonary hypertension. Circulation.2002:105:54-60.

역자주* ————

03   QOL (Quality of Life, 생활의 질)

# 9장
# 운동 처방

## **1** AT에 의한 처방

### **A** AT 결정법과 운동 처방

AT 결정법은 **표 9–1** 및 **그림 9–1**과 같다. 표준 방법은 V-slope법이다.[1]

V-slope법은, X축에 $\dot{V}O_2$, Y축에 $\dot{V}CO_2$를 취해, Ramp 부하 중 $\dot{V}O_2$-$\dot{V}CO_2$ 관계를 플롯한 그래프이다. 반드시 $\dot{V}O_2$와 $\dot{V}CO_2$의 스케일을 같게 하여 $\dot{V}O_2$와 $\dot{V}CO_2$의 관계가 45도의 각도가 되게 한다. Ramp 부하 이외 부분도 플롯하면 그래프를 보기 어려우므로 다른 부분은 제외한다. 삼각자를 이용하여 $\dot{V}O_2$-$\dot{V}CO_2$ 관계가 45도 이상이 되는 점을 AT로 한다(**그림 9–1 E**).

그러나 운동 부하 검사 중 V-slope법을 이용한 AT 판정은 어렵다. AT 이후 부분, 이른바 S2가 충분히 측정되지 않으면 45도로 뻗어 가는 S1과 구별하기 곤란하기 때문이다. AT만의 평가가 목적이고 최대 부하까지 걸고 싶지 않으면 Trend법을 이용하여 AT를 결정하고, V-slope법으로 확인한다. Trend법은 $\dot{V}E/\dot{V}O_2$가 Ramp 부하 검사 중에 상승으로 바뀌는 점을 AT로 하는 방법이다(**그림 9–1B**).

때로 V-slope법에서 직선이 2단계로 꺾이는 일이 있다. 이 경우에 첫 번째 꺾이는 점(**그림 9–2 오른쪽 ①**)은 45도 미만의 기울기가 45도로 되고, 두 번째 꺾이는 점(**그림 9–2 오른쪽 ②**)도 45도 이상이 된다. 이때 두 번째 꺾이는 점이 AT이다. 이런 증례의 $\dot{V}E/\dot{V}O_2$를 보면, 활 모양의 감소에서 상승으로 변하는 곡선을 그리며, 그 후 $\dot{V}E/\dot{V}CO_2$와 평행하게 저하하기 시작한다(**그림 9–2 왼쪽**). 첫 번째 꺾이는 점은 pseudo-threshold라고 부르며 본래의 AT가 아니다[2,3].

또 45도에서 벗어난 점이 몇 개 나타나는 일도 있다(**그림 9–3**). Trend법에서는 $\dot{V}E/\dot{V}O_2$와 $\dot{V}E/\dot{V}CO_2$의 평행 관계가 몇번이나 무너지고, 서서히 $\dot{V}E/\dot{V}O_2$가 $\dot{V}E/\dot{V}CO_2$에 가까워져 간다. 이 경우의 점도 AT라고 생각한다. 그 이유를 다음과 같이 생각할 수 있다.

첫째, 운동에 관여하는 골격근이 운동 중에 변화하는 것이다. 중등도의 운동 강도까지는 종

| **표 9–1** AT 결정법 |
| --- |
| $\dot{V}CO_2$ 증가도가 $\dot{V}O_2$ 증가도 보다 크게되는 점 |
| V–slope법에서 slope가 45도 이상이 되기 시작하는 점 |
| $\dot{V}E/\dot{V}O_2$가 증가를 시작하는 점 |
| $P_{ET}O_2$가 증가를 시작하는 점 |
| R이 상승을 시작하는 점 |

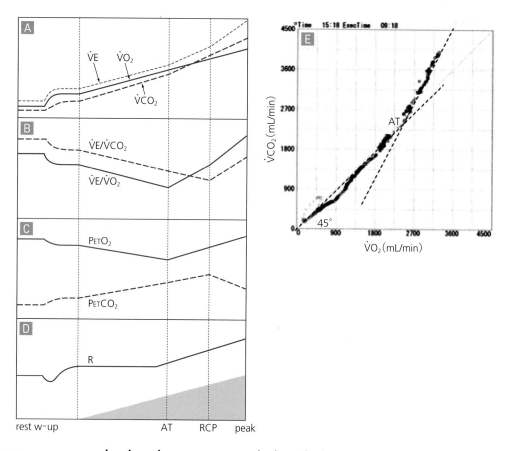

**그림 9-1** **AT 결정법** A는 V̇O₂, V̇CO₂, V̇E에 의한 결정법. B는 V̇E/V̇CO₂, V̇E/V̇O₂에 의한 결정법. C는 $P_{ET}O_2$, $P_{ET}CO_2$의 Trend 법. D는 R의 변화. R은 실제로 AT 조금 전에 증가를 시작하는 경우가 많다. E는 V-slope법.

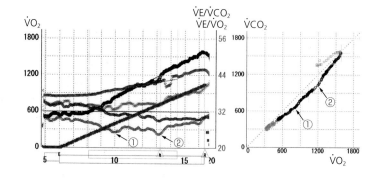

**그림 9-2** **V-slope법과 Trend법의 pseudo-threshold**
Trend 법에서 ①의 V̇E/V̇O₂가 상승으로 바뀌고 있으나, V-slope을 보면 ① 이전의 S1 슬로프 경사가 낮아 부자연스럽다. ②가 45도 이상이 되는 점이며 이곳이 AT이다.

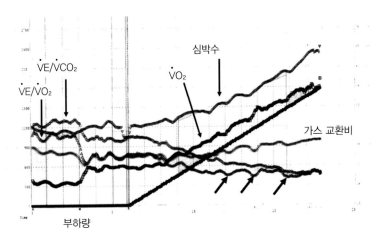

**그림 9-3** $\dot{V}E/\dot{V}O_2$가 단계적으로 $\dot{V}E/\dot{V}CO_2$에 가까워지는 예 화살표 부분에서도 AT를 완전히 부정할 수 없다.

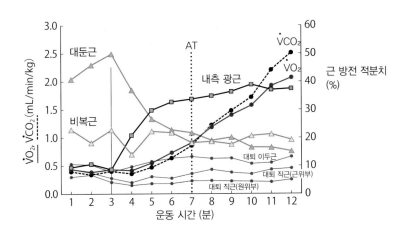

**그림 9-4** 점증 운동 부하 중 골격근 동원 운동 진행에 따라 골격근이 서서히 동원된다. 새롭게 운동에 참여한 골격근과 처음부터 운동에 참여한 골격근에서 AT에 이르는 시점이 다르다.

아리와 대퇴의 골격근을 동원하지만, 이런 골격근이 AT에 이르러 피로를 느끼면, 피검자가 운동 자세를 바꾸는 일이 있다. 지금까지 운동에 별로 참가하지 않았던 대둔근이나 중둔근을 운동에 참가시켜 피로감을 감소하여 자전거 에르고미터를 돌리게 된다(**그림 9-4**). 그 결과, 호기 가스 분석에서 AT가 여러 차례 출현하게 된다. 골격근이 발달되어 운동 수용능이 높은 피검자에서 흔히 보인다.

둘째, 같은 골격근군에서도 동맥쪽과 정맥쪽이 AT에 이르는 속도가 다른 것이다. **그림 9-5**에서 보듯이, 정맥쪽의 산소 포화도는 동맥쪽에 비해 저하되어 있다[4]. 심 박출량이 충분히 유지되고 있으면 정맥쪽에서도 산소 방출이 가능하지만, 심 박출량이 부족한 상황에서는 정맥쪽에 저산소 상태가 된다. 때로 조직의 저산소 상태가 보상적 혈관 확장을 일으켜 혈류량을 증가시켜 다시 산소화하는 일도 생긴다. 이런 산소

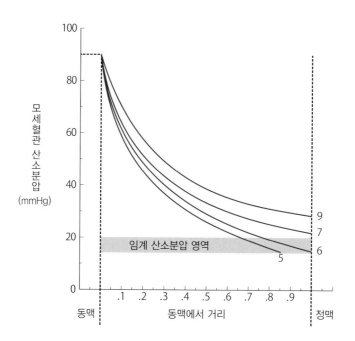

**그림 9-5** **동맥쪽과 정맥쪽의 산소 포화도** 골격근은 산소 포화도가 18-20% 미만이면 산소를 추출할 수 없다. 심 박출량이 적으면 정맥쪽에 도달하기 전에 20% 미만이 되어 이 부위의 골격근 세포는 무산소 운동을 강요당한다.

공급의 불균일성도 몸 전체에서 AT를 여러 차례 일으키는 원인이 된다.

셋째, AT 근처가 되면 페달 회전 수가 저하되는 일이 있다. 낮은 회전 수가 되면 이것도 산소 섭취량에 영향을 미쳐 AT를 여러 차례 출현시키는 원인이 된다.

이와 같이, AT는 세포 단위수준의 현상인데 비해 실제 호기 가스 분석은 몸 전체의 산소 섭취량을 반영하므로 AT가 여러 차례 존재한다는 점을 이해해 둘 필요가 있다.

AT 후보가 여러개 있을 때 어떻게 하면 좋을까? 심 질환 환자의 운동 처방에서, 필자는 최초 포인트를 이용하여 운동 처방을 작성한다. 심 질환 환자에서 운동 요법은 안전 제일이다. 따라서 운동 요법 효과는 낮지만, 몸 전체에서 AT가 이루어진 시점이 아니라, 몸의 어딘가에 AT가 된 포인트를 채택한다.

최대 부하를 시행하면 % peak $\dot{V}O_2$와 % AT는 일반적으로 같은 정도가 된다. 그러나 심 질환 급성기 (AMI[01]* 발생 4일째나 개심 수술 후 7일째)나 심부전 환자는 최대 부하까지 시행하지 않고 종료하며, 종료 시 Borg 지수가 하지 피로 15이면 % peak $\dot{V}O_2$ 60-70%, % AT 70-80%과 AT와 peak $\dot{V}O_2$에 차이가 나타날 수 있다.

급성기에 AT 개선 속도는 비교적 빠르다. 과거 심근경색으로 2주간 입원하던 시대에는, 급성기와 2주째에 CPX를 시행했으나, 그 때의 자료를 보면 2주일에 AT가 5% 정도 개선되었다. 따라서 운동 요법 시작

역자주* ────

01  AMI (Acute Myocardial Infarction, 급성 심근경색)

후 환자가 운동 처방 수준이 너무 가볍다고 호소하면 운동 수용능이 이미 개선되기 시작한 것으로 생각할 수 있다.

심장 재활 효과 판정을 위해 CPX를 반복 시행할 수 있다. 같은 환자에서 $\dot{V}O_2$나 $\dot{V}E/\dot{V}O_2$의 변화 패턴은 재현성이 높다. 즉 전체적으로 같은 패턴을 나타내면서 AT와 peak가 개선하는 방향으로 변화한다. 따라서 2번째 검사에서 반드시 지난 번 CPX 그래프를 참고하여, 같은 방법으로 AT를 결정한다. 그러나 때로 지난 번 채택한 AT에서 $\dot{V}E/\dot{V}O_2$변동이 소실되는 일이 있다. 이때는 새로운 CPX에서 AT 변화 패턴을 첫 회에도 이용할 수 있는지 검토하며, % AT와 % peak $\dot{V}O_2$의 관계나, 지금까지의 운동 요법시 피로감을 재검토하여, 새로운 판정 포인트가 확실하면, 주저하지 않고 지난 번 AT를 정정하여 환자에게 설명한다.

AT가 결정되면, 운동 처방은 결정한 시점의 1분 전 부하량으로 처방한다(그림 9–6). 1분 전으로 돌아가는 것은, '부하에 대한 생체 반응 지연'이 있기 때문이며, 산소 섭취량은 일정한 시간 전의 운동 부하량에 대한 것이기 때문이다. 부하량이 심해질수록 생체의 반응 시간은 길어진다. 따라서 본래 AT 부하량으로 일정량 부하를 시행하고 완화 시간을 구해 그 수치를 참고하여 몇 초 전으로 되돌릴지 결정해야 하는 것으로 되어 있다. 그러나 몇 번이나 CPX를 시행하는 것은 현실적이지 않다. 따라서 충분한 양인 1분 전을 이용하고 있다. 역시 안전성을 고려한 판단이다.

한편 산소 섭취량(혹은 METs)은 1분 전으로 돌아오지 않는다. 부하는 생체에 대한 입력(input)이지만, 산소 섭취량은 생체의 출력(output)이다. 따라서 산소 섭취량은 AT를 결정한 시점 자체의 수치를 이용한다.

## B AT 결정 불가할 때 운동 처방

때로 CPX에서 AT를 결정할 수 없는 경우가 있다.

심부전에서 oscillation이 있을 때 AT 결정은 매우 어렵다(그림 9–7). V-slope법을 이용하여 45도에서 멀어지는 점을 구하기도 하지만, Trend법에서 여러 곳이 있는 경우도 많다. 이 때는 가장 낮은 수준의 AT 점

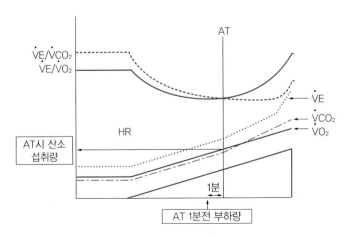

**그림 9–6** 운동 처방

을 채택한다. oscillation는 심부전 중증 예에서 많다. 따라서 잘못하여 강한 수준의 운동 처방을 작성하면 환자에 치명적일 수 있으며, 가벼운 것의 선택이 안전하다.

필자는 warming up을 10 Watt로 시작하여, Ramp 부하 증가 비율을 10 Watt/분으로 하고 있다. oscillation이 나타나는 증례의 대부분은 15-20 Watt 이하에서 AT가 된다. 20 Watt이면 운동 처방은 10 Watt가 되지만, 15 Watt에서 AT가 되면 처방 수준은 5 Watt이다. 그러나 일반 자전거 에르고미터는 5 Watt 부하량을 정확하게 걸 수 없다. 따라서 실제로 이럴 때는 종아리의 골격근 트레이닝으로 Pre-training을 시행하고 있다.

warming up에 10 Watt를 이용하면, 운동 수용능이 낮은 환자에서 이 동안에 AT를 넘는 일이 있다. warming up 종료시에 $\dot{V}E/\dot{V}O_2$가 $\dot{V}E/\dot{V}CO_2$ 이상이 되고, $\dot{V}O_2$가 정점 지속이 되지 않고, 운동 종점에서 하지 피로감이 Borg 15 이상이면 분명히 AT를 넘었다고 판단할 수 있다. 이 때는 앞에서 설명한 예처럼 종아리의 골격근 트레이닝을 처방한다.

### ⓒ 자전거 에르고미터와 트레드밀의 비교

필자는 CPX에 자전거 에르고미터를 이용하고, 운동 요법은 트레드밀과 실외 보행으로 시행하고 있다.

자전거 에르고미터로 작성한 운동 처방을 보행 운동에 이용할 때는 계산식을 사용하여 트레드밀의 속도·각도 관계를 처방하고 있다(**표 9-2**). 이것은 산소 섭취량을 기초로 계산한 것이다. 그러나 실제로 자전거 에르고미터에서는 적당한 피로감이지만 트레드밀에서는 괴롭고 실외 보행에서는 더 힘들다는 경우가 있다. 이것은 각각의 운동 양식에 이용되는 골격근이 다르기 때문이라고 생각할 수 있다. 이럴 때에는, 자각적 운동 강도와 심박수를 참고하여 속도·각도의 관계를 수정하여 실제 운동 요법을 시행한다.

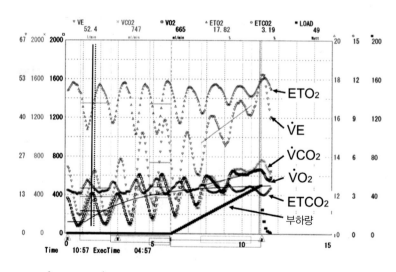

**그림 9-7** oscillation $\dot{V}O_2$(실선)과 $\dot{V}CO_2$(점선)의 위상이 다른 것에 주목

## 2 심박 처방(Karvonen 식)

심박수를 기준으로 운동 처방을 작성할 수 있다. 호기 가스 분석 장치가 없어 CPX를 할 수 없거나, 정상인에서 운동 처방 작성을 위해 CPX를 시행할 필요가 없는 경우이다.

가장 많이 이용하는 것은 다음의 Karvonen 식이다.

목표 심박수 = (최대 심박수 - 안정시 심박수) × k + 안정시 심박수

여기서 k는 상수이며, 일반적으로 0.4에서 0.6을 이용한다. 심 질환 급성기에는 0.2가 적당하다.

최대 심박수는 실측치를 이용한다. 따라서 최대 부하 검사를 시행하지 않으면 안 된다. 불가능하면 '220 – 나이'을 이용한다. 그러나 베타-차단제나 딜티아젬 등 심박 반응을 저하시키는 약제를 사용 중인 환자는 사용할 수 없다. 예측 최대 심박수 '220 – 나이'는 실측에 의한 최대 심박수보다 훨씬 높은 수치를 나타내기 때문이다. 만일 이 수치를 이용하여 운동 요법을 처방하면 필요 이상으로 심한 운동을 강요하게 된다.

이상과 같이, 심박 처방은 급성기 심 질환 환자에서, 최대 심박수를 실측하지 못하고 심박 반응이 평소와 다른 경우가 많기 때문에 제한이 많아 사용하기 어려운 처방법이다.

안정시기가 되어 최대 부하를 시행할 수 있어 최대 심박수를 실측할 수 있으면 심박 처방은 신뢰할 수 있다. 그러나 베타-차단제를 사용 중이면 심박 반응이 낮으므로, 운동 요법 중 약간의 심박수 변화가 큰 부하량 변화가 될 수 있다는 점에는 주의한다(그림 9-8).

## 3 자각적 운동 강도에 의한 처방

AT 수준에서 자각적 운동 강도는 Borg 12-13이다. 따라서 운동 요법 처방을, 가벼운 부하량으로 시작하여, 30초-1분마다 자각적 운동 강도를 확인하며 '약간 힘들다'고 느끼는 수준이 될 때까지 부하량을 서서히 늘려 가는 방법이다.

이 방법은 간편하고 신뢰성이 있지만, 환자가 참을성이 많거나 오기가 있으면 증상을 가볍게 호소하거나, 운동 요법의 동기가 낮으면 자각 증상을 강하게 호소하므로 판단에 주의 한다. Borg 스코어는 표 19-9와 같다.

## 4 talk test에 의한 처방(비탈길이 많은 지역의 운동 처방)

운동 강도를 다각적으로 평가하여 운동 처방을 시행하는 방법이 토크 테스트(Talk Test)이다[5].

이것은, 운동 중에 30초간 문장을 천천히 읽게 하여 숨찬 정도를 제3자가 판정하는 것이다. 숨이 차서 읽을 수 없으면 운동 강도가 너무 강하고, 보통으로 읽을 수 있으면 운동 강도가 너무 낮다고 판단할 수 있다. Talk test

**표 9-2** 에르고미터와 트레드밀과의 관계

| Speed | Grade | METs | watt | Speed | Grade | METs | watt | Speed | Grade | METs | watt |
|---|---|---|---|---|---|---|---|---|---|---|---|
| km/h | % | | | km/h | % | | | km/h | % | | |
| 1.3 | 0 | 1.6 | | 4.2 | 0 | 3 | 30 | 6.3 | 0 | 4 | 55 |
| 1.7 | 0 | 1.8 | | 3.6 | 1 | 3 | 30 | 5.3 | 1 | 4 | 55 |
| 2.1 | 0 | 2 | 10 | 3.1 | 2 | 3 | 30 | 4.6 | 2 | 4 | 55 |
| 1.8 | 1 | 2 | 10 | 2.7 | 3 | 3 | 30 | 4.1 | 3 | 4 | 55 |
| 1.5 | 2 | 2 | 10 | 2.4 | 4 | 3 | 30 | 3.7 | 4 | 4 | 55 |
| 2.5 | 0 | 2.2 | 15 | 4.6 | 0 | 3.2 | 35 | 5.7 | 1 | 4.2 | 60 |
| 2.1 | 1 | 2.2 | 15 | 3.9 | 1 | 3.2 | 35 | 4.9 | 2 | 4.2 | 60 |
| 1.9 | 2 | 2.2 | 15 | 3.4 | 2 | 3.2 | 35 | 4.4 | 3 | 4.2 | 60 |
| 1.6 | 3 | 2.2 | 15 | 3.0 | 3 | 3.2 | 35 | 3.9 | 4 | 4.2 | 60 |
| 2.9 | 0 | 2.4 | 20 | 2.7 | 4 | 3.2 | 35 | 3.5 | 5 | 4.2 | 60 |
| 2.2 | 2 | 2.4 | 20 | 5.0 | 0 | 3.4 | 40 | 5.3 | 2 | 4.4 | 60 |
| 1.9 | 3 | 2.4 | 20 | 4.3 | 1 | 3.4 | 40 | 4.6 | 3 | 4.4 | 60 |
| 1.5 | 5 | 2.4 | 20 | 3.7 | 2 | 3.4 | 40 | 4.2 | 4 | 4.4 | 60 |
| 3.4 | 0 | 2.6 | 25 | 3.3 | 3 | 3.4 | 40 | 3.8 | 5 | 4.4 | 60 |
| 2.8 | 1 | 2.6 | 25 | 2.9 | 4 | 3.4 | 40 | 3.4 | 6 | 4.4 | 60 |
| 2.5 | 2 | 2.6 | 25 | 5.5 | 0 | 3.6 | 45 | 5.6 | 2 | 4.6 | 65 |
| 2.2 | 3 | 2.6 | 25 | 4.6 | 1 | 3.6 | 45 | 4.9 | 3 | 4.6 | 65 |
| 2.0 | 4 | 2.6 | 25 | 4.0 | 2 | 3.6 | 45 | 4.4 | 4 | 4.6 | 65 |
| 1.8 | 5 | 2.6 | 25 | 3.5 | 3 | 3.6 | 45 | 4.0 | 5 | 4.6 | 65 |
| 1.6 | 6 | 2.6 | 25 | 3.2 | 4 | 3.6 | 45 | 3.6 | 6 | 4.6 | 65 |
| 3.8 | 0 | 2.8 | 30 | 5.9 | 0 | 3.8 | 50 | 5.2 | 3 | 4.8 | 70 |
| 3.2 | 1 | 2.8 | 30 | 5.0 | 1 | 3.8 | 50 | 4.6 | 4 | 4.8 | 70 |
| 2.8 | 2 | 2.8 | 30 | 4.3 | 2 | 3.8 | 50 | 4.2 | 5 | 4.8 | 70 |
| 2.5 | 3 | 2.8 | 30 | 3.8 | 3 | 3.8 | 50 | 3.8 | 6 | 4.8 | 70 |
| 2.0 | 5 | 2.8 | 30 | 3.4 | 4 | 3.8 | 50 | 3.5 | 7 | 4.8 | 70 |

Watt 수 환산에서 체중을 60 kg로 하면,
안정시 1.2 METs (252 mL/min $\dot{V}O_2$)에서
10 Watt: 10 (w) x 10 (mL/watt)/3.5/60 + 1.2 = 1.68 METs
20 Watt: 20 (w) x 10 (mL/watt)/3.5/60+ 1.1 = 2.15 METs

〈참조〉
1 METs = 3.5 mL oxygen/kg body weight/min

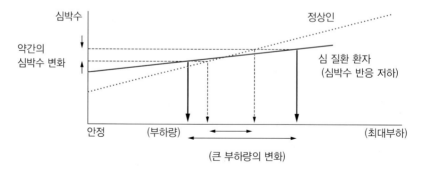

**그림 9-8** **심박 처방의 문제점** 심부전에서는 심박 반응이 나쁘기 때문에 약간의 심박수 설정 차이에도 운동 수준에 큰 차이를 일으킨다.

표 9-2 계속

| Speed | Grade | METs | watt | Speed | Grade | METs | watt | Speed | Grade | METs | watt |
|---|---|---|---|---|---|---|---|---|---|---|---|
| km/h | % | | | km/h | % | | | km/h | % | | |
| 5.5 | 3 | 5 | 75 | 5.5 | 5 | 6 | 95 | 5.6 | 7 | 7 | 120 |
| 4.9 | 4 | 5 | 75 | 5.0 | 6 | 6 | 95 | 5.2 | 8 | 7 | 120 |
| 4.4 | 5 | 5 | 75 | 4.6 | 7 | 6 | 95 | 4.8 | 9 | 7 | 120 |
| 4.0 | 6 | 5 | 75 | 4.3 | 8 | 6 | 95 | 4.5 | 10 | 7 | 120 |
| 3.7 | 7 | 5 | 75 | 4.0 | 9 | 6 | 95 | 4.2 | 11 | 7 | 120 |
| 5.1 | 4 | 5.2 | 80 | 5.3 | 6 | 6.2 | 100 | 5.8 | 7 | 7.2 | 120 |
| 4.6 | 5 | 5.2 | 80 | 4.8 | 7 | 6.2 | 100 | 5.3 | 8 | 7.2 | 120 |
| 4.2 | 6 | 5.2 | 80 | 4.5 | 8 | 6.2 | 100 | 5.0 | 9 | 7.2 | 120 |
| 3.9 | 7 | 5.2 | 80 | 4.2 | 9 | 6.2 | 100 | 4.7 | 10 | 7.2 | 120 |
| 3.6 | 8 | 5.2 | 80 | 3.9 | 10 | 6.2 | 100 | 4.4 | 11 | 7.2 | 120 |
| 5.4 | 4 | 5.4 | 80 | 5.5 | 6 | 6.4 | 105 | 5.5 | 8 | 7.4 | 125 |
| 4.9 | 5 | 5.4 | 80 | 5.0 | 7 | 6.4 | 105 | 5.1 | 9 | 7.4 | 125 |
| 4.4 | 6 | 5.4 | 80 | 4.6 | 8 | 6.4 | 105 | 4.8 | 10 | 7.4 | 125 |
| 4.1 | 7 | 5.4 | 80 | 4.3 | 9 | 6.4 | 105 | 4.5 | 11 | 7.4 | 125 |
| 3.8 | 8 | 5.4 | 80 | 4.1 | 10 | 6.4 | 105 | 4.3 | 12 | 7.4 | 125 |
| 5.1 | 5 | 5.6 | 85 | 5.7 | 6 | 6.6 | 110 | 5.7 | 8 | 7.6 | 130 |
| 4.6 | 6 | 5.6 | 85 | 5.2 | 7 | 6.6 | 110 | 5.3 | 9 | 7.6 | 130 |
| 4.3 | 7 | 5.6 | 85 | 4.8 | 8 | 6.6 | 110 | 5.0 | 10 | 7.6 | 130 |
| 4.0 | 8 | 5.6 | 85 | 4.5 | 9 | 6.6 | 110 | 4.7 | 11 | 7.6 | 130 |
| 3.7 | 9 | 5.6 | 85 | 4.2 | 10 | 6.6 | 110 | 4.4 | 12 | 7.6 | 130 |
| 5.3 | 5 | 5.8 | 90 | 5.9 | 6 | 6.8 | 115 | 5.9 | 8 | 7.8 | 130 |
| 4.8 | 6 | 5.8 | 90 | 5.4 | 7 | 6.8 | 115 | 5.5 | 9 | 7.8 | 130 |
| 4.5 | 7 | 5.8 | 90 | 5.0 | 8 | 6.8 | 115 | 5.1 | 10 | 7.8 | 130 |
| 4.1 | 8 | 5.8 | 90 | 4.6 | 9 | 6.8 | 115 | 4.8 | 11 | 7.8 | 130 |
| 3.8 | 9 | 5.8 | 90 | 4.4 | 10 | 6.8 | 115 | 4.5 | 12 | 7.8 | 130 |

에 의한 처방은 CPX에 의한 AT 처방과 양호한 상관 관계를 나타낸다(그림 9–10). 미국에서 Talk test에 이용되는 문장은 그림 9–11과 같다. 이 정도의 길이의 문장을 선택하여 소리내어 읽으면 좋을 것으로 생각한다.

그러나 평가 담당자의 기술이 필요하다. 실제로 AT 처방을 받은 환자가 어느 정도로 숨이 차는지 경험하지 못하면 정확한 운동 처방을 할 수 없다.

환자의 몸 상태는 매일 변화한다. 피로가 심한 날에 운동 요법 시행에서는 의료진이 대화하여 평소보다 숨참이 심하면 운동 강도를 10% 정도 약하게 한다. Talk test는 이와 같이 매일의 운동 요법 미세 조정에도 응용 가능하다.

| Scale | 자각적 운동 강도 |
|---|---|
| 7 | 매우 편하다 |
| 8 | |
| 9 | 꽤 편하다 |
| 10 | |
| 11 | 편하다 |
| 12 | |
| 13 | 약간 힘들다 |
| 14 | |
| 15 | 힘들다 |
| 16 | |
| 17 | 꽤 힘들다 |
| 18 | |
| 19 | 매우 힘들다 |
| 20 | |

11, 12, 13 옆: } 운동 처방 강도

**그림 9-9** Borg 스코어

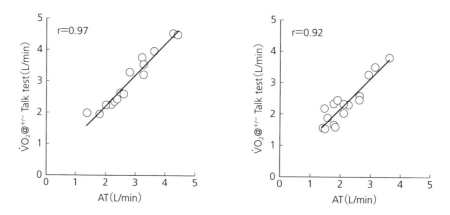

**그림 9-10** Talk test와 AT의 관계   Talk test에 양성이면 $\dot{V}O_2$ 는 AT와 좋은 상관 관계를 보인다.

## 5 RR threshold를 이용한 운동 처방

Ramp 부하 중 호흡수의 변화 양식은 **그림 9-12**와 같다. AT 근처에서 흉곽의 확장능이 한계에 가깝게 되어 그 이상 호흡을 깊이 들이마시기 어렵지 않게 되는 것과 동시에, 카테콜아민 분비가 항진되어 환기 자극을 증강하기 시작하므로 호흡수가 현저히 증가한다. 따라서 대부분의 경우 호흡수가 증가하기 시작하는 시점(RR threshold)은 AT와 일치한다.

한편 중증 심부전에서는 운동 중 PAWP가 상승되어 폐 울혈이 나타날 수 있다. 폐포 주위로 누출된 혈장 성

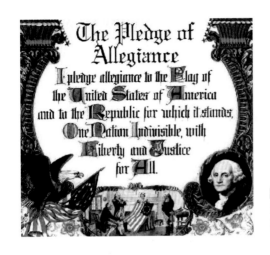

분이 환기 수용체를 자극하여 호흡수를 항진시킨다(그림 9-13). 이것은 AT와 관계 없이 나타난다. 즉 PAWP가 저하하지 않는 중증 심부전에서 운동 중 호흡수 증가는 폐 울혈 출현을 시사할 가능성이 있다. 따라서 RR threshold는 운동 요법 중 심장 사고를 예방하는 중요한 지표이며, AT 보다 RR threshold를 우선해서 운동 수준을 결정하는 것이 좋다.

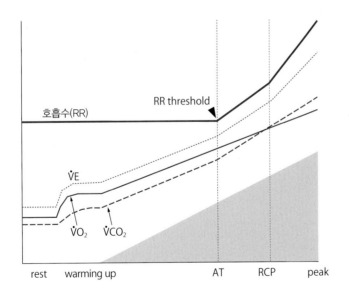

그림 9-12 RR threshold

일반적으로 심 질환 환자의 RR threshold(호흡수 증가 시작점)는 AT 근처에 존재한다. 젊어서부터 건강했던 사람은 RCP에 가까워진다.

역자주* ───────

02  The Pledge of Allegiance (충성의 맹세 : 미국에서 성조기에 대하여 공식의례시 사용)

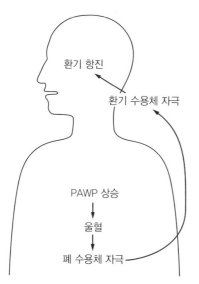

환기 항진

환기 수용체 자극

PAWP 상승

↓

울혈

↓

폐 수용체 자극

**그림 9-13** PAWP와 환기 항진의 관계

## 6 중증 심부전 환자의 처방

중증 심부전 환자는 CPX 중 oscillation에 의해 AT를 구할 수 없는 일도 많다. 만약 CPX 시행으로 심부전 증상이 악화될 가능성이 있으면 CPX 자체를 시행하지 않는다. 필자는, 중증 심부전에서 초기에 운동 요법을 시행하는 목적은, 자율신경 활성 안정화, 골격근 펌프 작용 개선, 혈관내 내피세포 기능 개선에 있다고 생각한다. 자율신경 활성이 안정되면 치명적 부정맥을 억제하여 amiodarone, sotalol, Nifekalant[03]* 등의 사용량을 줄일 수 있다. 또 삽입형 제세동기[04]* 작동 회수도 줄어들어 환자의 불안감을 완화시킬 수 있다. 골격근 펌프 작용과 혈관내피세포 기능이 개선되면, 직접적으로 심 박출량을 증가시킬 수 있는 동시에, 후부하와 전부하 감소에 의해 심부하를 줄일 수 있다. 따라서 카테콜아민 제제의 주사나 복용 감소가 가능해진다.

이런 목적 중에서 자율신경 활성 개선과 골격근 기능 개선은 유산소 운동이 아니라 작은 근육군의 저항 운동에 의해 얻을 수 있다. 중증 심부전에서 안전하게 시행 가능한 것은 자전거의 유산소 운동보다 침상 주위의 종아리 근육 훈련이다. 2011년 유럽의 지침에서도 급성 심부전 증후군 회복기에 우선 준비 운동으로 작은 근육군 운동을 시행하도록 권고하고 있다[6]. 따라서 카테콜아민을 중지할 수 없는 중증 심부전은 CPX를 시행하지 않고 종아리 근육 훈련을 시행한다**(그림 9-14)**.

최근 가압 트레이닝[05]* 효과가 보고되었다. 가압 트레이닝은 성장 호르몬 분비를 촉진하여 골격근을 개선한다. 필자도 골격근 위축이 심한 심부전 환자에게 대퇴와 상완의 가압 트레이닝을 시행하고 있다**(그림 9-15)**. 가

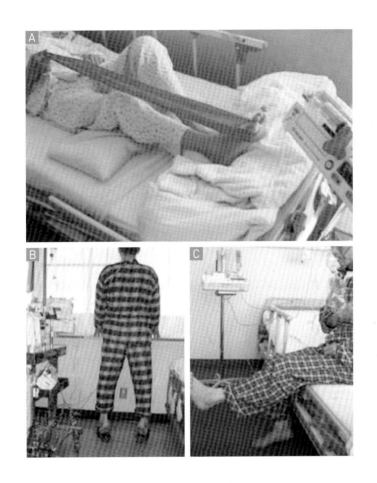

**그림 9-14** Pre-training
A: 침상에서 탄력 밴드를 이용하여 저항 운동, B: 침상 옆에서 발끝으로 선다 C: 자신의 체중을 이용한 저항 운동

압 트레이닝 중에 시행한 심 초음파에서, 심근 이완능의 지표인 DT 개선, 하대정맥 지름 축소, 삼첨판 역류가 심해졌다. 삼첨판 역류의 증가를 어떻게 생각할지 다양한 평가가 가능하다. 우심부전이 복수 저류나 종아리 부종 또는 전신 부종의 원인이 되면 트레이닝에 의해 이런 상황이 오히려 악화될 가능성이 있어 금기이다. 한편 우심부전이 주 병변이 아니고 좌심부전이 주된 경우에, 삼첨판 역류는 심장 수축력이 증가한 증거이며 바람직한 효과라고 생각할 수도 있다. 환자의 상황에 따라 실제로 시행하고 여러가지를 평가하여 개별화 된 심장재활 시행이 중증 심부전 환자에게 필요하다.

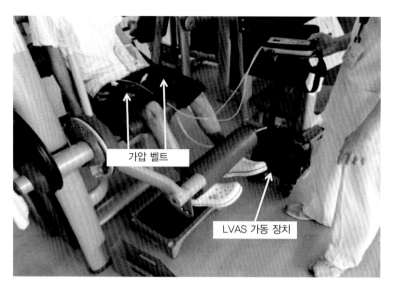

가압 벨트

LVAS 가동 장치

**그림 9-15** 가압 트레이닝

## 7 부정맥 환자의 운동 처방

만성 심방세동, 심실성 및 상심실성 조기 수축, 혈행 동태가 안정된 비지속성 심실빈맥에서 운동 요법은 필수이다. 운동 요법에 따라 심방세동의 심박 조절이 가능할 수 있으며, 조기 수축과 심실빈맥은 발생 빈도를 감소시킬 수 있다.

이런 환자에게 운동 처방은 일반적으로 AT 처방과 상관이 없다. 그러나 AT보다 낮은 운동 강도에서 심방세동의 심박 반응이 과잉 반응을 나타내거나, VT가 재현성을 나타내면, 심박수 110/분의 수준 또는 VT 출현 직전 수준으로 운동 요법을 시행한다. 이것은 자율신경의 과잉 반응이 원인으로 생기지만 자율신경 활성은 운동 요법 시작 2주 정도에 안정되기 시작한다. 따라서 환자에게 "처음 1-2주일은 조금 힘들지도 모르지만 주의하면서 노력합시다. 그 후 조금씩 증상이 좋아집니다"라고 설명해 두면, "역시 안되겠다"라고 불과 몇 차례 해보고 운동 요법을 중단하는 일이 없어진다.

## 8 ICD, CRT-D 환자의 운동 처방

ICD를 삽입하고 있는 환자는 운동 중 ICD가 오작동하지 않도록 주의 한다.

ICD가 VT와 VF (Ventricular Fibrillation)를 인식하는 심박수(VT zone)를 먼저 알아 둔다. 그리고 ICD가 이것을 인식한 후 어떻게 작동하는지 확인한다. 일반적으로 심부전에서 CRT-D를 삽입한 환자는 베타-차단제와

**표 9-3** CRT-D (ICD) 삽입 환자에서 운동시 점검 사항

| 요점 | 참고 |
|---|---|
| VT zone | HR 어느 정도에서 작동되는가 |
| 작동 양식 | Anti-Tachycardial pacing, cardioversion, 제세동 |
| pacing rate | lower rate와 upper rate |
| rate response 기능 | on or off |
| AV delay | |

아미오다론을 복용하고 있다. 따라서 운동중 심박 반응이 매우 나빠, VT zone까지 운동 중에도 심박수가 증가하지 않는다. 그러나 VT에 대한 동기능이 정상인 경우도 많아 부하량이 강하면 동성빈맥이 VT zone으로 들어갈 가능성이 있다. 필자는 동율에서 ICD가 작동되었던 적은 없지만, 상심실성 빈맥이 운동부하 중에 생겨 ICD가 VT로 오인하여 작동되었던 적이 있다. 이 경우 즉시 운동을 중단하면 상심실성 빈맥증의 심박수가 서서히 저하되어 ICD 작동이 멈추나, 계속 작동하면 베라파밀 정맥 주입에 의해 심박수를 저하시킬 필요가 있겠다.

ICD를 가진 환자에서 운동 부하 검사 및 운동 요법을 시행할 경우 점검 항목은 **표 9-3**과 같다.

# 9 양성 재형성[06]*과 동맥경화

동맥경화 병변의 진행 및 플라크 파열에 대한 인식이 변화되고 있다[7]. **그림 9-16**에서 보듯이, 동맥경화 병소는 얼마 동안 혈관 내강을 유지하며 바깥쪽에서 진행되며, 협심증을 일으키지 않을 정도의 시기에도 이미 플라크 파열이 일어나며, 실제로 ACS[07]*로 진행하지 않을 정도의 플라크 파열이 많이 일어나고 있는 것을 알 수 있다 **(그림 9-17)**[8].

환자의 생명 예후에 관련된 것은 협심증이 아니라 심근경색이다. 협심증에서 증상의 유무, 심근 스캔에서 심근 허혈소견 유무, FFR에 의한 허혈 유무[9] 등은 사망이나 심근경색 발생 등의 예후를 예측할 수 없다. 동맥경화를 일으키는 위험 인자가 있고, 그에 따라 플라크가 파열을 일으키면 위험하다.

따라서 위험 인자가 있으면 심장 재활훈련이 필요하다고 생각하면 좋다. 이 경우의 운동 처방은 AT 수준 또는 그 이하의 운동 강도이다. CPX를 시행하여, AT 수준에서 허혈이나 부정맥이 나타나지 않는 것을 확인하여, 유산소 운동을 1회 30-60분간, 주 5-7회 시행한다. ACS의 원인인 인슐린 저항성이나 염증 개선에는 AT 수준의 운동으로도 충분하다.

---

역자주* ─────────

06  positive remodeling (양성 재형성)

07  ACS (Acute Coronary Syndrome, 급성 관상동맥 증후군)

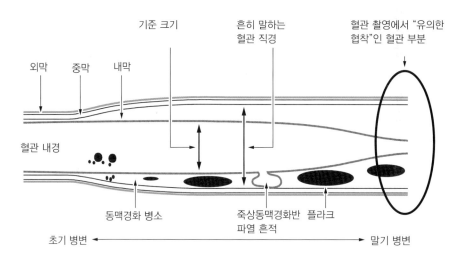

**그림 9-16** 동맥경화 병변의 진행 양식

동맥경화 병변은 말기가 될 때까지 혈관 내강을 유지하면서 바깥쪽에서 진행한다(positive remodeling). 내강 협착이 일어나기 전 죽상동맥경화반의 파열도 적지 않다. 혈관 치료 시행에서 풍선이나 스텐트 크기는 협착부 근처의 비교적 넓은 부분의 혈관 직경(기준 크기)을 참고로 결정한다. 따라서 혈관 치료에 의해 확장된 것처럼 보여도 죽상동맥경화반가 남아 있는 것도 많다. 따라서 급성 관상동맥 증후군은 예방하기가 힘들다.

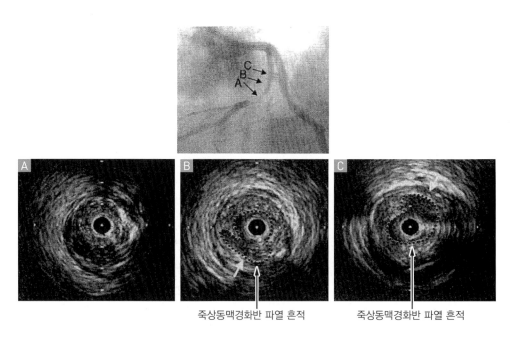

**그림 9-17** 무증상 죽상동맥경화반 파열

위쪽 그림의 관상동맥 조영 소견에서 좌전하행지에 심한 협착이 있다(A). 아래쪽 그림은 관상동맥 혈관내 초음파(IVUS, Intravas-cular ultrasound) 소견. A는 IVUS에서 쐐기형의 내강 협착이 있다. 주목해야 할 점은 B와 C이며 관상동맥 조영에서는 정상으로 보이지만 IVUS에서 과거에 죽상동맥경화반 파열이 일어난 소견을 나타내고 있다.

# 10 ▶ HR < 110의 권고

대부분 심 질환 환자에서 있어 AT에 해당하는 심박수는 110/분 정도이다. 이 심박수가 바람직한 것은, 110/분 이상이 되면 심 박출량이 저하하기 때문이다.

앞에서 설명한대로 이완 기능 부전을 동반하고 있으면 운동 중에 심 박출량이 저하하는 일이 있다. 좌심실

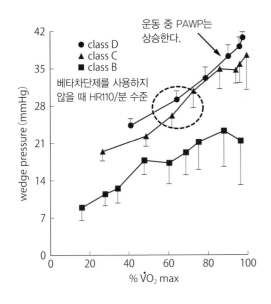

**그림 9-18** 운동 중 폐동맥 쐐기압(PAWP)
class B, C, D는 Weber class 분류. B, C, D 순서로 운동 수용능이 저하한다.

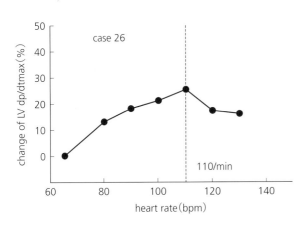

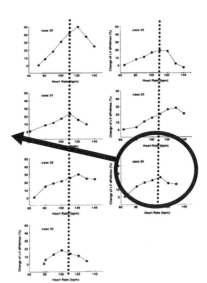

**그림 9-19** 심박수와 심 수축력

이완기말 압력 상승 원인의 하나이며, **그림 9-18**처럼 베타-차단제를 사용하고 있으면 검은색 원 근처의 운동 강도에서 심박수는 110회/분 정도이고, 이 운동 강도에서 PAWP는 25-28 mmHg 정도다[10]. 이 수치는 폐 울혈이 출현하기 시작하는 값이다. 심박수의 관점에서 110회는 중요한 시점이며, 심근 장력은 심박수 110 이상에서 급격하게 악화된다(**그림 9-19**)[11]. 과거부터 "운동 요법에서 심박수 110을 넘지 말아라."라고 말했으며, 심 수축력의 관점에서 합당하다고 생각한다.

## 11 운동 처방 수준의 확인법

운동 처방을 잘못 작성하면 CPX 때만큼 몸 상태가 좋지 않으며, 운동 요법이 부적절한 수준으로 시행될 수 있다. 이것은 매우 위험하다. 위험한 상태로 운동 요법을 시행하고 있지 않은지 확인하는 방법은 **표 9-4**과 같다. 또 아스피린이나 클로피도그렐을 잊지 않고 복용하고 있는지도 제대로 확인한다. 심장 재활 중에 치명적 심장 사고를 일으켜서는 안 된다.

**표 9-4** 심 부전 환자의 운동 요법 시행 전 주의 사항

| 항목 | 주의점 |
| --- | --- |
| 얼굴색, 표정 | 눈 아래가 검지 않은지<br>표정이 굳지 않은지 |
| 혈압 | 낮지 않은지 |
| 심박수 | 빠르지 않은지 |
| 부정맥 | 유, 무 |
| 숨찬 증상 | 유, 무 |
| $SpO_2$ | 90% 이상인가 |
| BNP | |

참 · 고 · 문 · 헌

1. Beaver WL, Wasserman K, Whipp BJ. A new method for detecting anaerobic threshold by gas exchange. J Appl Physiol.1986;60:2020-7.

2. 福場良之, 柳川和優. ランプ負荷運動テストにおけるガス交換諸標の解析. 呼吸と循環45. 東京：医学書院；1997. p.1103-11.

3. Ward SA, Whipp BJ. Influence of body $CO_2$ store on ventilatory-metabolic coupling during exercise. In: Honda Y, et al.Control of Breathing and Its Modelling Perspective. New York: Plenum Press, 1992. p.425-43.

4. Wasserman K, Hansen JE, Sue DY, et al.Principles of exercise testing and interpretation 4th ed. Philadelphia:

Lippincott Williams and Wilkins, 2005.

5.  Persinger R, Foster C, Gibson M, et al.Consistency of the Talk Test for Exercise Prescription. Med Sci Sports Exerc. 2004;36:1632-6.

6.  Piepoli MF, Conraads V, Corra U, et al.Exercise training in heart failure: from theory to practice. A consensus document of the heart failure association and the European association for cardiovascular prevention and rehabilitation. Eur J Heart Fail.2011;13:347-57.

7.  Glagov S, Weisenberg E, Zarins CK, et al. Compensatory enlargement of human atherosclerotic coronary arteries. N Engl J Med. 1987;316:1371-5.

8.  Seguchi O, Maehara A, Morii A, et al. Ruptured atherosclerotic plaque distant from maximal stenosis in acute myocardial infarction. Intern Med.2003;42:53-5.

9.  De Bruyne B, Pijls NH, Kalesan B, et al. Fractional Flow Reserve-Guided PCI versus Medical Therapy in Stable Coronary Disease. N Engl J Med.2012;367:991-1001.

10. Weber KT, Janicki JS. Cardiopulmonary exercise testing for evaluation of chronic cardiac failure. Am J Cardiol.1985;55:22A-31A.

11. Inagaki M, Yokota M, Izawa H, et al.Impaired force-frequency relations in patients with hypertensive left ventricular hypertrophy. A possible physiological marker of the transition from physiological to pathological hypertrophy. Circulation. 1999;99:1822-30.

# 10장

# 임상 현장에서
# 운동 요법 실시

## 1 심근경색

심장 재활훈련은 허혈성 심질환에서, 관상동맥 질환 위험 인자의 개선, 항동맥경화 작용, 항허혈작용, 항혈전 효과, 항염증 작용, 혈관 내피 기능 개선, 골격근 대사 개선, 자율신경 기능 개선 등 다양한 장점을 기대할 수 있다[1]. 재발 예방뿐 아니라, 이미 있는 관상동맥 병변을 퇴축시키는 효과[2]도 있어, 관상동맥 협착을 개선시켜 협심증 증상이 감소된다. 따라서 협심증이나 심근경색의 PCI 후에 매우 유용하다[3].

### A 발병에서 운동 요법까지의 흐름

심근경색 후(PCI 후) 임상진료지침[01]* (표 10-1-1)에 따라 운동 요법을 진행한다. 필자의 병원에서는 제3-5병일(CPX 전후) 회복기(phase II)에 주치의가 물리치료사에게 개입을 지시한다. 신체 기능에 문제가 없으면, 병동에서 보행 부하에 의한 vital signs(활력징후) 변동을 확인 후, 심장 재활실에서 운동 요법을 시작한다. 심근 손상이 크면 심부전으로 발전할 위험을 고려하여 안전한 저부하부터 시작한다. 일본 순환기학회의 지침은 peak CK 1,500 IU/L 미만에서는 10일 임상진료지침, 1,500 IU/L 이상에서는 14일간 임상진료지침을 사용한다[1].

침상에서 벗어나 운동 요법으로 이행하면, 우선 물리치료사와 일대일 개별 대응으로 상황을 본다. 개별 대응의 운동 요법에서 담당 물리치료사가 집단 운동 요법 프로그램(표 10-1-2) 적응이 가능하다고 판단하면 원격 감시형 집단 운동 요법으로 이행한다. 비교적 젊은 환자에서 신체 기능에 문제가 없고, 심근 손상도 작으면 처음부터 집단 운동 요법에 참가시키기도 한다. 집단 운동 요법 프로그램 적응의 판단 기준은 표 10-1-3과 같다.

### B 위험 관리

심근경색 후 합병증에는, 심부전, 부정맥(심실빈맥, 심실세동, 방실 차단), 심근파열, 유두근 파열 등이 있다. 따라서, 심부전 징후, 부정맥 파형 등의 이해가 중요하다. 또 PCI 후에도 스텐트 삽입부에 아급성 스

역자주* ─────

01   clinical path (임상진료지침)

**표 10-1-1**　심근경색 후 임상진료지침(clinical path)의 예

| 병일 | 1 | 2 | 3 | 4 | 5 |
|---|---|---|---|---|---|
| 월/일 | | | | | |
| 부하검사 | | AM: 앉는 자세 가능(5분)<br>PM: 2분 보행<br>(70 m/분, 2 METs) | 200 m 보행<br>(4분, 5 METs) | CPX | |
| 병동내 동작 | 침상 안정<br>비스듬하게 30도 | AM: 앉는 자세 가능<br>PM: 실내 자유,<br>　　실내 화장실 사용 | 병동내 자유 | CPX결과<br>>4 METs:원내 자유<br><4 METs:치료 점검<br>내일 목욕 여부 | 목욕 |
| 식사 | 심장식단 시작 | | | | |
| 간호 관리 | | 전신 청결, 음부 세정,<br>머리감기 도움, 족욕 | 하반신 샤워,<br>체중 측정,<br>휴게실 사용 | >4 METs: 목욕 | |
| 운동 요법 | | 사지 관절 운동 | 200 m 보행<br>(감시하) 2회 | CPX 적응외:<br>ADL 연습 | AM, PM:<br>유산소 운동 |
| 환자 교육 | | 저염식 설명 | 관상동맥 위험<br>인자 설명 | 약제교육, 영양교육,<br>심장재활 설명 | 심장병 교실 등<br>퇴원시 교육 |

**표 10-1-2**　집단 운동 요법 프로토콜

| 1. warming up | 10분 |
|---|---|
| 2. 유산소 운동 | 15분 x 2세트 |
| 3. 저항 운동 | 2–12 종목 10회 x 2세트 |
| 4. Cool down | 10–15분 |

**표 10-1-3**　집단 운동 요법 프로그램으로 이행 여부 판단 기준

| 치매가 없다(자기 관리를 할 수 있다) |
|---|
| 200m를 연속 보행할 수 있다(병실에서 심장 재활훈련실까지 보행할 수 있다) |
| 순환 동태가 안정되어 있다(치명적 부정맥이 없다, 빈맥 · 서맥이 없다, 혈압의 과도한 상승 · 저하가 없다) |
| 심부전 징후(노작시 호흡 곤란, 하지 부종, 경정맥 팽창, 간 비대, 혈압 저하, 전신 권태감, 소변량 감소, 체중 증가 등)가 없다 |

텐트 혈전증[02]*이 일어날 수 있어 허혈 증상에 충분히 주의할 필요가 있다.

발병 후 얼마 안 된 경우나 협심증 증상이 일어나기 쉬운 70% 이상의 협착이 있으면 간이 심전도 모니터링을 시행하여 운동한다. 운동중 심전도 모니터링에는, 보통 II 유도를 많이 이용하나, 상지나 몸통의 운

역자주* ——————

02　subacute stent thrombosis (아급성 스텐트 혈전증)

**표 10-1-4** 심 질환 환자의 위험 관리(AACVPR [03]*)

| 위험 | 분류 지표 | 감시나 모니터링 정도 |
|------|----------|---------------------|
| 저위험 | • 운동 중이나 운동 후에 심실성 부정맥 출현이 없다.<br>• 협심증 증상 및 다른 명확한 증상(운동 중 및 운동 후에 생기는 비정상적 호흡곤란, 현기증)이 없다.<br>• 운동 부하 검사 중 및 부하 후의 정상적 순환동태(부하 증가나 완료에 따라 적절한 심박과 수축기 혈압의 증가와 감소)가 유지되고 있다.<br>• 운동 수용능 >7.0 METs<br><br><u>운동 부하 검사 이외의 소견</u><br>• 안정시 좌심실구혈율 >50%<br>• 합병증이 없는 심근경색이나 재관류요법<br>• 안정시 중증 심실성 부정맥이 없다.<br>• 울혈성 심부전이 없다.<br>• 이벤트 후나 처치 후 허혈 증상이나 징후가 없다.<br>• 우울 증상이 없다. | • 의료진에 의한 직접 감시를 적어도 6–18회의 운동 세션(또는 발생 후 30일간)을 시행한다.<br>• 지속적 심전도 모니터링으로 시작하여, 간헐적 심전도 모니터링으로 이행(예를 들어 6–12세션에)<br>• 저위험에 머무르기 위해서는, 심전도와 순환 동태가 정상이고, 운동중이나 운동 후에 비정상 증상이나 징후가 없고, 운동 증진도 적절히 시행하지 않으면 안된다. |
| 중등도 위험 | • 강한 운동 강도 (>7 METs)에 협심증이나 다른 명확한 증상(호흡곤란, 현기증)이 나타난다.<br>• 운동 부하 검사 중 또는 운동 부하 후 경도에서 중등도의 무증후성 허혈이 나타난다(ST 저하가 기저선에서 2 mm 미만).<br>• 운동 수용능 <5.0 METs<br><br><u>운동 부하 검사 이외의 소견</u><br>• 안정시 좌심실구혈율 40–49% | • 의료진에 의한 직접 감시를 적어도 12–24회의 운동 세션(또는 발생 후 60일간)을 시행. 지속적 심전도 모니터링으로 시작하여 간헐적 심전도 모니터링으로 이행(예를 들어 12–18세션에).<br>• 저위험 카테고리로 진행하기 위해서는 심전도와 순환 동태가 정상적이고, 운동 중이나 운동 후에 비정상 증상이나 징후가 없고, 운동 증가도 적절히 시행되어야 한다.<br>• 운동중 이상 심전도나 이상 순환 동태. 운동중 또는 운동 후 비정상 증상이나 징후, 운동 강도를 내리지 않으면 안 되는 상황이 있으면 중등도 위험 카테고리에 머무르거나 고도 위험으로 이동한다. |
| 고도 위험 | • 운동중이나 운동 후 심실성 부정맥 출현<br>• 5 METs 미만의 운동이나 운동 종료후 회복시에 협심증 증상이나 다른 명확한 증상(운동 중 및 운동 후에 생기는 비정상 호흡곤란, 현기증) 출현<br>• 운동 부하 시험중 또는 운동 부하 후 ST 저하가 기선에서 2 mm 이상 고도의 무증후성 허혈 출현<br>• 운동시의 이상 순환 동태(부하 증가에도 수축기 혈압이 변화하지 않거나 저하. chronotropic incompetence). 또는 회복기 출현(부하 종료후 중증 저혈압)<br><br><u>운동 부하 검사 이외의 소견</u><br>• 좌심실능 부전(좌심실 구혈율 <40%)<br>• 심정지 병력이나 돌연사에서 생존<br>• 안정시 중증 심실성 부정맥<br>• 합병증이 있는 심근경색 또는 재관류요법<br>• 울혈성 심부전의 존재<br>• 이벤트 후나 처치 후 허혈 증상이나 징후<br>• 우울 증상 | • 의료진에 의한 직접 감시를 적어도 18–36회의 운동 세션(또는 발생 후 90일간)을 시행한다. 지속적 심전도 모니터링으로 시작하여 간헐적 심전도 모니터링으로 넘어간다(예를 들어 18, 24, 36 세션 단계에서)<br>• 중등도 위험 카테고리로 진행하기 위해서는 심전도와 순환 동태가 정상이고, 운동중이나 운동 후에 비정상적 증상이나 징후가 없고, 운동 증가도 적절히 시행하지 않으면 안된다.<br>• 운동중 이상 심전도나 이상 순환 동태. 운동중 또는 운동 후 비정상적 증상이나 징후, 운동 강도를 내리지 않으면 안 되는 상황이 있으면 적절한 평가가 이루어질 때까지 운동을 중지한다. 그리고 필요한 치료 개입을 시행한다. |

역자주* ──────────

03  AACVPR (American Association of Cardiovascular and Pulmonary Rehabilitation, 미국 심폐재활협회)

**표 10-1-5** 운동 요법의 위험 분류(AHA)

| | 대상자 |
|---|---|
| Class A | 1. 소아, 10대, 심 질환이나 관상동맥 질환 위험 인자의 병력이 없고, 증상이 없는 45세 미만 남성 또는 55세 미만 여성<br>2. 심 질환이나 증상이 없는 45세 이상의 남성 또는 55세 이상의 여성으로 관상동맥 질환 위험 인자가 2개 미만<br>3. 심 질환이나 증상이 없는 45세 이상의 남성 또는 55세 이상의 여성으로, 관상동맥 질환 위험 인자가 2개 이상<br>* A-2와 A-3은 의학적 평가와 가능하면 운동 부하 검사 후에 운동 요법 시행이 권고된다. |
| Class B | 다음 진단 중 어느 것을 포함<br>1. 관상동맥 질환(심근경색, CABG, PCI, 협심증, 운동 부하 검사 이상, 관상동맥 조영 이상소견)의 병력이 있으나 상태 안정되고, 오른쪽의 임상적 특징이 있을 때.<br>2. 판막 질환, 중증 판막 협착 또는 역류 제외<br>3. 선천병성 심질환(27차 Bethesda 컨퍼런스 권고 만족)<br>4. 심근병증, 좌심실 구혈율 30% 이하, 안정된 심부전 환자 포함. 비후성 심근병증이나 최근의 심근염은 제외<br>5. 클래스 C의 위험 분류에 해당되지 않는 운동 부하 검사에 이상 소견 |
| Class C | 다음 진단 중 어느 것을 포함<br>1. 운동 중 심장 합동증이 발병될 위험이 중등도-고도인 사람 및/또는 활동을 스스로 조정할 수 없거나 권고된 활동 수준을 이해할 수 없는 사람<br>2. 오른쪽 표에 기술된 임상적 특징이 있는 관상동맥 질환<br>3. 선천성 심질환(27차 Bethesda 컨퍼런스 권고 만족)<br>4. 심근병증, 좌심실 구혈율 30% 미만, 오른쪽 표에 기술된 임상적 특징이 있는 안정된 심부전 환자 포함. 비후성 심근병증이나 최근의 심근염은 제외<br>5. 조절 불가능한 복잡한 심실성 부정맥<br>* 클래스 C에서 감시형 운동 요법 기간 종료 시 처방된 운동 강도에 대해 의료인에 의해 운동 안전성이 충분히 확립되고 환자 자신도 자기 관리를 할 수 있으면 클래스 B로 재분류한다. |
| Class D | 다음 진단 중 어느 것을 포함<br>1. 불안정한 허혈<br>2. 중증으로 증상이 있는 판막 협착이나 역류<br>3. 선천성 심질환(27차 Bethesda 컨퍼런스에서 권고한 선천성 심질환 환자에 대한 운동에 의한 조절을 금지하는 위험 지표)<br>4. 보상되지 않는 심부전<br>5. 조절되지 않는 부정맥<br>6. 운동에 의해 악화될 가능성이 있는 기타 상태<br>* 치료나 환자를 클래스 C 이상으로 되돌리는 것이 우선이다. |

동, 워킹시에 근전도가 유입되기 쉽다. 이 때 흉골 위에 전극을 두는 NASA 유도[04]*를 이용하면 노이즈가 적고, 파형 판독이 쉽다. 심근 허혈을 나타내는 ST 변화는 2 mm 이상의 저하를 유의하다고 판단한다. 그러나 ST 변화를 명확히 구별하려면 하나의 유도로는 한계가 있어 운동중 허혈을 의심하는 흉통 등이 있으면 의사에게 보고하고 즉시 12 유도 심전도 검사를 시행한다.

당뇨병 동반 환자는 흉부 증상을 느끼기 어려워(무증상 심근 허혈) 심전도 변화, 심박수, 혈압 등의 객관적 활력징후(vital signs) 점검이 필요하다.

아급성 스텐트 혈전증이나 새로운 급성 관상동맥 등을 예방하기 위해서 AT 이상 강도의 장시간 운동은

역자주* ─────

04  NASA 유도 (심전도 전극을 붙이는 유도의 한 방법)

**표 10-1-5** 계속

| 임상적 특징 | 활동 지침 | 감시 | 심전도와 혈압 모니터 |
|---|---|---|---|
| | 특별 제한 없음 | 필요없음 | 필요없음 |
| 다음 모두 포함<br>1) NYHA의 클래스 1 또는 2<br>2) 운동 능력 6 METs 이하<br>3) 울혈성 심부전의 근거가 없음<br>4) 안정시와 6METs 이하의 운동 부하 검사에서 허혈 징후 또는 협심증이 없다<br>5) 운동중 수축기 혈압이 적당히 증가<br>6) 안정시 또는 운동시에 심실 조기수축의 연발이 없다<br>7) 활동 강도를 충분히 자기 모니터링 할 수 있다 | 중요 의료인에 의해 승인되어 유자격자에 의해 제공된 운동 처방과 활동의 개별화 | • 의학적 감시는 운동 처방 초기 세션에 효과적<br>• 개개인이 자신의 활동을 어떻게 모니터 하는지 이해할 때까지 다른 운동 세션에서 트레이닝을 받고, 적절한 비의료 직종에 의해 감시 하는 것이 당연하다. 의료인은 ACLS[05]* 훈련의 인증을 받고, 비의료 직종은 BLS 훈련 인증을 받는다 | 트레이닝 시작 초기 보통 6–12회에 유용 |
| 다음 중 어느 것<br>1) NYHA 클래스 3 이상<br>2) 운동 부하 검사 결과:<br>• 운동 능력이 6 METs 미만<br>• 6 METs 미만의 운동 강도에 ST 저하<br>• 운동에 의해 수축기혈압 저하<br>• 운동에 의해 비지속적 심실빈맥 발생<br>3) 1차성 심정지 병력이 있다<br>4) 의사가 치명적이지 않다고 생각하는 의학적 문제가 있다 | 건강 진단 등 보건 서비스를 포함한 종합적 의료의 제공자에 의해 승인되고, 유자격자에 의해 제공된 운동 처방과 함께 개별화 되어야 한다 | 안전성이 확립될 때까지 모든 운동 세션에 의학적 감시가 필요 | 운동중 연속 모니터가 필요. 보통 12회 이상 |
| | • 클래스 D에서는 상태 개선 목적의 활동은 권고하지 않는다<br>• 일상 활동은 환자의 주치의에 의해 시행된 개인의 평가를 기초로 처방되어야 한다 | | |

\* AHA : American Heart Association

피하고, 수분 공급에 주의한다.

일반적 위험의 분류는 **표 10-1-4**[4), **표 10-1-5**[5)과 같다.

최근 고령 환자에서 중복 장애가 동반된 환자가 증가하고 있어 심장 사고에 위험 관리뿐 아니라, 낙상에도 주의할 필요가 있어, 균형 능력 평가[한쪽 발로 서기, 기능적 뻗기 검사(functional reach test) 등]도 중요하다. 또 인지 기능 저하도 운동 요법의 장애이며, 자전거 에르고미터나 저항 운동 기기 조작을 기억할 수 없는 경우도 있다. 이런 경우에는 일대일의 개별 대응이 관리하기 쉽다.

역자주* ───────
05   ACLS (Advanced Cardiovascular Life Support, 전문 심장소생술)

## ⓒ 의학적 점검

흉부 증상, 체중, 혈압, 맥박 등을 확인하고, 운동 요법 가능성을 확인한다. 환자가 입원 중이며, 심전도 감시하에 있으면, 심전도 파형이나 심박수를 확인한다. 또 중증 환자에서는 심부전 징후(호흡곤란, 부종, 경정맥 팽창, 사지 말초의 냉감 등)에 주의하고, $SpO_2$를 측정하면 좋다.

## ⓓ 준비운동(Warming up)

원격 감시형 집단 프로그램에서는 스트레치를 주로 한 전신 체조를 시행한다(**그림 10-1-1**). 개별 프로그램은 하지의 큰 근육군(**그림 10-1-2 왼쪽: 비복근, 햄스트링**)의 스트레치, pre-training으로 스쿼트나 장단지 올리기(calf raise)(**그림 10-1-2 중앙과 오른쪽**)를 시행한다.

## ⓔ 유산소 운동

운동 요법 시작시에는, 등받이 형태의 자전거 에르고미터 등 승하차가 비교적 간단하고 넘어질 위험이 없으며, 운동중 활력징후(vital signs) 점검이 쉬운 운동 양식을 선택한다. 각종 운동 기구의 운동 양식 특징은 **표 10-1-6**와 같다.

*Karvonen 식 : (최대심박수-안정시 심박수)×상수(k치)+안정시 심박수

| 1. 가자미근 | 2. 비복근 | 3. 슬굴곡근 | 4. 대퇴사두근 | 5. 고관절 주위근 | 6. 고관절 내전근 |
| 7. 몸통 회전근 | 8. 견갑 주위근 | 9. 상완이두근 | 10. 등 근육 | 11. 몸통 앞쪽 | 12. 대흉근 |
| 13. 어깨 돌리기 | 14. 목 주위근 | 15. 목 주위근 | 16. 심호흡 |

**그림 10-1-1** Warming up

**그림 10-1-2** pre-training　A: squatting　B,C: calf raising

**표 10-1-6** 각 운동 요법의 특징

| | 자전거 에르고미터 | | 트레드밀 | 상지 에르고미터 |
|---|---|---|---|---|
| | recumbent | upright | | |
| | | | | |
| 장점 | • 저체력자도 사용할 수 있다.<br>• 승하차가 비교적 안전하다.<br>• 혈압이나 $SpO_2$등의 활력징후 점검이 쉽다.<br>• 실신. 낙상 위험이 적다. | • 비만 체형에도 대응할 수 있다.<br>• 무릎이나 고관절에 가동 범위 제한 있어도 대응 가능.<br>• 혈압이나 $SpO_2$등의 활력징후 점검이 쉽다. | • 스스로하는 훈련(워킹)에 응용하기 쉽다(보행 속도, 거리 등이 참고가 된다). | • 하지 장애가 있거나 하지 운동에 의한 증상 악화가 예상될 때 사용한다. |
| 단점 | • 비만 체형에 적합하지 않다(복부가 압박받는다).<br>• 무릎이나 고관절에 가동 범위 제한이 있으면 사용할 수 없다. | 저신장이나 균형 불안이 있으면 오르고 내릴 때 도움이 필요하다. | • 넘어질 위험이 있다.<br>• 비만자는 무릎 등에 부담이 가기 쉽다.<br>• 고령자는 익숙해지기까지 시간이 걸린다.<br>• 혈압이나 $SPO_2$등 활력징후 점검이 어렵다. | • 상지 운동이므로 운동 중 활력징후(혈압, $SpO_2$) 점검이 어렵다. |
| 설정 | • 안장을 무릎이 펴지고 구부러지지 않는 위치로 설정<br>• 페달 회전 수를 적정하게 유지하도록 교육 | • 안장을 무릎이 펴지도록 설정<br>• 페달 회전 수를 적정하게 유지하도록 교육 | • 속도나 경사 각도의 변경시 넘어짐에 주의한다.<br>• 익숙해질 때까지 지도자가 근거리에서 감시한다. | • 안장의 전후, 높이를 조정한다.<br>• 맥박을 참고로 저부하에서 서서히 적정한 (AT 수준의) 부하를 찾는다. |

**표 10-1-7**  Karvonen계수(k치) 선택의 기준

| 강도 | Karvonen계수<br>(k치) | 자각적 운동 강도<br>(Borg 스케일) | % peak $\dot{V}O_2$ |
|---|---|---|---|
| 저강도 부하 | 0.3~0.4 미만 | 10~12 미만 | 20~40% 미만 |
| 중등도 부하 | 0.4~0.6 미만 | 12~13 | 40~60% 미만 |
| 고강도 부하 | 0.6~0.7 | 13 | 60~70% |

문헌 1)에 의함

**표 10-1-8**  자각적 운동 강도(Borg 스케일)

| Scale | 자각적 운동 강도 | 운동 강도(%) |
|---|---|---|
| 20 | | 100 |
| 19 | 매우 힘든 | 95 |
| 18 | | |
| 17 | 꽤 힘든 | 85 |
| 16 | | |
| 15 | 힘든 | 70 |
| 14 | | |
| 13 | 약간 힘든 | 55 (AT에 상당) |
| 12 | | |
| 11 | 편한 | 40 |
| 10 | | |
| 9 | 꽤 편한 | 20 |
| 8 | | |
| 7 | 매우 편한 | 5 |
| 6 | | |

운동 강도는 CPX를 시행했으면 AT의 심박수(맥박수) 부하로 운동한다. CPX를 시행하지 않았으면 Karvonen 식을 이용하여 운동 처방한다(**표 10-1-7**). 베타-차단제를 복용하는 환자는 심박수 상승이 억제되어 있으므로 심박수를 목표로 하는 Karvonen 식을 사용할 수 없다. 이 때는 자각적 운동 강도(**표 10-1-8**)를 참고하여 처방한다. 드물게 환자의 몸 상태나 신체 기능(골격근 등)의 변화에 따라 CPX에서 알아낸 AT 수준의 심박수나 혈압과 실제 운동 요법 중의 수치에 괴리가 있을 수 있다. 이런 경우에는, 이중적 (二重積, double product)이나 주관적 운동 강도(Borg 스케일)를 참고하여 부하를 조정한다. 필자의 병원에서는 150일간의 심장 재활치료 중에, 초기·중간·최종 단계에 모두 3회의 CPX를 시행하고 있으며, 운동 강도의 예상이나 효과 판정에 유용하게 이용하고 있다.

운동 시간은, 15분 × 2세트로 하며, 그 사이에 혈압과 맥박을 확인한다. 환자가 익숙해지면, up right 타입의 자전거 에르고미터나 트레드밀 등도 시행한다. 실내의 유산소 운동은 단조롭게 되기 쉬우므로 운동 양식에 변화를 갖게 하는 등 환자가 지루하지 않게 하는 노력이 필요하다.

**표 10-1-9** 저항(기구) 운동 시작 시기

|  | 발병(치료) 후 기간 | 운동 요법 참가 경험 |
|---|---|---|
| 협심증 | 2주 이상 | 2주간 계속 |
| 심근경색 | 5주 이상 | 4주간 계속 |

**표 10-1-10** 저항 운동 도입 프로토콜

| 강도 | 상지: 30-40% 1 RM부터 시작<br>하지: 50-60% 1 RM부터 시작<br>*12-15회를 가볍게 들어 올릴 수 있게 되면, 다음 세션 부하를<br>5% 증가시킨다 |
|---|---|
| 회수 | 8-12회  2-3 세트 |
| 빈도 | 2-3회/주 |

## F 저항 운동

저항 운동도 유산소 운동처럼 환자 개개인에 부하 강도 설정이 필요하다. 저항 운동 시작 시기는 **표 10-1-9**에, 도입 프로토콜은 **표 10-1-10**과 같다. 신체 허약자는 이 기준을 고집하지 않고, 유산소 운동과 같은 시기에 저강도부터 시작한다(유산소 운동보다 오히려 저항 운동에 중점을 둔다).

주로 기구를 이용하는 저항 운동은 **그림 10-1-3**과 같다. 저항 운동 처방은, 1 RM (1 repetition maximum, 1회 들어 올릴 수 있는 최대 부하) 측정 또는 추정으로 부하 설정한다. 1 RM을 측정하지 않고 부하를 설정하려면 보통 적정법(**표 10-1-11**)을 이용하나 환자의 주관이 커서 목적하는 강도보다 낮아질 가능성이 높다. 필자의 조사에 의하면 적정법(10-15 RM)으로 처방하여 근력 증가는 있었으나, 골격근 양, 대퇴근 두께 등 신체 조성은 증가하지 않았다[6]. 따라서 위험도가 높지 않은 환자는 되도록 1 RM을 측정하여 그에 따라 적절한 부하를 결정하여 운동 처방을 해야 한다. 트레이닝 중에는 Valsalva 효과*를 피해 추를 2초에 올리고, 4초에 내리며 매 회 완전히 힘을 빼는 것이(한 호흡) 계속된 혈압 상승을 피하기 위해 중요하다. 광범위한 경색이나 peak CK가 높으면, 1 RM 측정이나, 등척성 (isometric) 근력을 측정하며, 고강도 트레이닝은 주치의와 상의하여 신중하게 시행해야 한다.

\* Valsalva 효과: 힘을 쓸 때 숨을 멈추면 수축기 혈압이 상승한다.

## G 정리 운동(cool down)

트레이닝 직후 급격한 혈압 저하나 정맥 관

**표 10-1-11** 저항 운동의 강도 설정(적정법)

| % 1 RM | 반복 회수 / 회 |
|---|---|
| 60% | 17회 |
| 70% | 12회 |
| 80% | 8회 |
| 90% | 5회 |
| 100% | 1회 |

chest press

shoulder press

arm extension

clunch

raw back

rotay torso

leg press

leg extension

multihip

그림 10-1-3 기구를 이용한 저항 운동

172

| | | | |
|---|---|---|---|
| 1. 바로 눕는 자세 | 2. 정맥 관류 증진 | 3. 허리근, 엉덩이근 | 4. 장요근 |
| 5. 햄스트링 | 6. 고관절 내전근 | 7. 몸통 회전 | 8. 고관절 주위근 |
| 9. 대퇴 사두근 | 10. 이완 | 11. 발가락, 발목관절 운동 | 11'. 발가락, 발목관절 운동 |
| 12. 손가락, 손목관절 운동 | 12'. 손가락, 손목관절 운동 | 13. 고관절 내전근 | 14. 햄스트링, 내전근 |
| 15. 등 근육 | 16. 몸통 앞면 | 17. 대흉근 | 18. 몸 옆 |
| 19. 목 주위근 | 20. 목 주위근 | 21. 심호흡 | |

**그림 10-1-4** cool down

류 감소를 피하기 위한 정리 운동이 중요하다. 운동용 매트를 준비하여, 눕거나 앉아서 이완할 수 있는 자세로 시행한다(**그림 10-1-4**). 소음이 적은, 되도록 조용한 장소가 적합하며, 힐링 뮤직을 배경 음악으로 흘리면 이완 효과가 높아진다. 특히 중증 환자는 10-15분 이상 오래 시행할 필요가 있다.

## Ⓗ 유지기(phase III)의 심장 재활

재발 예방을 위해 심장 재활훈련의 지속은 매우 중요하다. 유지기에 저위험 환자는 에어로빅이나 공체조 등 피트니스 요소가 많은 운동 양식도 적극 이용한다. 그러나 운동 강도는, 회복기(phase II) 처럼 유산소 운동은 AT 수준을 지키고 저항 운동도 적절한 운동 처방을 따르는 것이 기본이다.

참·고·문·헌

1. 循環器病の診断と治療に関するガイドライン（2011年度合同研究班報告）. 心血管疾患におけるリハビリテーションに関するガイドライン. 2012.

2. Ornish D, Scherwitz L W, Billings JH, et al.Intensive lifestyle changes for reversal of coronary heart disease. JAMA.1998;280;2001-7.

3. Wenger NK.Current status of cardiac rehabilitation. J Am Coll Cardiol.2008;51:1619-31

4. American association of cardiovascular and pulmonary rehabilitation. Guideline for cardiac rehabilitation and secondary prevention. Champaign: Human Kinetics, 2004.

5. Flether GF, Balady GJ, Amsterdam EA, et al.Exercise standards for testing and training: a statement for health care professionals from the American Heart Association. Circulation. 2001;104:1694-740.

6. 設楽達則, 高橋哲也, 熊丸めぐみ, 他. 大腿前面筋組織厚や体組成評価からみた心疾患患者のレジスタンストレーニングの検証. 第44回日本理学療法学術大会, 2009.

## ❷ 협심증

### Ⓐ 협심증의 최적 치료

　　노작성 협심증에서 우선 시행하는 치료는 약물 요법(표 10-2-1)이다. 위험도 관리하고, 베타-차단제를 적절히 사용하며, 생활 습관 개선을 시도한다. 이런 원칙을 지킬 수 있으면 현재 일본에서 시행하고 있는 비응급 PCI 16만 예 중 적어도 70%인 11만 예는 PCI를 시행하지 않을 수 있어(그림 10-2-1)[1], 국가 의료비 330억엔 정도를 줄일 수 있다. 심장재활 훈련은 의료 보험의 재정 건전화를 위해서도 필수적이다. 필자는 그림 10-2-2와 같은 관상동맥 질환 환자에게도 심장재활 훈련을 시행하여 협심증을 치료하고 있다.

| 표 10-2-1　협심증의 최적 약물요법 |
| --- |
| 아스피린+베타차단제 |
| Ca 길항제 |
| 질산제 |

### Ⓑ 운동 요법의 효과와 위험성

　　유의한 협착 병변이 있는 환자의 운동 요법 효과는 표 10-2-2와 같다. 6개월간 일반적 운동으로 협심증 증상이 감소되고, 12개월에는 베타-차단제 감량도 가능했다.

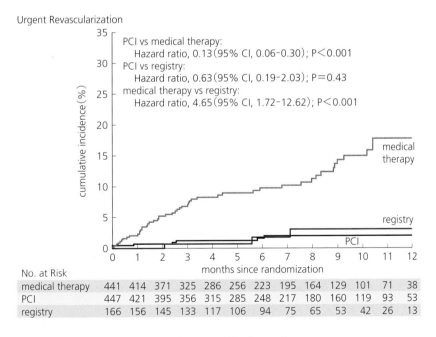

| No. at Risk | 0 | 1 | 2 | 3 | 4 | 5 | 6 | 7 | 8 | 9 | 10 | 11 | 12 |
| --- | --- | --- | --- | --- | --- | --- | --- | --- | --- | --- | --- | --- | --- |
| medical therapy | 441 | 414 | 371 | 325 | 286 | 256 | 223 | 195 | 164 | 129 | 101 | 71 | 38 |
| PCI | 447 | 421 | 395 | 356 | 315 | 285 | 248 | 217 | 180 | 160 | 119 | 93 | 53 |
| registry | 166 | 156 | 145 | 133 | 117 | 106 | 94 | 75 | 65 | 53 | 42 | 26 | 13 |

**그림 10-2-1**　PCI 시행군과 약물 요법군의 1년 내 응급 PCI 시행률 (FAME2)

PCI군은 약 3%, 약물 요법군은 약 18%에서 1년간 경과 관찰 중에 협심증이 악화되어 응급 PCI가 필요했다. 약물 요법군에서 비응급 PCI와 더불어 약 30%에서 추가 PCI가 필요했다. 다시 말해서, 70%의 환자는 PCI를 재시행하지 않아도 협심증을 관리할 수 있을 것으로 생각한다.

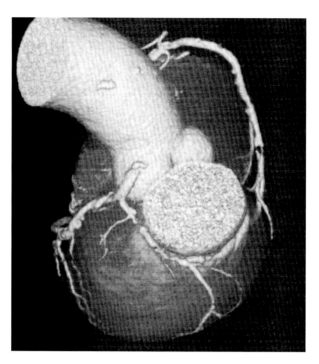

**그림 10-2-2** 심장 재활 훈련 시행 중 환자의 관상동맥 CT 영상　좌전하행지, 좌회선지, 우관상동맥 모두에서 고도의 협착 병변이 있다.

유의한 협착이 있는 환자에서 운동 요법 시행의 위험성은 **표 10-2-3**과 같다. 유의한 협착이 있는 환자에서 약물 요법 시행과 PCI 후 시행군은 심근경색 발생률이나 사망률에 차이가 없었다 (**그림 10-2-3**)[1]. 외래 심장 재활에 참가하여, 흉통 유무를 점검하고, 악화를 조기에 발견하여 필요가 있으면 PCI를 시행하는 것이 환자의 예후를 개선하는 가장 좋은 치료법이다.

**표 10-2-2** 운동 요법의 효과

| 효과 | 기전 |
| --- | --- |
| 증상 개선 | 죽상동맥경화반 퇴축<br>적혈구 변형능 개선<br>산소 수용 감소 |
| 예후 개선 | 혈소판 활성화 억제<br>섬유소 용해계 항진 |

### ⓒ 운동 요법 시행법

프로그램은 당뇨병이나 비만에 대한 운동 요법과 다르지 않다.

우선 CPX를 시행한다. 협심증 환자에서 CPX 목적은 **표 10-2-4**와 같다. 운동 요법의 구성 요소는 **표 10-2-5**과 같다. 유산소 운동은 AT 수준이 바람직하며, 협심증에서 운동 수용능이 높은 사람이 많다. 특히 40-50대는 AT 수준으로 운동하려고 하면 조깅 이상의 속도로 달리는 처방이 될 수 있다. 이 때는 AT 수준의 운동은 이용하지 않고, 시속 4.8 km 정도의 빠른 걸음을 처방한다. 체력 향상이 주 목적이 아니라, 내장

| 표 10-2-3 | 운동 요법의 위험성 |
| --- | --- |
| **일어날 수 있는 합병증** | **참고** |
| 협심증 | 흉통 역치 이하의 운동 요법이면 문제 없다.<br>비정상적 호흡곤란이 나타나면 협심증 증상으로 취급한다. |
| 심근경색 | 운동 요법 수준의 운동으로는 일어나지 않는다.<br>과로, 스트레스, 탈수, 고혈당 상황의 운동은 위험하다. |
| 부정맥 | 심근 허혈에 동반할 수 있다. |
| 저혈당 | 협심증에서 인슐린 저항성의 높은 경우가 많아 당뇨병으로 진단되지<br>않았어도 식전이나 저녁 운동에는 조심한다. 설폰요소제나 인슐린을<br>사용 중인 환자는 특히 조심한다. |

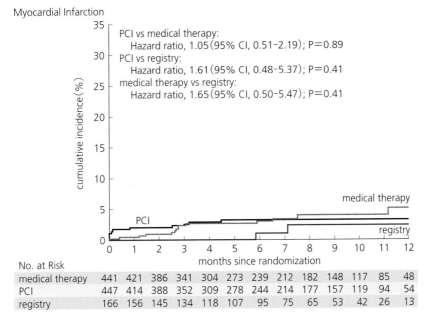

**그림 10-2-3** PCI 시행군과 약물 요법군의 1년 이내 심근경색 발생률(FAME2) PCI군과 약물 요법에서 1년간의 경과 관찰 중 심근경색 발생률에 유의한 차이가 없었다.

| 표 10-2-4 | 협심증에서 CPX의 의의 |
| --- | --- |

운동 처방
허혈 역치 검출
허혈 출현시 증상의 파악(흉통의 성상, 장소, 숨찬 느낌의 동반 여부 등)
흡연자에서 잠재성 폐기종 검출
운동의 안전성 확인

**표 10-2-5** 운동 요법 구성요소

| 요소 | 의의 |
| --- | --- |
| 준비운동 | 골격근과 관절계에 대한 작용과 더불어 관상동맥을 확장시켜 협심증 발생을 예방하는 효과가 있다. |
| 유산소 | AT 수준으로 운동 시행(AT 시 부하량의 1분 전 부하량). 집에서는 RR-threshold에서 시행(RR-threshold 는 조깅 수준이며 4.8 km/h 정도의 빠른 걸음이라고 설명). 30분간, 주 3회 이상 |
| 저항 운동 | 최대 부하의 50-60% |
| | 8-10종의 운동 조합 |
| 정리 운동 | 흥분된 자율신경을 안정화시킨다. |

지방 축적에 의한 인슐린 저항성 해소와 염증 개선 목적은 가벼운 운동 수준으로도 달성할 수 있기 때문이다. 저항 운동은 상태가 안정된 협심증환자에서 부하가 너무 걸리지 않게 주의 한다.

### D 운동 요법 시행시 주의점

CPX로 확인했어도 유의한 협착이 있으면 질산염제제를 항상 휴대하도록 한다. 또 심근경색이 되지 않도록 수분을 충분히 섭취하고, 과로하지 않도록 교육한다.

### E PCI 시행 후 협심증의 심장 재활훈련

PCI를 시행하여 협착 병변이 남아 있지 않으면 협심증 우려는 없다. 그러나 PCI 시행 부위 이외의 다른 병변에서 심근경색 발생 위험성은 변함 없이 남아있는 동시에, PCI 시행 부위의 혈전 형성이라는 새로운 과제가 생긴다.

이런 환자의 운동 요법은 '즐겁게 계속하는 수준의 운동'이다. 증상도 없고, 병변도 없는(이렇게 설명 들은) 환자의 운동 동기는 매우 낮다. 또 체력 증강 보다 내장 지방 감량이 주 목적이다. 따라서 운동 강도가 조금 떨어져도 인슐린 저항성을 좋게 할 수 있으므로 문제 없다. 반대로 심한 운동을 좋아하는 환자는 항부정맥약 복용과 적절한 수분 관리를 조건으로 허용하기도 한다.

참 · 고 · 문 · 헌

1. De Bruyne B, Pijls NH, Kalesan B, et al. Fractional flow reserve-guided PCI versus medical therapy in stable coronary disease. N Engl J Med. 2012;367:991-1001

## ▌3▐ 개심술 후

### Ⓐ 개심술 후 심장재활훈련

개심술 후 심장 재활은, CABG, 판막 치환술, 판막 성형술, 심방·심실 중격 봉합술, 대혈관 치환술 등 심막 절제를 시행하는 흉부외과 수술이 개심술에 해당한다. 흉부외과 수술 후 과도한 안정은 deconditioning 을 일으키거나 각종 합병증을 유발한다. 급성기 심장 재활훈련은 순환 동태 안정화에 따라 진행하는 것이 중요하며, **표 10-3-1**과 같은 개입 효과를 기대할 수 있다.

### Ⓑ [Phase I: 급성기] 수술 후 1주: 개별 프로그램

필자의 병원에서는 이전부터 '단계적 임상진료지침'(**그림 10-3-1**)를 이용하여 개심술 후 재활훈련을 시행하고 있다. 수술 후 0일은 두부 거상(head up), 사지 관절 가동 범위 연습, 호흡 물리치료 등을 침상에서 시행하며, 수술 후 1일부터 침상에서 나오는 프로그램으로 확대한다. 침상에서 일어나는 동작은 흉골 보호를 목적으로, 상처 부위를 한 손으로 누르며 옆으로 누운 후 일어나도록 교육하고 있다(**그림 10-3-2**).

심혈관 질환 지침(**표 10-3-2**)에 따라 활동을 시작한다. Phase I에서는 몸 움직임에 의해 순환 동태가 변화하기 쉽기 때문에 개입 전에 각종 자료 확인이 필요하다. 수술 방법, 관상동맥 위험 인자, 호흡 상태, 사용약제, 수술 후 체중 변동이나 소변 양, 각종 검사실 자료를 재확인하여 재활 훈련 개입이 가능한 상태인지 확인하고, 또 신체 활동시 심박 반응이나 호흡 변화 등을 확인하여 운동 부하량이나 운동 시간을 조정해 나간다. 가능한 범위의 정보를 수집(발병 전 생활, 직업, 취미 등을 가족이나 본인에게 청취)하여 프로그램 진행에 필요한 자료를 얻는다.

생명 유지 장치, IABP[06]*, PCPS[07]* 등을 장착하고 있으면 지침에 따라 원칙적으로 재활훈련을 시행하지만, 장기간 장착하고 있으면 의사 지시에 따라 장착 부위의 부담을 피해 침상에서 시행하기도 한다(**그림 10-3-3**).

**표 10-3-1**  개심술 후 재활 훈련의 효과

| | |
|---|---|
| 운동 수용능(peak $\dot{V}O_2$) | 개선 |
| 운동시 환기 항진<br>환기 효율($\dot{V}E$ vs.$\dot{V}CO_2$Slope) | 개선 |
| 자율신경 활성. 안정시 심박수 | 안정화 |
| 심 기능 | 개선 |
| 혈관 내피세포 기능 | 개선 |
| 관상동맥 질환 위험 인자 | 개선 |
| 골격근 기능 | 개선 |
| 신체 활동량 | 증가 |
| QOL | 개선 |
| 우울 상태 | 개선 |

역자주* ─────

06   IABP (Intra-Aortic Balloon Pump, 대동맥 내 풍선 펌프)
07   PCPS (Percutaneous CardioPulmonary Support, 경피적 심폐 체외순환)

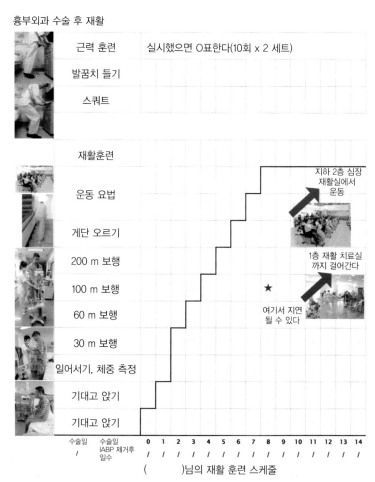

| 흉부외과 수술 후 재활 | | | | | | | | | | | | | | | | |
|---|---|---|---|---|---|---|---|---|---|---|---|---|---|---|---|---|
| 근력 훈련 | 실시했으면 O표한다(10회 x 2 세트) | | | | | | | | | | | | | | | |
| 발꿈치 들기 | | | | | | | | | | | | | | | | |
| 스쿼트 | | | | | | | | | | | | | | | | |

재활훈련

운동 요법 — 지하 2층 심장 재활실에서 운동

게단 오르기

200 m 보행

100 m 보행

60 m 보행 ★ 1층 재활 치료실까지 걸어간다

30 m 보행 여기서 지연될 수 있다

일어서기, 체중 측정

기대고 앉기

기대고 앉기

| 수술일 / | 수술일 IABP 제거후 일수 | 0 | 1 | 2 | 3 | 4 | 5 | 6 | 7 | 8 | 9 | 10 | 11 | 12 | 13 | 14 |
|---|---|---|---|---|---|---|---|---|---|---|---|---|---|---|---|---|

(      )님의 재활 훈련 스케줄

예정대로 진행하도록 돕겠습니다. 함께 노력해 주십시오.

**그림 10-3-1** **단계적 임상진료지침(clinical path)**
수술 후 날짜를 가로축에, 달성도를 세로축에 나타낸다. 달성도의 시각적 확인으로, 환자 자신의 동기를 향상하고, 가족이나 다른 의료진의 진행 상황 확인에 도움이 된다. 진행이 지연되어도 가장 가까운 과제를 시각적으로 확인하여 목표를 쉽게 설정할 수 있다.

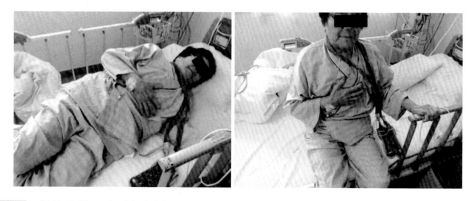

**그림 10-3-2** **개심술 후 옆으로 눕기와 일어나는 법.** 옆으로 눕고 일어날 때 흉골을 보호하고 침상에서 나오는 동작을 촉진한다.

**표 10-3-2** 흉부외과 수술 후 침상에서 나오기 시작 기준

※ 다음 사항이 없으면 침상에서 나오기를 시작 할 수 있다

| | |
|---|---|
| 1. | 저 심 박출량 증후군(Low Output Syndrome: LOS)에 의해;<br>① 인공 호흡기, IABP, PCPS 등 생명 유지 장치가 장착되어 있다<br>② 노르에피네프린이나 카테콜아민 제제 등 강심제를 대량으로 투여한다<br>③ (강심제를 투여해도) 수축기혈압 80~90 mmHg 이하<br>④ 사지 냉감, 청색증이 있다<br>⑤ 대사성 산증<br>⑥ 소변량: 시간뇨 0.5~1.0 mL/kg/h 이하가 2시간 이상 계속 되고 있다 |
| 2. | Swan-Ganz 카테터가 삽입되어 있다 |
| 3. | 안정시 심박수 120 bpm 이상 |
| 4. | 혈압 불안정(체위를 바꾸어도 저혈압 증상이 나온다) |
| 5. | 순환 동태가 안정되지 않는 부정맥(새롭게 발생한 심방세동, Lown IVb 이상의 PVC) |
| 6. | 안정시 호흡 곤란이나 빈맥(호흡 회수 30회 미만) |
| 7. | 수술 후 출혈 경향이 계속 되고 있다 |

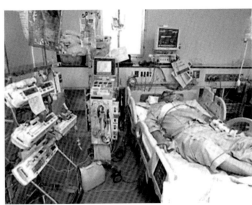 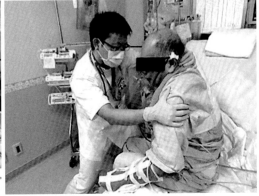

**그림 10-3-3** ICU (Intensive Care Unit 중환자실)의 심장 재활훈련

## ⓒ [Phase II: 회복기] 수술 후 2-3주간: 개별 프로그램

병동 보행 자립이 가능하면 순조롭게 운동 요법으로 이행할 수 있으며, CPX를 시행하여 얻은 지표(AT, 운동 수용능, 운동 유발 부정맥 유무 등)와 심 초음파 정보, Phase I에서 수집한 입원 전 활동 정보를 기초로 운동 요법을 시행한다.

### 1) 준비운동(Warming up)

운동 전에 골격근의 혈관 확장이나 혈관 저항 감소를 위해 스트레치를 시행한다(**그림 10-3-4**). 흉골 관리를 위해, 흉곽을 크게 넓히는 운동이나 대흉근의 강한 수축을 동반한 동작은 피한다(**그림 10-3-5**).

**그림 10-3-4** 스트레칭

**그림 10-3-5** 잘못된 운동 예 가슴을 크게 여는 운동(왼쪽)과 팔을 뒤로 돌려 쉬는 자세(오른쪽)을 피한다.

### 2) 운동 종목 선정

트레드밀은 바닥이 직접 움직이므로 익숙하지 않은 운동이며, 운동 효율이 나쁘고, 산소 섭취량도 증가하므로, 필자의 병원에서는 자전거 에르고미터부터 시작한다. 에르고미터 시작 초기에는, 최소 설정 부하를 warming up 목적으로 3분간(심박이 평정 상태가 된다) 시행한다. 그 후 CPX에서 얻은 운동 처방(AT 수준)보다 낮은 운동 부하를 목표로 과부하가 되도록 점차 증가(5분→ 10분→ 15분으로 운동 부하 시간 연장)해 나간다. 운동 전후의 혈압 변화, 호흡곤란, 자각적 운동 강도를 들어 수시로 부하를 조정한다. 베타-차단제 사용시에는 Brog 스케일 11(편하다)-13(약간 힘들다) 정도로 조정하여 처방된 심박수를 넘지 않게 한다.

**그림 10-3-6** **정리 운동** 저전거 에르고미터(왼쪽) 운동 후 정리운동(오른쪽)을 시행한다.

3) 정리운동(Cool Down)

에르고미터 운동 후에 운동 부하량을 내리면서 혈압의 급격한 저하를 막기 위해 약 1분간 정리 체조를 시행하며, 근육 피로 개선이나 부교감신경을 활성화가 되도록 한다(**그림 10-3-6**).

**D** **[Phase II: 회복기] 퇴원까지: 집단 프로그램**

개별 감시형으로 운동 요법이 안정되면 집단 프로그램으로 이행한다(warming up 10분, 운동 요법 30분, 정리 체조 20분). 이 단계에, 자택 복귀나 복직에 필요한 동작이 있으면 수시 연습을 추가한다. 또한 퇴원 후 외래 프로그램으로 이행할 준비를 한다. 간호사, 영양사와 협동하여 생활 교육, 영양 교육을 추가하며, 의사에 의한 질병 이해를 위한 교육도 시행한다(**그림 10-3-7**). 퇴원 후 자기 관리가 가능하도록, 아침 식사 전, 취침 전 혈압과 맥박 측정, 아침 식사 전 체중을 수첩에 기록하여 입원 중 자기 관리를 습관화하도록 훈련한다(**그림 10-3-8**).

**E** **[Phase III: 유지기] 외래 프로그램**

집단 프로그램을 계속하며, 입원기와 크게 다른 것은 자기 관리에 중점을 두는 것이다. 입원 중에 습관화된 혈압이나 맥박 측정, 체중 측정 결과를 스스로 기록하여 외래 재활치료 참가시에 가져오며, 물리치료사나 간호사가 확인한다. 체중 증가 경향이면 심부전 징후는 없는지 조사하고, 혈압이 높으면 복약 상황이나 염분 관리의 정보를 청취하는 계기가 되어, 필요하면 의사의 처방 변경을 고려한다. 또 비감시하의 운동도 계속 시행하도록 촉구한다.

**F** **개심술 후 저항 운동**

개심술 후에는 흉골 관리가 중요하며, 상지 운동 기구는 수술 후 8주까지 사용하지 않는다. 또 상지 기구 사용 시작시에 상처 부위 통증이나 흉골에서 덜컹거리는 소리가 없는지 신중하게 관찰하여 시행한다.

**그림 10-3-7** **팀으로 시행하는 심장 재활** 간호사 면담(위 왼쪽), 회의(위 오른쪽), 영양 상담(아랫쪽)을 시행한다.

하지 운동 기구는 상처 상태에 따라 조기부터 시작한다. 기구에 익숙하지 않으면 시작 직후에 상지에 힘을 집중할 위험이 있어 주의한다. 운동에 익숙해지면 기구 종목을 차례로 늘려 간다. 부하 설정은 **표 10-3-3**의 프로토콜을 따르며, 하지는 1 RM의 50-60%를, 상지는 30-40%의 부하량을 10회 1 세트로 해서 2 세트를 시행 한다. 근육 피로가 Borg 스케일 11-13을 유지하며 필요시 부하를 증량한다.

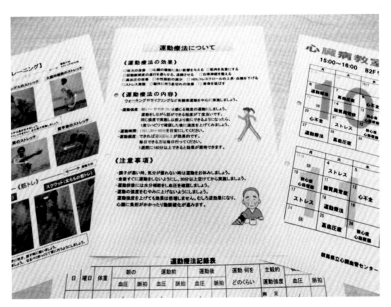

**그림 10-3-8** **자기 관리 파일** 자신이 시행한 운동 종류, 혈압·맥박 측정표를 기록하여 자기 관리를 촉진하는 도구로 활용한다. 또 질환 관리 강의 개최 예정일을 기재하여 희망하는 프로그램에 참가하도록 권고하고 있다.

**표 10-3-3** 저항 운동 프로토콜

| | |
|---|---|
| **강도** | 상지: 30–40% 1 RM으로 시작<br>하지: 50–60% 1 RM으로 시작<br>※ 12–15회에 가볍게 느끼면 부하를 5% 증가<br>(저항 기구 사용시 추를 1 단계 올린다) |
| **회수** | 10–15회/세트 x 1–3 세트 |
| **빈도** | 2–3회/주 |

## 4 심부전, LVAS (Left Ventricular Assist System) 삽입 환자

심부전은 심장의 이상으로 펌프 작동이 안 되어 각 장기에 필요한 혈액량이 공급되지 않아 여러 장기가 제대로 기능하지 못하는 상태이다. 따라서 심부전은 질환명이 아니라 다양한 임상적 증후군인 것을 염두에 두는 것이 중요하다. 운동 요법 시행 전에 심부전의 원인이 무엇인지 확인하는 것이 중요하다.

### Ⓐ 심부전에서 심장 재활훈련의 효과

심부전에 대한 심장 재활훈련의 효과는 **표 10-4-1**과 같다. 심장 재활훈련로 운동 수용능 향상, QOL 향상, 장기 예후 개선 등 많은 효과를 얻을 수 있는 것이 알려져 있다[1]. 즉 안전성이 확보된 증례에서 지침에 따라(**표 10-4-2**) 적극적으로 시행할 필요가 있다.

### Ⓑ 심부전 환자에서 운동 요법 도입기의 주의점

운동 요법은 심부전 안정기의 보상 상태에서 시작한다. 안정기는, 적어도 지난 1주간 호흡 곤란이나 피로감 등의 자각 증상 및 부종이나 폐 울혈 악화 등 신체 소견이 없는 상태이다. 즉 중등도의 하지 부종, 폐 울혈이 없는, 조절된 심부전이며, NYHA I-III의 증례이다. 심부전에서 운동 요법 금기(**표 10-4-3**)로 되어 있는 NYHA IV 환자는 운동 요법의 상대적 금기이지만 국소적 개별적 골격근 트레이닝은 적응이 될 가능성이 있다고 생각한다[1]. 필자의 병원에서는 NYHA IV인 카테콜아민 사용자에서도, 침상에서 하지의 골격근 트레이닝을 도입하는 경우가 있다(**그림 10-4-1**). 운동 부하량 증가는 시행한 운동 요법이 과도하지 않은지 확인하며 부하량을 늘려 간다. 운동 부하를 확대하기 전에 **표 10-4-4**의 주의 사항에 추가하여 운동

---

**표 10-4-1** 심부전에 대한 운동 요법의 효과

심 질환의 재활 지침(2011년 일본 합동연구반 보고)

---

1. 운동 수용능: 개선
2. 심장의 효과
   a) 좌심실기능: 안정시 좌심실 구혈율 불변 또는 경도 개선, 운동시 심 박출량 증가 반응 개선, 좌심실 이완기 초기 기능 개선
   b) 관상동맥 순환: 관상동맥 내피세포 기능 개선, 운동시 심근 관류 개선, 관상동맥 측부 순환으로 증가
   c) 좌심실 재형성: 악화하지 않는(오히려 억제), BNP 저하
3. 말초 효과
   a) 골격근: 근량 증가, 근력 증가, 호기적 대사 개선, 항산화 효소 발현 증가
   b) 호흡근: 기능 개선
   c) 혈관 내피세포: 내피세포 의존성 혈관 확장 반응 개선, 일산화질소 합성 효소(eNOS) 발현 증가
4. 신경 체액 인자
   a) 자율신경 기능: 교감신경 활성 억제, 부교감신경 활성 증가, 심박 변동 개선
   b) 환기 반응: 개선, 호흡 중추의 $CO_2$감수성 개선
   c) 염증 지표: 염증성 사이토카인 (TNF-α) 저하, CRP 저하
5. QOL: 건강 관련 QOL 개선
6. 장기 예후: 심부전 입원 감소, 무사고 생존률 개선, 총 사망률 저하(메타분석)

---

**표 10-4-2** 심부전의 운동 요법을 위한 운동 처방

| 운동 종류 | • 보행(초기에는 실내 감시하), 자전거 에르고미터, 가벼운 에어로빅 체조, 저강도 저항 운동<br>• 심부전 환자에게 조깅, 수영, 격렬한 에어로빅 댄스는 권고하지 않는다. |
|---|---|
| 운동 강도 | [시작 초기]<br>• 실내 보행 50–80 m/분 × 5–10분간, 또는 자전거 에르고미터 10–20 W × 5–10분 정도로 시작한다.<br>• 자각 증상이나 신체 소견을 기준으로 1개월 정도의 간격으로 시간과 강도를 단계적으로 증가한다.<br>• 간편법으로 안정시 HR + 30 bpm(베타–차단제 투여 예에서는 안정시 HR + 20일 bpm)를 목표로 HR을 결정한다.<br>[안정기 도달 목표]<br>• 최고 산소 섭취량 (peak VO₂)의 40–60% 수준 또는 무산소 대사 역치(AT) 수준<br>• 심박수 예비능(HR reserve)의 30–50% 또는 최대 심박수의 50–70%<br>• Karvonen 식 [(최고 HR–안정시 HR) × k +안정시 HR]<br>   ※ 경증(NYHA I–II): k=0.4–0.5, 중등증–중증(NYHA III): k=0.3–0.4<br>• 자각적 운동 강도(Borg 지수): 11–13(편하다–약간 힘들다) |
| 운동 시간 | • 1회 5–10분 x 1일 2회 정도로 시작. 1일 30–60분(1회 20–30분 x 1일 2회)까지 서서히 증가한다. |
| 빈도 | • 주 3–5회(중증 예는 주 3회, 경증 예는 주 5회까지 증가시켜도 좋다)<br>• 주 2–3회 정도, 저강도 저항 운동 병용도 좋다. |
| 주의 사항 | • 시작 초기 1개월간은 저강도로 시행하여 심부전 악화에 주의한다.<br>• 원칙적으로 시작 초기에는 감시형, 안정기에는 감시형과 비감시형(재택 운동 요법)을 병용한다.<br>• 경과 중 항상 자각 증상, 체중, 혈중 BNP 변화에 주의한다. |

**표 10-4-3** 심부전에서 운동 요법의 금기

| 절대 금기 | 1) 과거 1주 이내의 심부전 자각 증상(호흡 곤란, 피로감 등) 악화<br>2) 불안정 협심증 또는 역치 저하 [평지의 느린 보행 (2 METs)에서 유발되는] 심근 허혈<br>3) 수술 적응이 있는 중증 판막증, 특히 대동맥판 협착증<br>4) 중증 좌심실 유출로 협착(폐쇄성 비후성 심근병증)<br>5) 치료하지 않은 운동 유발성 중증 부정맥(심실세동, 지속성 심실빈맥)<br>6) 활동성 심근염<br>7) 급성 전신 질환 또는 발열<br>8) 운동 요법이 금기 되는 다른 질환(중등도 이상의 대동맥류, 중증 고혈압, 혈전성 정맥염, 2주 이내의 색전증, 다른 장기의 중증 장애 등) |
|---|---|
| 상대적 금기 | 1) NYHA IV 또는 강심제 정맥 투여 중 심부전<br>2) 과거 1주 이내에 체중이 2 kg 이상 증가한 심부전<br>3) 운동에 의해 수축기 혈압이 저하하는 예<br>4) 중등도의 좌심실 유출로 협착<br>5) 운동 유발성 중등도 부정맥(비지속성 심실빈맥, 빈맥성 심방세동 등)<br>6) 고도 방실 차단<br>7) 운동에 의한 자각 증상 악화(피로, 어지러움, 다량 발한, 호흡 곤란 등) |
| 금기가 아닌 경우 | 1) 고령<br>2) 좌심실 구혈율 저하<br>3) LVAS 장착 중 심부전<br>4) ICD 장착 예 |

부하시 호흡곤란(AT에 이르지 않은지), 과거 흉부 방사선의 비교, 소변량과 체중의 추이, 다음날 피로감이 남아 있는지(산소화 저하에 의한 야간의 호흡곤란 등), 각종 검사실 자료의 추이를 확인한다. 일반적으로

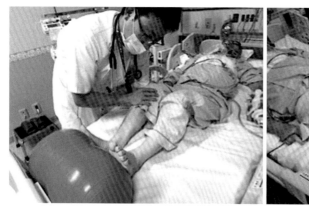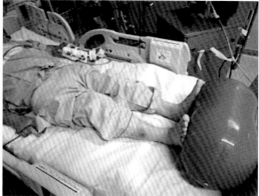

**그림 10-4-1** Therapy ball을 이용한 근력 운동

**표 10-4-4** 과도한 운동 부하량을 시사하는 지표

1. 자각 증상(권태감 지속, 어제 피로감 계속, 같은 부하량에 Borg 지수 2 이상 상승)
2. 체중 증가 경향(1주에 2 kg 이상 증가)
3. 심박수 증가 경향(안정시 또는 같은 부하량에 심박수 10 bpm 이상 상승)
4. 혈중 BNP 상승 경향(지난 번 보다 100 pg/mL 이상 상승)

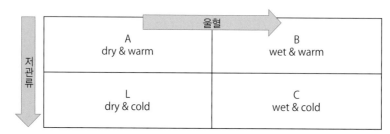

wet(울혈 소견): 기좌호흡, 경정맥압 상승, 부종, 복수, 간경정맥 역류
Cold(저관류 소견): 맥압 저하, 사지 냉감, 졸림, 저나트륨혈증, 신 기능 악화

**그림 10-4-2** Nohria 분류

Nohria 분류(**그림 10-4-2**)를 이용하여 급성 악화기(분류 C)가 아닌지 확인하여 다음 단계로 진행할지 판단한다.

## ⓒ 심부전 환자 개입의 실제
### 침상 안정기에서 침상 주위 활동/병동 보행

심부전 증례는 deconditioning 상태에 동반한 말초 골격근 저하가 진행하기 쉽고[2], 말초 골격근 저하에 의해 침상 주위 활동을 시작하며 신체 움직임이나 항중력 자세에 의해 하지에 저류된 혈액이 심장으로 환

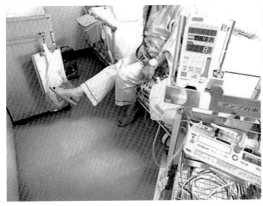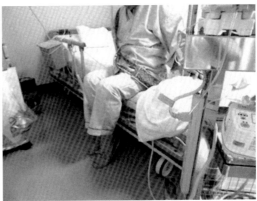

**그림 10-4-3** 침상에서 저부하 근력 훈련

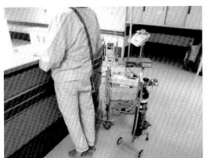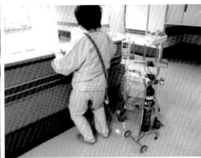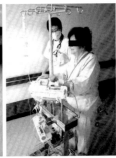

자신의 체중을 이용한 하지 근력 훈련　　　　　　수액대를 이용한 보행 연습

**그림 10-4** 병동에서 재활　왼쪽은 자신의 체중을 이용한 하지 근력 훈련, 오른쪽은 수액대를 이용한 보행 연습

류하기 어려워, 심박수가 상승되고 혈압이 저하되어 어지럼이나 의식 장애가 나타나기 쉽다. 말초 골격근
의 양과 질 개선은 심 질환 환자의 운동 기능에 큰 영향을 주어 ADL이나 QOL, 나아가서는 예후에도 영향
을 주므로 조기부터 말초 골격근을 단련할 필요가 있다.

　　침상 주위 활동기에 카테콜아민을 고용량 사용하는 환자(10 μg/kg/min 이하)는 침상 또는 침상 주위에
서, 맨손 또는 Therapy ball, 탄력 밴드를 사용하며, 카테콜아민 저용량 사용자(5 μg/kg/min 이하)는 자신의
체중을 이용한 근력 트레이닝을 시행한다(**그림 10-4-3,10-4-4**). 항상 혈압 등 순환 동태가 안정되어 있는
것을 확인하고, 운동 부하가 과도하지 않은가 평가한다.

　　보행시 휘청거림이 있어 낙상 위험이 있으면, 근력 연습이나 균형 연습을 적극적으로 시행한다. 또 병
동 내 안정도에 대해 의사, 간호사가 협동하여 정보를 공유한다. 특히 낙상 위험이 높은 환자는 물리치료사
가 안정도를 조언한다.

## Ⓓ 개별 운동 요법

　　심부전의 보상이 가능하여 카테콜아민 의존이 해소되면 재활훈련실에서 운동 요법을 시작한다(**그림**

**그림 10-4-5** 일반 재활 치료실

10-4-5). 개별 요법을 시행해야 할 환자는, ADL 미자립 증례, 뇌혈관 장애 등의 합병증 환자, 저체력 고령자, 자기 관리 능력 결여(운동 강도를 준수할 수 없는 등) 증례, NYHA III, AT 수준 이하의 운동을 20-30분 계속 시행할 수 없는 증례 등이다. 특히 ADL 저하 증례는 운동 요법을 통해 일상생활에 지장이 없는 동작 획득이 목표가 된다. 또 고령자에서 치매를 동반한 증례도 있으며 필요에 따라 가족을 포함한 교육도 시행한다.

### Ⓔ 근접 감시 및 원격 감시형 운동 요법

개별 요법이 적용이 아닌, 자기 관리 능력을 획득한 환자나 심장 재활훈련실의 운동을 견딜만한 증례는 원격 감시 재활 프로그램으로 이행한다(**그림 10-4-6**).

CPX를 시행한 환자는 의사의 운동 처방에 따라, 유산소 운동, 저항 운동을 시행해 간다.

### Ⓕ LVAS (Left Ventricular Assist System)의 재활훈련

말기 중증 심부전에서 최종적 치료는 심장 이식이며, 일본에서 이식 등록 후 대기 시간이 평균 981일로 장기간이 걸리고 있다[3]. 따라서 이식까지의 중개(bridge to transplant)로 LVAS[08]*를 이용하여 이식 대기를 하는 증례가 있다. 대기 기간에 이용하는 기구로 체외식과 삽입형이 있다. 체외식은 기기 자체의 크기와 감염이나 출혈 예방 등 관리면의 어려움으로 계속 입원이 필요하다. 한편 삽입식은 기기 조작을 환자 본인이 학습하여 재택 복귀가 가능하고 또 보조자가 있으면 외출도 가능하여 이식 대기 중 QOL 개선을 기대할 수 있다.

---

역자주* ——————

08  LVAS (Left Venticular Assist System, 좌심실 보조장치)

그림 10-4-6 심장 재활실

## ⓖ LVAS 삽입환자의 심장 재활훈련 목적

좌심실 보조장치(LVAS)는 심장 이식까지 중개로 적용되며, 장착 시간이 장기간에 이르고 있으므로, LVAS 장착 환자의 체력 회복·유지나, QOL 향상이 문제가 되어, 다음과 같은 심장 재활이 중요하다[4].

- VAS 장착 전·장착 중 심부전에 동반한 불용의 개선
- 기거 동작 능력 개선으로 안전한 일상생활 활동 능력 획득
- 장기적으로 이식을 위한 체력 향상
- 이식 수술 후의 원활한 재활·체력 회복

필자의 병원에서는 삽입형 EVAHEART를 많이 사용하고 있어 이것을 중심으로 설명한다.

## ⓗ LVAS 삽입환자의 재활훈련 실제

본원에서는 표 10-4-5의 프로그램에 준해 침대 주위 활동부터 시행한다. 수술 후 2개월까지는 흉골 정중 절개 상처를 고려하여 물리치료사나 보호자(환자 가족)이 VAS 기기를 가지고 이동한다. 운동 요법 진행 기준은, VAS의 콘트롤러나 펌프 케이블 조작, 배터리 교환 등의 기기 조작을 스스로 시행할 수 있어야 하며, 환자와 보호자가 필기 시험을 통과해야 단계를 올릴 수 있다. CPX 시행 가능 수준이 되면 심장 재활훈련실로 이행한다. 또 외출 연습이나 대중 교통기관 이용에도 물리치료사가 동반하여 동작을 확인한다. 간

**표 10-4-5** EVAHEART 재활 프로그램과 기기 교육의 흐름

| 재활훈련 프로그램(PT) | 기기 교육(ME) 및 외출 프로그램(Dr, Nr[09]*, PT[10]*, ME) | |
|---|---|---|
| 앉은 자세, 기립 | | |
| 보행 30 m | 술후 | • 환경 조사(무장애 환경 등) |
| 보행 60 m | 제1회 기기 교육 | • 전원 관리에 관한 항목(강의·실기):환자·보호자 |
| | 전원 관리 점검 | • AC/DC 어댑터 설치. 배터리 설치. 전원 확보 방법에 대한 이해 확인<br>• 의사가 허가하면 환자 자신이 AC/DC 어댑터 변환이나 배터리 교환 시행 |
| 보행 100 m | 제2회 기기 교육 | • 기기의 개요에 관한 항목(강의):환자·가족 |
| 보행 200 m | 제3회 기기 교육 | • 문제 해결·일상생활에 관한 항목(강의·실기):환자·보호자 |
| 보행 300 m<br>계단 오르기 | 기기 시험① | • 필기 시험(70% 정답)<br>• 실기 시험(커넥터 연결, 백업 조절기 사용) |
| CPX 시행 후 심장<br>재활실에서 운동 요법 시작 | 외출 훈련 | • 샤워 허가, 교육(평가지 사용)<br>• 대중 교통기관 훈련, 자택 방문 점검<br>• 의료인과 2회 동반 |
| | 기기 시험② | • 외박 가능 확인<br>• 필기 시험(80% 정답) |
| | 외박 | • 외박전 준비물, 주의사항<br>• 외출 2시간 x 3회(의료인 동반) |
| | 기기 시험③ | • 퇴원 위한 최종 확인<br>• 필기 시험(80% 정답)<br>• 외박 2박 3일 |
| | 퇴원 | • 외래 대응<br>• 24기간 응급 대응 |

호사가 인근 소방서를 방문하여 환자의 정보를 제공하는 일도 시행하고 있다. 이와 같이 VAS 증례는 여러 직종의 개입하는 목표 설정이 중요하다.

## 심장 재활훈련실에서 재활훈련치료

VAS 삽입 후 기계적 서포트에 의해 심 박출량이 확보되면 심 펌프 기능에 예비능이 있으므로 심부전 지침에 따라 운동 요법이 시행 가능해진다.

재활훈련치료를 시행하는 모든 단계에서 기계의 충전량이나 유량계 확인, drive line의 위치를 확인한다. 전용의 배터리 팩 안에는 충전된 예비 배터리 2개가 상비되어 있다.

재활훈련치료 시행 전에는 삽입부의 작동 튜브가 구부러져 있지 않은지, 신체 동작 시에 상지, 하지가

역자주* ─────────

09  Nr (Nurse)

10  PT (Physical therapist)

그림 10-4-7  충전, 삽입부, drive line 확인

그림 10-4-8  pre-training

간섭할 우려는 없는지, 또 에르고미터 등 운동 기기가 간섭하지 않는지 주의 깊게 확인하고 재활훈련치료를 시작한다(그림 10-4-7).

삽입형 VAS 장착 후 운동 요법 프로토콜

| 운동 종목 | 프로토콜 |
|---|---|
| **유산소 운동:자전거 에르고미터 중심** | AT수준(Watts)<br>10-15분/세트<br>1-2세트/일 |
| **저항 운동** | 하지근육 군부터 시작<br>50-60% 1 RM (20% 1 RM)<br>10-15회 x 2세트<br>1세트/일(주 3회) |

**그림 10-4-9**  자전거 에르고미터　저항 운동

　　운동을 시작하기 전에 pre-training을 시행하고 유산소 운동과 저항 운동으로 이행한다(**그림 10-4-8**).
　　유산소 운동과 저항 운동은 **표 10-4-6**에 준해 실시한다. 저항 운동은 흉골 관리를 고려하여 하지 중심
으로 시작한다(상지에는 수술 8주 후부터 시작)(**그림 10-4-9**).

## J  외래 재활치료훈련

　　퇴원 후 집에서 심장 이식 대기 기간이며, 이식까지 장기간에 걸친 추적이 필요하다. 정기적 외래 진료
에서 상처 상태 확인, 와파린 조절, VAS 기기 관리 등의 점검을 포함하여 여러 직종의 협동으로 오류가 없
는지 확인한다. 또 기기 서포트에 의해 심부전 증상이 좋아지면 생활 습관이 흐트러질 우려도 있으며, 상태
가 안정되어 심장 이식을 할 수 있도록 생활 교육도 계속 시행하는 것이 중요하다.

표 10-4-7  가압 훈련 프로토콜

| 부하 프로토콜 | 내용 |
| --- | --- |
| 종목 | 트레이닝 머신, 아령 등 |
| 가압압력 | 상지: 120–150 mmHg, 하지: 150mmHg |
| 가압 쪽 | 양쪽 |
| 저항 강도 | 20% 1 RM |
| 회수 | 10–20회 x 2세트 |
| 빈도 | 주 3회 |

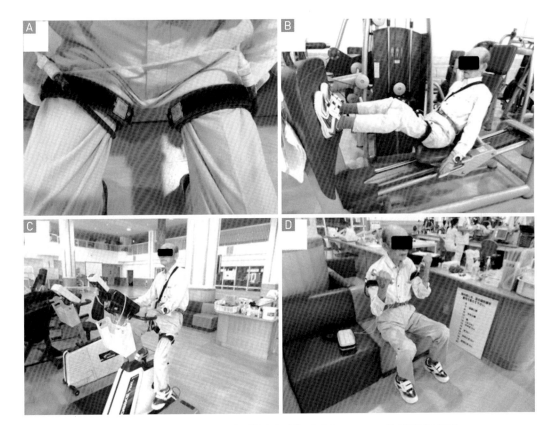

그림 10-4-10  **가압 훈련**  A: 하지는 양쪽 서혜부에 장착하여 시행. 하지에 150 mmHg의 압력으로 조정
B: 기계 운동에서는 1 RM의 20% 부하를 설정하여 시행 C: 유산소 운동과 기계 병용 시에는 AT의 60% 부하로 시행
D: 상지는 상완 근위부에 장착. 압력은 120 mmHg로 설정. 운동 부하 설정이 어려우면 Borg 지수로 확인한다.

## K 가압 트레이닝

가압 트레이닝은 상지 또는 하지에 공기 압력식 가압 벨트를 이용한 압력을 주어 적당한 혈류 제한하에서 운동하는 것이며, 성장 호르몬 분비가 증가되어 단기간 및 저부하에서 근육 비대를 촉진시킨다[5]. 심 질환에서는 전부하 감소에 의한 심장 일량의 감소와 혈관 내피 기능 개선을 기대할 수 있다고 한다. 본원에서는 근육 위축이 진행된 심 질환 환자를 대상으로 가압 트레이닝을 시행하고 있다. 가압 프로토콜로 **표 10-4-7**에 따라 시행하고 있다. 장착법은 **그림 10-4-10**과 같다. 가압 트레이닝은, 가압을 하지 않는 상태의 1 RM: 60-80%의 부하량이, 가압 상태에서는 1 RM: 20-30%와 같은 효과가 기대된다. 본원에서는 심부전, 삽입형 좌심실 보조장치 장착 후, 흉부외과 수술 후, 고령자나 CCU 입원 증례 등에서 일정한 운동 효과(악력 증가, 무릎 신장근 증가, 다리 굵기 증가, ADL 확대)가 확인 되었다. 다른 보고[6]에서도, CCU 입원 중 중증 심 질환 환자에서 가압 트레이닝을 이용하여, 조기에 침상 안정에서 회복할 수 있었다. 대상 환자에게 적극적으로 시행할 필요가 있다.

참·고·문·헌

1. 循環器疾病の診斷と治療に關するガイドライン（2011年度合同硏究班報告）．心血管疾患におけるリハビリテーションに關するガイドライン．

2. 田屋雅信，高橋哲也，熊丸めぐみ，他．慢性心不全者の呼吸筋と運動耐容能の關係．理學療法群馬．前橋：群馬縣理學療法士協會；2008;19：25-8.

3. 日本心臟移植硏究會．國內の心臟移植の現狀（2013年12月31日現在）http://www.jsht.jp/registry/japan/.

4. 牧田 茂．人工心臟裝着心不全の運動療法J Clin Rehabil．2007;16：1045-51.

5. 佐藤義昭，石井直方，中島敏明．In：安部 孝，編．加壓トレーニングの理論と實際．東京：講談社サイエンティフィク；2007.

6. 坂上詞子，中島敏明，飯田陽子，他．加壓トレーニングの重症患者への應用（第41回日本理學療法學術大會）．

## 5 삽입형 제세동기(ICD)나 양심실조율기(CRT-D) 삽입술 후

일본은 1994년 카테터 소작술, 1996년 ICD, 2004년 CRT, 그리고 2006년 CRT-D가 의료보험 적용이 되었다. 이런 비약물 요법은 크게 발전하고 있는 분야이지만, ICD, CRT/CRT-D 삽입건 수는 아직 보급 단계에 있다[1]. ICD, CRT-D 삽입의 적응이 되는 질환은 확장성 심근병증, 허혈성 심근병증, 비후성 심근병증이나 Brugada 증후군 등이다.

ICD의 적응 기준으로 ① 돌연사의 가족력 유무 ② 자발적 coved형 ST 상승 유무 ③ 빈번한 VF 유발 등 3항목 중 2항목 이상이 있으면 ICD 치료가 고려된다.

CRT-D 적응 기준으로, NYHA III 또는 IV에서 좌심실 구혈률 35% 이하, QRS 폭 120 msec 이상이며 ICD 적응 (Class I 또는 IIa) 환자이다[1]. 이와 같은 장치 삽입 전에 심 기능 저하나, 운동 수용능이 낮은 증례가 많다. 따라서 삽입 후 운동 요법은 심부전에 해당되는 운동 요법을 생각하여 시행하는 일이 많다. 운동 요법 시행에 다음과 같은 주의가 필요하다.

### 1) 운동 요법 시작 시 주의
- ICD/CRT-D는 인공심박동기와 달리 Device 크기가 크다.
- 항혈소판제나 항응고제 병용이 많다.
- 중증 심부전 등 전신 상태나 영양이 나쁜 환자에서 삽입이 적지 않다.
- 혈종, 상처 감염에 주의가 필요하다.
- 운동이 가능할지, 심부전이나 부정맥의 관리 상태를 파악한다.

### 2) 운동 요법과 관련된 Device 설정의 확인
- rate response
- tachytherapy zone 특히 VF zone
- AVB[11]*나 CRT에서는 upper tracking rate
- PVARP (post ventricular atrial refractory period): Medtronic사에서 AutoPVARP에 주의

### 3) 운동 요법 중 점검(빈맥 치료)
- tachytherapy zone를 확인해 둔다. 설정한 심박수 이상에서 치료가 시작된다. 가능하면 운동시 심박수가 이에 도달하는 부하는 피하도록 한다.
- VT 치료 설정은 기기의 알고리즘으로 진단 한다.
- VF zone의 진단 알고리즘이 작동하지 않으면 즉시 shock 등의 치료가 시작되므로 여기까지의 운동 부

역자주* ─────────
11  AVB (Atro Ventricular Block, 방실차단)

하는 반드시 피한다.

- VT: Anti-Tachycardial Pacing (ATP) > shock로 구성된 것이 많다.
- VF: 갑작스런 shock 시작

4) 운동 요법 중 점검(pacing) 변화시키는 기능이 있다.

* 운동 요법 중의 점검(CRT)

- CRT는 원칙적으로 100% 양심실 pacing을 하고 있다.

| | 수술 전일 | 수술 당일 | 수술 후 1일 | 수술 후 2일 | 수술 후 3일 | 수술 후 4일 | 수술 후 5~7일 |
|---|---|---|---|---|---|---|---|
| 안정도 | 제한 없는 상태 | 입실 6시간 후 자세 30도 | AM 자세 60도 PM 자세 90도 | 선 자세 휴대용 변기 | 실내 자유활동 | 병동내 자유활동 | 원내 자유활동 |
| 프로그램 | ○정보 수집<br><br>○재활 오리엔테이션<br><br>○수술전 평가 견관절 가동 범위 측정 근력 측정 | | ○견관절기능연습 양와위 이완 수동 관절 운동 (통증 범위 내) 팔꿈치–손가락 외전,굴곡 60도 몸쪽 회전<br><br>처음에는 안전성을 확인하여 쇄골 고정에 노력. (90도 이하 실시와 손으로 견봉부 고정) | 양와위 이완 수동관절운동 (통증범위내) 팔꿈치–손가락 외전,굴곡90도 몸쪽 회전 자동관절 운동 (통증범위 내) 수동운동 범위<br><br>○기본동작 연습 · 일어서기 · 기대 앉기 · 서있기 ⎰스트레칭 발끝 서기 제자리 걸음 ⎱스쿼트 →정좌에서 시행 | 양와위 이완 수동관절운동 (통증범위내) 팔꿈치손가락 외전,굴곡120도<br><br>자동 관절 운동 (통증 범위 내) 수동 운동 범위<br><br>⎰스트레칭 발끝 서기 제자리 걸음 ⎱스쿼트 →선 자세에서 시행 · 실내 보행 · 병실 ADL 연습 | 정좌 수동관절운동 (통증범위내) 외전,굴곡, 회전가능Full<br><br>⎰스트레칭 발끝 서기 제자리 걸음 ⎱스쿼트 →선 자세에서 시행 · 병동내 보행 · 계단 오르기 | 정좌 수동관절운동 (통증범위내) 외전,굴곡, 회전가능Full<br><br>· 재활 체조 · 퇴원 교육 · 수술후 평가<br><br>⎰스트레칭 발끝 서기 제자리 걸음 ⎱스쿼트 →선자세에서 시행 · 원내 보행 · 계단 오르기 · 원외 보행 · ADL 연습 |

시행 시 점검 항목
1. 항혈소판제 사용 유무  ⎱ 항응고요법제 사용이나 Device가 큰 크기이면 어깨 프로그램을 늦춘다.
2. Device 종류
3. 수술 기록  ⎱ 유도(lead) 유치 방법과 수술시 상태를 파악하며, 필요에 따라 프로그램을 늦춘다.
4. 진료기록 확인
5. 시행 전후의 상처 상태  ⎱ 혈종이나 내출혈 흔적의 남음.  상처 압박 중 어깨 프로그램 시행은 60도 이하로 시행
6. 흉부 X–P 설정
7. Device 설정  ⎱ 시행 시 pacing 부전 확인과 lead 유치 상태 확인
8. 실시 전후의 ECG 모니터, 혈압
9. 시행 중 호흡곤란, 통증 등 자각 증상 유무와 그 정도
　　　　　　프로그램 패스 시행시 이상이 있으면 그때마다 주치의에게 확인

**그림 10-5-1** CRT–D/ICD 임상진료지침

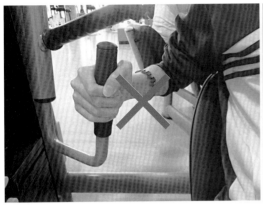

**그림 10-5-2** 상지의 저항 운동

⋯▶ 대흉근에 긴장이 걸리는 방향

**그림 10-5-3** chest press

- QRS 파형이 pacing 동안 유지되는지 확인
- CRT loss의 원인
    1. 심방세동 예에서 설정한 pacing rate 보다 자신의 심박수가 많다.
    2. 약간 긴 AV 간격을 설정하여 운동 중 자신의 AV 전도가 촉진된 경우
    3. upper tracking rate 이상인 경우

이런 이상은 설정 조정으로 방지할 수 있는 것이 많으며, CRT loss가 있으면 주치의에게 보고한다. 허혈성 ST-T 변화는 읽을 수 없기 때문에 주의해야한다.

ICD, CRT-D나 device implantation 후에 과도한 안정을 강요하면 운동기 통증뿐 아니라, 비활동에 따른 관절 구축이나 근력 저하, 우울이나 의욕 소실 등의 저운동성 증후군(Disuse Syndrome)에 빠질 위험성이 있다[2]. 또한 삽입 적응 환자는 심부전 증례가 많아 운동 수용능이 낮기 때문에, 수술 후에는 임상진료지침 (그림 10-5-1)에 따라 안정도를 확인하여 조기에 운동 요법을 시행하는 것이 바람직하다. 운동 요법의 효과로, ICD의 모든 작

동이나 운동에 의한 작동 감소가 알려졌다[3]. 심부전 환자처럼 운동시 심부하를 감소시키기 위해 운동 전에 충분한 준비 체조를 한다. 스트레칭 시에 숨을 참는(Valsalva 부하) 것에 주의한다. 숨을 참으면 흉강 내압을 높여 우심으로 혈액 관류가 감소되며 이어서 좌심방의 혈액 관류도 감소하여 심 박출량이 감소한다. 따라서 스트레칭 시에 Valsalva 부하를 피하는 것이 중요하다. 유산소 운동으로는 자전거 에르고미터와 트레드밀이 중심이 된다.

Rate response 기능을 사용하고 있어도 가속도 센서는 자전거 에르고미터에 의한 상반신의 작은 움직임에는 반응하지 않아 심박수가 증가하지 않는다. 따라서 부하량에 주의하여 Borg 지수나 Talk test를 시행하며 운동 요법을 진행한다. 유산소 운동과 병용하여 저항 운동도 중요하다. 저항 운동 시작 시기는 일본 순환기학회의 심혈관 질환 재활 지침[4]에 따른다. 상지의 저항 운동에서 그립을 가볍게 잡아 과도한 혈압 상승을 억제하는 대책도 필요하다(그림 10-5-2). 또 chest press는 대흉근 부위에 힘이 들어가므로 원칙적으로는 시행하지 않는다(그림 10-5-3).

참·고·문·헌

1. 不整脈の非薬物治療ガイドライン. 日本循環器学会.

2. 安達 仁, 田屋雅信, 吉田知香子, 他. In：安達 仁, 編. 眼でみる実践 心臓リハビリテーション 3版. 東京：中外医学社；2013. p.47.

3. Davids JS, McPherson CA, Earley C, et al. Benefits of cardiac rehabilitation in patients with implantable cardioverter defibrillators：A patient survey. Arch Phys Rehabil. 2005; 86: 1924-8.

4. 心血管疾患におけるリハビリテーションに関するガイドライン. 日本循環器学会.

## 6 당뇨병

당뇨병에서 허혈성 심 질환, 말초 동맥 질환의 위험을 높이는 것으로 알려졌으며, 이상지질혈증과 함께 관상 동맥 질환 위험 인자의 하나로 꼽힌다. 따라서 심장 재활훈련 현장에서 당뇨병을 동반한 환자를 만날 빈도가 높다. 여기에서는 당뇨병 동반자의 위험 관리에 대해 설명한다.

### Ⓐ 운동 처방

당뇨병의 운동 요법은 AT 수준의 유산소 운동이나 저항 운동을 주로 시행하며, 운동 요법 프로그램 자체는 당뇨병이 없는 환자와 차이가 없다. 유산소 운동의 강도 설정에 CPX를 시행하여 그에 따라 운동을 처방한다. CPX를 시행하지 않았으면 현장에서 운동 처방을 해야 하며, 자율신경 장애를 가지고 있으면, 자각적 운동 강도에 따른 설정이 좋다고 생각한다[1-3]. 따라서 Karvonen 식에 의한 심박수에 따른 처방 방법은 적합하지 않다.

당뇨병 환자는 당뇨병이 없는 환자에 비해 근력 저하는 있으나, 운동 요법에 의한 악력 개선 보고[4]가 있으며, 증식성 망막증 등의 금기 사항이 없으면 효과가 있는 강도의 저항 운동도 필요하다고 생각할 수 있다.

### * 위험 관리

당뇨병으로 진단되지 않은 내당능 이상(impaired glucose tolerance: IGT)이나 공복시 혈당 이상(impaired fasting glycemia: IFG)이라는 당뇨병 전 단계가 있다. 허혈성 심 질환으로 입원 또는 진료 시 75 g 경구 당부하검사(oral glucose tolerance test: OGTT)에서 처음 발견되는 것도 적지 않다(표 10-6-1).

혈당 조절에 관련된 당뇨병 특유의 위험(표 10-6-2)에 충분히 주의할 필요가 있다. 당뇨병의 주된 증상은 표 10-6-3과 같다. 당뇨병 환자의 운동 요법에서 가장 빈도가 높은 위험은 저혈당일 것이다. 저혈당은 중증이 되면 혼수가 되며, QT 연장으로 돌연사에 이를 가능성이 있다[5].

저혈당은 운동에 의한 혈당 소비에 의해, 운동 중이나 운동 직후에 나타나기 쉬우며, 인슐린이나 설폰요소제로 치료 중인 환자는 운동의 수시간 후나 다음날 나타나기도 한다. 경구 혈당 강하제의 작용과 주의점은 표 10-6-4와 같다.

저혈당의 초기 증상은 환자에 따라 다양하기 때문에, 개별 환자에서 저혈당 경험 유무와 증상의 특징을 확인해 두면 좋다. 저혈당의 대표적 증상은 표 10-6-5와 같다. 저혈당 예방을 위해서는, 세션마다 운동 직전 혈당치

**표 10-6-1** 공복 혈당 및 75 g OGTT에 의한 당뇨병 판정 기준

|  | 공복 | 식후 2시간 | 판정 |
|---|---|---|---|
| 혈당 | 126 mg/dL 이상 | 또는 200 mg/dL 이상 | 당뇨병 |
| (정맥 혈장) | 110 mg/dL 미만 | 또는 140 mg/dL 미만 | 정상 |

**표 10-6-2** 당뇨병 특유의 위험 관리(운동 요법 금지 또는 제한이 좋은 경우)

① 당뇨병 대사 조절 불량(공복 혈당 250 mg/dL 이상 또는 케톤체 중등도 이상 양성)
② 증식성 망막증에 의한 급성 안저 출혈
③ 신부전 상태(혈청 크레아티닌: 남성 2.5 mg/dL 이상 여성 2.0 mg/dL이상)
④ 뼈·관절 질환이 있다.
⑤ 급성 감염증
⑥ 당뇨병 괴저
⑦ 고도의 당뇨병 자율신경병증

**표 10-6-3** 당뇨병 자각 증상의 예

| 합병증 | 자각 증상 |
| --- | --- |
| 고혈당 | 갈증, 다음, 다뇨 |
| 말초신경병증 | 하지의 저림감, 통증 등 이상 감각, 감각 둔화 |
| 자율신경병증 | 무자각성 저혈당, 심근 허혈, 월경 이상, 발기 부전, 변비, 설사 등 |
| 망막증 | 시력 저하 |
| 동맥경화 | 간헐적 파행, 협심증, 어지럼증 |
| 각종 대사 장애 | 무력감, 피로감 |
| 감염 증가 | 반복된 감염 증상 |

와 식사량을 파악해 둘 필요가 있다. 입원 중에는 진료기록이나 병동 간호사로부터 정보를 수집하여 혈당 수치나 식사량에 맞추어 운동 내용을 조정한다. 경우에 따라서는 운동을 중지하기도 한다. 외래 환자는, 환자의 혈당 자가 측정(self-monitoring of blood glucose: SMBG)을 참고하며, 환자의 자기 관리 능력이 낮으면 가족의 협력을 구한다. 외래 환자에서도, 혈당치 이외에 운동 전 식사 시간, 식사 내용, 복약 내용의 확인이 중요하다. 일반적으로, 설폰요소제를 복용하고 있거나 인슐린 요법 중에 운동 전 혈당 치가 100 mg/dL 미만이면 주의한다. 운동에 의해 저혈당 발생 위험이 높다고 판단되면, 운동 직전, 운동 후 간식을 권한다. 간식으로는, 흡수가 늦어 적당한 혈당 치를 장시간 유지할 수 있는 쿠키가 적합하다. 저혈당 증상이 나타나고 혈당 수치도 낮으면 흡수가 빠른 포도당을 섭취한다. 입원 중에는 투약 내용을 조정하는 경우가 많기 때문에, 저혈당 증상이 있었으면 반드시 주치의와 병동 간호사에게 연락해야 한다. 본원에서는, 운동 중 또는 운동 후 혈당 치가 70 mg/dL를 밑돌면 즉시 의사에게 보고하여 포도당 섭취 등의 지시를 받고 있다. 혈당 수치 피크는 식후 1시간이므로 본원에서 당뇨병 환자는 아침 식사 후 9시 또는 점심 식사 후 13시에 집단 운동 요법에 참가하도록 권고하여 혈당 피크 시간대에 운동을 하고 있다.

표 10-6-4 경구 혈당강하제의 작용과 주의점

| 효과 | 종류 | 작용 | 운동시 주의점 |
|---|---|---|---|
| 인슐린저항성 개선제 | 메트포르민 | 간의 당신생 억제 | 설폰요소제와 병용 시 저혈당에 주의. |
| | 글리타존 | 골격근, 간에서 인슐린 감수성 개선 | 수분 저류 경향이 있어 심부전 병력이 있으면 사용하지 않는다. |
| 인슐린 분비 촉진제 | 설폰요소제 | 인슐린 분비 촉진 | 증례에 따라 소량에서도 저혈당을 일으킬 수 있다. |
| | 속효성 인슐린 분비 촉진제 | 신속한 인슐린 분비 촉진으로 식후 고혈당 개선 | 설폰요소제와 병용하여 저혈당 유발. |
| | DPP-4 억제제 | 혈당 의존성으로 인슐린 분비 촉진과 글루카곤 억제 | 설폰요소제와 병용하여 저혈당 유발. |
| 당 흡수,배설 조절제 | α-글루코시다제 저해제 | 탄수화물 흡수 지연으로 식후 고혈당 개선 | 설폰요소제나 인슐린과 병용하여 저혈당 발생 |
| | SGLT-2 억제제 | 신장에서 재흡수를 저해하여 소변으로 포도당 배설 촉진 | 체액량 감소로 탈수증을 일으킬 수 있어 수분 보충이 필요하다. |

**표 10-6-5** 저혈당 증상

자율신경 장애에 의해 교감신경 자극 증상이 없거나 반복된 저혈당이 발생하면 저혈당의 전조 증상이 없이도 혼수에 빠질 수 있어 주의 한다.

| | |
|---|---|
| 교감신경 자극 증상: 혈당이 정상 범위를 넘어 급속히 강하한 결과 생기는 증상 | 발한, 불안, 동계, 진전, 안면 창백 등 |
| 중추신경 증상: 혈당이 50 mg/dL 정도로 저하하여 나타나는 증상. 중추신경의 에너지 부족을 반영한다. | 두통, 눈이 침침함, 공복감, 졸음(선하품), 의식 수준 저하, 이상 행동, 경련 등 |

참 · 고 · 문 · 헌

1. Sigal RJ, Kenny GP, Wasserman DH, et al. Physical activity/exercise and type 2 diabetes. Dabetes Care.2004;27:2518-39.

2. Albright A, Franz M, Hornsby G, et al. American College of Sports Medicine Position Stand Exercise and type 2 diabetes. Med Sci Sports Exerc.2000;32:1345-60.

3. Izawa K, TanabeK, OmiyaK, et al. Impaired chronotropic response to exercise in acute myo-cardial infarction patients with type 2 diabetes mellitus. Jpn Heart J 2003;44:187-99.

4. Mroszczyk-McDonald A, Savage PD, Ades PA. Handgrip strength in cardiac rehabilitation: normal values, interaction with physical function, and response to training. J Cardiopulm Rehabil Prev. 2007;27:298-302.

5. Brian MF, Frier MD, Schernthaner G, et al. Hypoglycemia and cardiovascular risks. Diabetes Care. 2011;34:5132-7.

## ⑦ 성인 선천성 심 질환

최근 소아기의 수술 향상과 약물 관리의 발전에 의해 복잡한 선천성 심 질환을 포함하여 95% 이상의 소아 환자가 회복이 가능하게 되었다. 또 수술 후 경과도 대부분 양호하여 선천성 심 질환 환자의 90% 이상이 성인기에 이르게 되었다. 그 결과 성인 선천성 심 질환(adult congenital heart disease: ACHD) 환자가 40만명을 넘고 있으며, 앞으로도 매년 1만명이 성인에 이른다고 생각하고 있다(그림 10-7-1). 2014년 현재 선천성 심 질환이라는 병명을 가진 환자는 20세 미만 소아보다 20세 이상 성인의 수가 많다. 따라서 ACHD는 성인 순환기 질환의 한 영역으로서 생각하지 않으면 안 된다. 따라서 ACHD 환자를 취급하는 병원에서는 선천성 심 질환을 충분히 이해할 필요가 있다.

소아기를 순조롭게 경과한 선천성 심 질환 환자도 성인기에 들어오면 연령 증가에 따라 다양한 문제를 일으킨다(표 10-7-1, 10-7-2).

### Ⓐ 심부전

남아있는 좌우단락, 대동맥판 협착 및 폐쇄 부전, 승모판 폐쇄 부전, 반복된 외과 수술 후, 관상동맥 이식 후 증례 등에서 수술 후 변화에 고혈압이나 연령 증가에 의한 심실 확장 장애가 더해져 좌심부전이 발생한다. 한편 Fallot 4징 수술 후, 폐동맥 고혈압, 심방 중격 결손, 폐동맥 협착 및 폐쇄 부전, 수정 대혈관 전위 Rastelli 수술 후 등에서는 성인기의 비교적 이른 시기에 우심부전에 빠진다. 진행하면 간경변이나 단백 소실 장병증(protein-losing enteropathy) 등으로 발전한다.

### Ⓑ 부정맥

Mustard 수술, Senning 및 Fontan 수술 후에 동기능 부전이 나타난다. 수정 대혈관 전위, 다비증에서는 고도의 방실차단이, Ebstein 병, 수정 대혈관 전위, 내장 심방 착위증후군에서는 발작성 상심실성 빈맥을 일으키기 쉽다. Fallot 4징 수술 후에 우심실 절개에 의한 심실 빈맥 발생으로 나중에 돌연사의 원인이 된다.

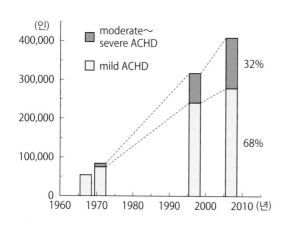

그림 10-7-1 일본 성인의 선천성 심 질환 환자 수의 추이

**표 10-7-1** 성인 선천성 심 질환의 질환별 문제

| | |
|---|---|
| 심방중격 결손증 | 우심부전, 삼첨판 폐쇄 부전, 승모판폐쇄 부전, 폐동맥 고혈압(Eisenmenger증후군), 심방 빈맥, 심방세동 |
| 심방중격 결손(대동맥판하형) | 대동맥판 첨부 일탈에 의한 대동맥판 폐쇄 부전, Valsalva 동 파열 |
| Fallot 4징(수술 후) | 폐동맥판 폐쇄 부전에 의한 우심실 확대에 의한 우심부전, 심방 빈맥, 심실 빈맥, 심실세동, 좌심부전, 대동맥판륜 확대, 대동맥판 폐쇄 부전 |
| 대동맥 협착 수술 후 | 협착 잔류에 의한 고혈압, 협착 잔류가 없어도 운동시 고혈압 |
| 완전 대혈관 전위 | 1. 심방내 혈류전환술(Mustard 수술, Senning 수술) 후 삼첨판(체심실방실판) 폐쇄 부전, 우심(체심실) 부전<br>2. 대혈관 전환술 후 말초성 폐동맥 협착, 대동맥륜 확대, 대동맥판 폐쇄 부전, 관상동맥 혈류장애 |
| 수정 대혈관 전위 | 1. Conventional repair 후 삼첨판(체심실방실판) 폐쇄 부전, 우심(체심실)부전, 심방빈맥, 심박세동·조동<br>2. Double switch 후 심방빈맥 |
| Ebstein 병 | (WPW 증후군에 의한) 심방 빈맥, 우심 부전, 우심실의 현저한 확대에 의한 좌심 부전, 심실 빈맥 |
| 단심실 질환(단심실, 삼첨판 폐쇄, 폐동맥 폐쇄, 좌심실 형성부전 등)의 Grenn 수술, Fontan 수술 후 | 방실판 폐쇄 부전, 우심(체심실) 부전, 울혈 간, 간경변, 복수 저류, 내당능 이상, 정맥 혈전, 폐색전, 정맥 단락, 폐동정맥 단락, 흉수 저류, 심방 빈맥, 심실 빈맥, 동기능 부전, 방실 차단 |

**표 10-7-2** 심내 수술 후 합병증 종류와 원인

| 종류 | 원인 |
|---|---|
| 좌우 단락 잔존<br>판막 역류 잔존, 재발<br>판막 협착 잔존, 재발<br>심근 장애 잔존, 재발<br>우심실 형태의 체심실 | 심부전<br>감염성 심내막염 |
| 전도 장애 잔존<br>빈맥 회로 잔존<br>심부전에 의한 심근 장애· | 부정맥, 돌연사 |
| 좌우 단락 잔존 | 청색증<br>뇌농양<br>혈전 색전증 |
| 판막 역류 잔존, 재발<br>판막 협착 잔존, 재발 | |

## ⓒ 청색증성 심 질환 환자의 합병증

청색증이 있는 환자가 성인에 이르면 많은 합병증이 나타난다. 다혈증에 의한 과점도 증후군(두통, 현기증, 피로감), 응고 이상에 의한 출혈 경향, 신 장애, 요산 대사 장애, 빌리루빈 대사이상, 전신 혈관 장애,

운동 수용능 저하, 사지 말단의 변화(곤봉지), 감염 등을 볼 수 있다.

## ⓓ 폐동맥 고혈압

폐 혈류 증가에 의한 Eisenmenger 증후군이 발생한 증례는, 폐혈관 폐색성 병변의 진행에 동반한 청색증 출현 이외에, 부정맥, 심부전, 객혈 경향, 감염성 심내막염, 기이성 색전, 신 기능 장애, 실신, 돌연사 등 다양한 합병증이 나타나며 이런 질환에 대한 치료가 필요하다.

ACHD는 신생아, 유아기 또는 소아기에서 발견되고, 소아기에 과도한 안정을 강요당해 운동 수용능이 현저하게 저하되는 증례를 많이 볼 수 있다. 신체 조성(**그림 10-7-2**) 평가에서 근육량이 매우 낮다.

Fontan 수술 후 환자에서 폐순환으로 구출하는 심실의 결여로 의해, 중심 정맥압 상승(정맥 고혈압)과 심실 확장능이 폐순환을 유지하기 위한 규정 인자가 된다. 또 정맥압 상승, 심실 전 부하 장애, 후부하 증가와 심 박출량 저하를 특징으로 한 만성 심부전 병태를 나타낸다. 운동 수용능은 저하되며 산소포화도 쉽게 저하되며, 자각 증상과 일치하지 않는다[1]. 또 합병증으로 만성 심부전, 폐동정맥루나 체정맥-폐정맥 단락에 의한 청색증 출현이 많다. 따라서 운동 요법 중에 산소포화도 모니터를 착용하여(**그림 10-7-3**), 산소포

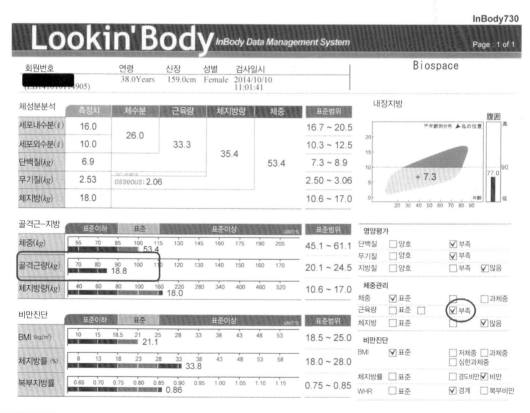

**그림 10-7-2** 체구성

**그림 10-7-3** 산소포화도 측정

**표 10-7-3** 가압 운동 부하 프로토콜

| 부하 프로토콜 | 내용 |
| --- | --- |
| 종목 | 자신의 체중, 덤벨, 기구 운동 |
| 가압압 | 상지 120–150 mmHg, 하지 150 mmHg |
| 가압쪽 | 양쪽 |
| 저항 강도 | 20% 1 RM |
| 회수 | 10–20회 x 2세트 |
| 빈도 | 주 3회 |

화도를 확인하면서 시행한다. 구체적으로 $SpO_2 \leq 80\%$이면 운동 요법을 일단 중지한다. ACHD에서는 심기능 저하로 운동 수용능이 낮고 deconditioning이 되어 있는 증례도 적지 않다. 심부하를 고려하여 저강도 부하로 근비대, 근력 증가 효과가 기대되는 가압 트레이닝도 이용한다. 가압 트레이닝의 부하 프로토콜(**표 10-7-3**)은 20-30% 1 RM로 저항 운동으로 시행하여 60-80% 1 RM과 같은 효과가 있다. 따라서 심부하를 감소시켜 저항 운동 시행으로 근력 증가 효과를 얻을 수 있다.

참 · 고 · 문 · 헌

1. 循環器病の診断と治療に関するガイドライン (2010年度合同研究班報告), 成人先天性心疾患のガイドライン (2010年改訂版).

만성 신장병(chronic kidney disease, CKD)은 사구체 여과량(glomerular filtration rate, GFR)으로 나타내는 신 기능의 저하 또는 신 기능 장애를 시사하는 소견(단백뇨를 비롯한 소변 이상, 단일 신이나 다낭성 신장 질환, 혈 액 이상, 병리 소견 등의 존재)이 만성적으로 지속하는 것을 포함한다. 구체적 진단 기준은, ① GFR 값에 관계없 이 신 장애를 시사하는 소견(소변 검사 이상, 방사선 소견 이상, 혈액 이상, 병리 소견 등)이 3개월 이상 지속, 혹 은 ② GFR 60 mL/min/1.73 m$^2$ 미만이 3개월 이상 지속의 한 쪽 또는 양 쪽이 있으면 CKD라고 진단한다[1]. 만 성 심부전(congestive heart failure, CHF)에 동반한 신 기능 장애는, 심부전 악화의 독립된 예후 결정 인자이며[2] 단계가 진행할수록 예후가 나빠진다(**그림 10-8-1**)[3]. KDOQI 지침[4]과 AHA 지침[5]에서 신 기능 저하는 심혈관 질환이나 전체 사망의 위험 인자라고 결론지었다.

CKD 진료 지침 2013에, '운동 요법이 신 기능이나 요단백에 주는 영향은 불명'으로 되어 있지만, 심혈관 질 환을 가진 환자에게 관상동맥 질환 위험 인자 교정이나 예후 개선을 위해 운동 요법은 CKD 치료에 중요한 구성 인자이다.

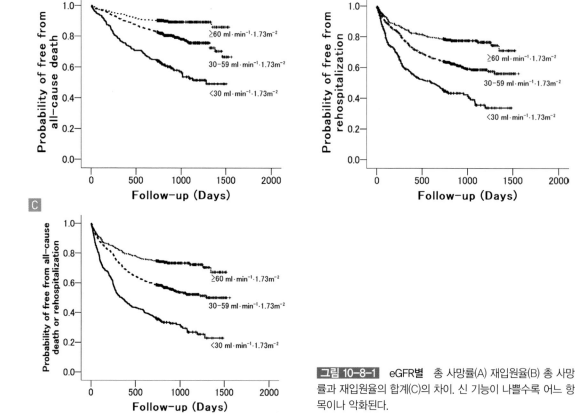

**그림 10-8-1** eGFR별 총 사망률(A) 재입원율(B) 총 사망 률과 재입원율의 합계(C)의 차이. 신 기능이 나쁠수록 어느 항 목이나 악화된다.

**표 10-8-1** 운동이 신 기능을 악화시키는 기전(추정)

| 기전 | 참고 |
|------|------|
| 사구체 내압 과도 상승 | SBP >90 mmHg 정도를 유지할 필요가 있다 |
| 신 혈류량 저하(하대정맥압 상승) | 과도한 숨찬 수준에서 정맥압이 상승될 가능성 있다 |
| 신 세포의 저산소 | $SpO_2$> 90% 필요 |

본원에서는 Cr ≥ 2.5 mg/dL인 환자에게는 운동 요법은 시행하지 않는다. 신장은 안정시에 심 박출량의 1/5에 해당하는 혈액을 공급 받아, 조직 단위 무게 당 혈액 관류량이 많지만, 운동시에는 골격근·폐·심장으로 혈액 분배율이 높아져, 신 혈류량은 저하된다[6]. 따라서 운동 요법 시행에서 신 기능의 중증도에 따라 운동량이나 부하량을 조정할 필요가 있다. 중증 심부전 환자나 CKD 환자는 심부하나 신 혈류량 저하를 감소할 목적으로 인터벌 트레이닝(① Warm up 10 min: peak $\dot{V}O_2$, 4 min peak HR 90-95%, 3 min peak HR 50-70%, ② Warm up 10 min: peak $\dot{V}O_2$, 4 min peak HR 75-80%, 3 min peak HR 45-50%를 시행하기도 한다. 인터벌 트레이닝으로 운동 수용능이나 운동 효율이 개선되어 중등도 지속 운동보다 효과적이라는 보고도 있다[7]. 저항 운동도 적극적으로 시행한다. 신부전 단독에 고강도(60-80% 1 RM)의 저항 운동을 시행해도 신 기능의 악화는 없다[8]. 운동 요법이 신 기능을 악화시키는 기전은 **표 10-8-1**과 같다. 운동 중 혈압이나 호흡곤란에 주의하여 운동 요법을 시행할 필요가 있다.

참·고·문·헌

1. 日本腎臓学会, 編. エビデンスに基づくCKD診療ガイドライン. 東京：東京医学社；2013.

2. Ninomiya T, Kiyohara Y, Tokuda Y, et al. Impact of kidney disease and blood pressure on the development of cardiovascular disease: an overview from the Japan Arteriosclerosis Longitudinal Study. Circulation. 2008; 118: 2694-701.

3. Hamaguchi S, Tsuchihashi-Makaya M, Kinugawa S, et al. Chronic kidney disease as an independent risk for long-term adverse outcomes in patients hospitalized with heart failure in Japan-report from the Japanese Cardiac Registry of Heart Failure in Cardiology (JCARE-CARD). Circ J. 2009; 73: 1442-7.

4. National Kidney Foundation. K/DOQI clinical practice guideline sfor chronic kidney desease : Evaluation, classification and stratification. Am J Kidney Dis. 2002; 39:A1 266.

5. Sarnak MJ, Levey AS, Schoolmerth AC, et al. Circulation. 2003 ; 108 : 2154-269.

6. 上月正博, 編. 腎臓リハビリテーション. 東京：医歯薬出版；2012. p.232.

7. Wisloff U, Stoylen A, Loennechen JP, et al. Superior cardiovascular effect of aerobic interval training versus moderate continuous training in heart failure patients. Circulation. 2007; 115: 3086-94.

8. Heiwe S, Cline N, Tollback A, et al. Effects of regular resistance training on muscle histopathology and morphometry in elderly patients with chronic kidney disease. M J Phys Med Rehabil. 2005; 865-74.

## 9  고령자

일본은 2007년 65세 이상 인구의 비율이 21%를 넘어 초고령 사회가 되었다. 그리고 2060년에는 40%에 가까운 수준이 될 것으로 예상된다[1]. 고령자는 내과 질환, 정형외과 질환, 신경과 질환 등 많은 질환을 가지고 있다. 한편, 숨찬 느낌이나 통증 등 자각 증상이 비정형적이면, 협심증이나 심부전 증상을 깨닫기 어려운 일도 있다. 따라서 심장 재활훈련 개입시에 증상의 다면적 확인이 중요하다[2].

### Ⓐ 고령자의 심장 재활훈련 효과

Williams 등[3]은 12주간의 외래 운동 프로그램을 40-70세 연령층의 관상동맥 질환 환자에서 시행한 결과, 운동 수용능의 절대치는 고령자군에서 작았지만, 개선 비율에는 연령 차이가 없었다. 또 고령 심부전 환자의 운동 효과에 대한 문헌 분석에서, 운동 수용능 개선(31개 문헌 중 27개 문헌)이 있었다[4].

중등도에서 중증 울혈성 심부전 환자의 무작위 대조 시험에서, 운동 수용능은 운동 요법군에서 유의하게 개선되었다. 즉 고령자에서도 심장 재활훈련의 유효성은 명확하다.

75세 이상의 관상동맥 질환(CAD) 환자에서 2차 예방에 관한 미국 심장학회/미국 심장협회(American College of Cardiology Foundation/American Heart Association: ACCF/AHA) 지침은, 고령자의 관상동맥 위험 인자에 대한 치료는 일반 성인과 같은 치료 방침으로 시행할 것을 권고하고 있다.

### Ⓑ 고령자의 심장 재활훈련 실제

고령 심장 질환 환자는 **표 10-9-16**과 같이 부하량을 조정하여 심장 재활훈련을 시행한다. 일상생활 활동(ADL)이 자립되어 있는 고령자는 심장 재활훈련에 의한 효과가 청년과 같다는 보고가 많아 적극적 도입이 중요하다. 한편 ADL 미자립 고령자는 자택 복귀에 필요한 동작의 재획득이 필요하다. 안정기를 지나면 침상 주위에서의 동작, 보행 연습, ADL 동작 연습을 단계적으로 시행하여, 자택 복귀에 연결하는 개입이 중요하다. 여기서는 ADL 미자립자를 중심으로 설명한다.

### Ⓒ 본원의 고령자 심장 재활훈련

고령 심부전 환자는 신체 예비 능력이 낮기 때문에, 한 번에 부하량을 올릴 수 없는 증례가 많다. 침상 운동 시기에 소량의 빈도(오전 중 1회, 오후 1회 등)로 개입하여 과부하가 되지 않게 한다(**그림 10-9-1**).

ADL 미자립자에서는 일반 재활훈련실에서 기본 동작에서부터 일상생활 동작, 생활 관련 동작 연습을 시행한다(**그림 10-9-2**). 고령자의 균형 기능은 장년자에 비해 저하되어 있으므로, 입원기부터 적극적으로 균형 트레이닝 시행이 중요하다. 본원에서는 불안정 매트를 사용하여 운동을 시행하고 있다(**그림 10-9-3**). 시행 시 균형을 잃을 위험이 높아 주의한다.

근력 연습은 자신의 체중을 이용한 것부터 시작해, 무거운 추나 저항 기기를 사용하는 형태로 확대한다. 부하 조정은 1 RM의 40-60%. 1 세트 12-15회를 2 세트 시행한다(**그림 10-9-4**). 허약자는 이런 부하를

표 10-9-1 고령자의 운동 처방

| 유산소 운동 | 강도 | peak VO₂의 60%<br>최대 운동 강도의 50%<br>최대 심박수의 70%<br>AT<br>Borg 지수 11-13(자각적 피로도 '중등도-약간 힘들다') |
|---|---|---|
| | 시간 | 20-60분 |
| | 빈도 | 주 2-5회 |
| 저항 운동 | 강도 | 최대 1회 반복 부하량(1 RM)의 40-60% |
| | 반복 회수 | 1 세트:12-15회, 2-3세트 |
| | 빈도 | 주 3회 |
| interval training | 강도 | 1. 고강도: 최고 심박수의 90-95%<br>   저강도: 최고 심박수의 50-70%<br>2. 5-10분에 Borg 지수 18(자각적 피로도 '매우 힘들다'까지 점증 도달하면<br>   10Watt까지 점감 |
| | 시간 | 1. 고강도 4분, 저강도 3분의 인터벌, 합계 운동 시간 20-25분<br>2. 3 세트를 반복하여 합계 운동 시간 40-50분 |
| | 빈도 | 주 3회 |

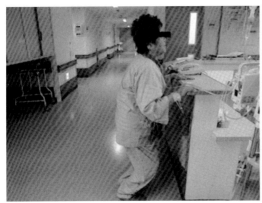 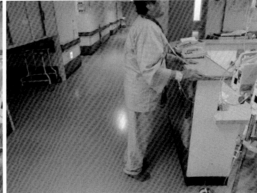

그림 10-9-1 병동에서 자신의 체중을 이용한 하지 근력 운동

주지 않는, 적합한 방식을 생각하여 자각적 피로도를 Borg 지수 11-13 정도가 되도록 주의한다.

유산소 운동은 트레드밀이나 에르고미터를 사용하여 시행한다. 에르고미터는 전원을 넣지 않은 상태에서 3분간 구동하고, 20 Watt 부터 점차 증가해 간다. 일반 재활훈련실을 이용할 수준의 증례도 CPX를 받을 수 없는 상태도 많기 때문에, Karvonen 식이나 Borg 스케일을 이용하여 운동 부하 조정을 시행한다(그림 10-9-5).

보행 연습은, 입원 전 신체 활동 수준이나 자택 환경을 참고하여 보행 보조 도구를 검토한다. 또 현관 올라가기나, 실내 이동에서 높이 차이를 넘는 동작, 실외 보행 연습도 시행한다(그림 10-9-6).

그림 10-9-2    일반 재활 치료실의 훈련 모습

그림 10-9-3    균형 훈련    불안정 매트를 이용하여 시행한다.

 침구로 이불을 사용하고 있는 환자는 바닥에서 일어나는 시작 동작이 필요하며, 집안 환경을 본인이나 가족에게 들어 필요한 동작을 연습한다(그림 10-9-7). 필요하면 집을 방문하여 현장에서 평가도 시행한다.

 중요한 것은, 입원 전 상태를 파악하여 필요한 생활 동작을, 구체적으로 개입하여 획득해 나가는 것이다. 요양보호 대상자는 요양 보호사에게 활동에 대해 알려주고, 보행 보조도구 선정이나, 자택 보수 등의 필요를 검토한다. 또 인지 기능이 저하된 증례는 가족을 참여시킨 개입이 중요하다.

 고령 심 질환자는 많은 질환이 동반되어 있으며, 운동 예비능이 저하되어 있는 것을 염두에 두고 운

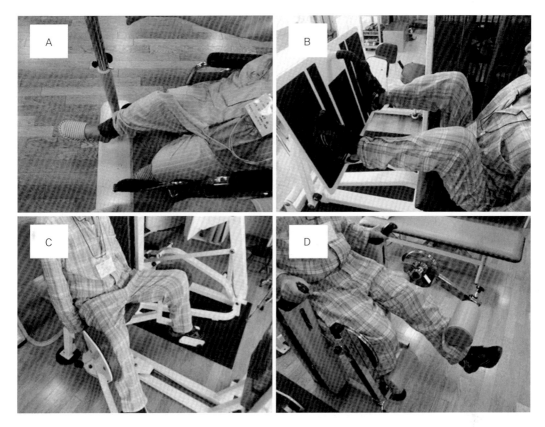

**그림 10-9-4** **근력 훈련** A: 추를 이용한 근력 운동, B: 저항 기기를 이용한 근력 운동, C,D: 기기를 이용한 근력 운동

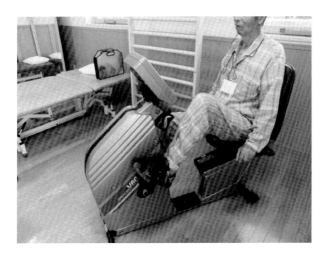

**그림 10-9-5** 자전거 에르고미터

**그림 10-9-6** 실외 보행 연습(왼쪽)과 응용 보행 연습(오른쪽)

**그림 10-9-7** 계단 오르기 연습(왼쪽)과 침상에서 일어나는 연습(오른쪽)

동 처방을 시행할 필요가 있다. 또 재활훈련 종사자는 중복 장애에 대응할 수 있는 능력을 갖는 것이 중요하다.

참·고·문·헌

1. 総務省. 「国勢調査」および「人口推計」, 国立社会保障・人口問題研究所「日本の将来推計人口」（平成24年1月推計）.

2. 上月正博. 心臓リハビリテーション. JJCR. 2011; 16: 31.

3. Williams MA, Maresh CM, Esterbrooks DJ, et al. Early exercise training in patients older than age 65 years compared with that in younger patients after acute myocardia! infarction or coronary artery bypass

grafting. Am J Cardiol. 1985 ; 55: 263-6.

4. Lloyd-Williams F, Mair FS, Leitner M. Exercise training and heart failure: a systematic review of current evidence. Br J Gen Prac. 2002 ; 52: 47-55.

5. Williams MA, Fleg JL, Ades PA, et al. Secondary prevention of coronary heart disease in the elderly （with emphasis on patients≧75 years of age）: an American Heart Association scientific statement from the Council on Clinical Cardiology Subcommittee on Exercise, Cardiac Rehabilitation, and Prevention. Circulation. 2002; 105: 1735-43.

6. 循環器疾病の診断と治療に関するガイドライン（2011年度合同研究班報告）心血管疾患におけるリハビリテーションに関するガイドライン.

7. 澤入豊和, 松永篤彦, 石井 玲, 他. 高齢心疾患患者の入院期心臓リハビリテーションにおけるバランストレーニングの重要性について. 日本理学療法学術大会. 2007: D0829-D0829.

# 11장
# CPX 실례

## 1 정상 I

28세, 남성, 키 168 cm, 체중 62 kg, BMI 22.0.

특기할 과거력이나 생활력은 없음.

CPX 자료(**표 11-1, 그림 11-1**).

### 해석

- 최대 부하 시 R 1.15 이상에 도달하고, Borg 지수가 하지 피로감 17 이상으로 충분한 부하가 되었다고 생각해도 좋다.

**표 11-1** CPX 데이터

|  | 안정시 | AT | RCP | peak |
|---|---|---|---|---|
| 심박수 | 72 | 111 | 167 | 179 |
| $\dot{V}O_2$ (mL/min/kg) |  | 16.4 | 30.2 | 33.9 |
| (%) |  | 92 |  | 105 |
| work rate (watt) |  | 67 | 158 | 178 |
| R | 0.75 |  |  | 1.21 |

| | |
|---|---|
| minimum $\dot{V}E/\dot{V}CO_2$ | 25.8 |
| $\dot{V}E$ vs. $\dot{V}CO_2$ slope | 26.2 |
| peak $\dot{V}O_2$/HR (mL/beat, %) | 11.7 (82%) |
| maximum $P_{ET}CO_2$. (ETCO₂) | 45.0 (6.23) |
| Borg (LF[01*], SOB[02*]) | 19,17 |

역자주* ────────

01  LF (Leg Fatigue)

02  SOB (Shortness of Breath)

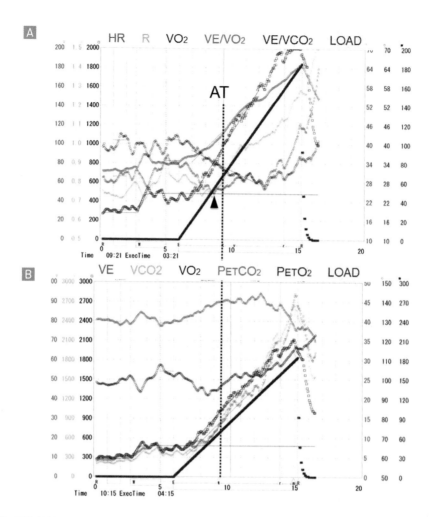

**그림 11-1** **경향 곡선** 보통 $P_{ET}O_2$는 녹색 PETCO2는 분홍색으로 표시되나 이 증례는 반대로 나타낸 점에 주의한다.

- 안정시는 호흡과 심박수 동요가 있다. 안정시 심박수를 제어하는 자율신경으로 부교감신경이 활성화 된 증거이다. 가스 교환비 R는 0.75 정도로 약간 낮다. 이대로 저하되면 일단 중단하여 교정해야 하며, 이 증례는 안정시 마지막에 0.81되어 계속했다.

- 부하 시작에 따라 $\dot{V}E/\dot{V}O_2$와 $\dot{V}E/\dot{V}CO_2$가 평행하게 저하되는 것이 보통이지만, 이 증례는 저하되지 않았다. 이 피검자에서 warming up 0 Watt 부하량은, 환기 효율이 높으므로, 필요 없이 시행 가능한 것을 의미한다.

- AT는 경향 곡선으로 $\dot{V}E/\dot{V}O_2$와 $\dot{V}E/\dot{V}CO_2$의 평형성이 무너져 $\dot{V}E/\dot{V}O_2$가 상승으로 바뀌는 점으로 결정했다(**그림 11-1 A 점선**). 이 점은 R이 상승으로 변하는 점이며, **그림 11-1B**에서 $P_{ET}O_2$가 상승으로 변하는 점이기도 하다. **그림 11-2**의 화살표 점에서 slope가 45도 이상이 된다. 이 피검자의 AT는 92% 로 정상이다.

218

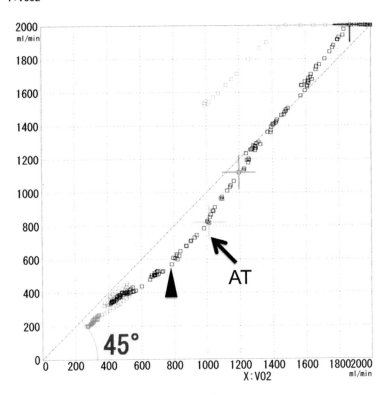

**그림 11-2** V-slope

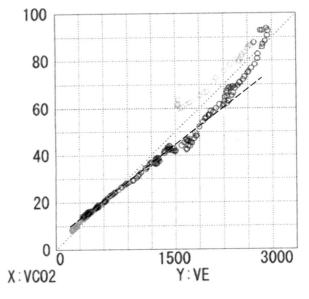

**그림 11-3** V̇E vs. V̇CO₂ slope

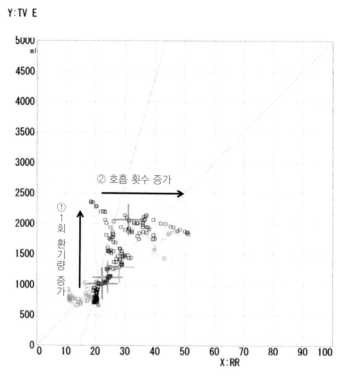

**그림 11-4**  TV/RR 관계

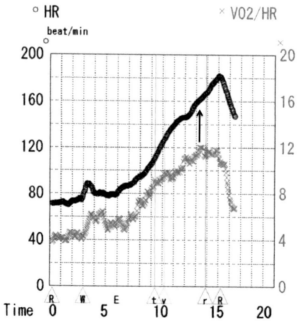

**그림 11-5**  V̇O₂/HR 경향 곡선

- **그림 11-1** A에서 $\dot{V}E/\dot{V}O_2$가 최저치가 되어 상승하기 시작하는 점(검은색 화살표 머리)은 AT가 아니라 pseudo-threshold이다. **그림 11-2**의 V-slope에서 45도 미만의 기울기에서 45도가 되는 점에 해당하며, 이것으로 AT가 아니라고 할 수 있다. 이 현상은 warming up에서 약간 과환기가 되어, 체내 $CO_2$가 감소하여 $\dot{V}E$와 $\dot{V}CO_2$의 시작이 $\dot{V}O_2$보다 늦는 경우에 나타난다. **그림 11-1** B에서 $\dot{V}E$와 $\dot{V}CO_2$의 시작이 $\dot{V}O_2$보다 늦는 것을 볼 수 있다.
- AT 92%, peak $\dot{V}O_2$ 105%에서 운동 수용능은 정상이라고 말할 수 있다. **그림 11-3**은 $\dot{V}E$ vs. $\dot{V}CO_2$ slope이다. 45도 라인보다 얕고, slope가 30 이하 정상 범위에 있는 것을 나타내고 있다.
- **그림 11-4**는 TV/RR slope이다. 환기량 증가는 가벼운 부하 중에 주로 TV의 증가가, 그 다음은 RR의 증가가 담당하는 것이 나타나 있다.
- 이 피검자에서 $\dot{V}O_2/HR$은 peak에 이르기까지 계속 증가하여 마지막 2분 정도의 시점에서 증가가 정지했다(**그림 11-5**). 증가 정지시 심박수는 160/분으로, 운동에 대한 심장 이완능이나 수축능의 추종성(追從性)이 우수한 것으로 생각한다. peak $\dot{V}O_2/HR$은 82%이며, 운동 중 심 펌프기능(SV)은 정상 범위 내라고 생각할 수 있다. 심 박출량을 나타내는 다른 지표인 minimum $\dot{V}E/\dot{V}CO_2$도 25.8, maximum $P_{ET}CO_2$도 45.0으로 정상 범위내이며, 이 점에서도 운동 중 심 기능에 문제가 없다고 생각 된다.
- 이상에서 이 증례는 정상이라고 결론내릴 수 있다.

## 2 정상 2

여성, BMI 20.8, 특기할 과거력이나 생활력 없음.
CPX 자료(**표 11-2, 그림 11-7**).

**표 11-2** CPX 데이터

|  | 안정시 | AT | RCP | peak |
| --- | --- | --- | --- | --- |
| 심박수 | 87 | 148 | 172 | 179 |
| $\dot{V}O_2$ (mL/min/kg) |  | 19.1 | 26.5 | 29.3 |
| (%) |  | 11.9 |  | 111 |
| work rate (watt) |  | 98 | 155 | 175 |
| R | 0.95 |  |  | 1.39 |

minimum $\dot{V}E/\dot{V}CO_2$　　　29.1
$\dot{V}E$ vs. $\dot{V}CO_2$ slope　　　29.2
peak $\dot{V}O_2/HR$ (mL/beat, %)　　9.5 (91%)
maximum $P_{ET}CO_2$. (ETCO2)　　45.5 (6.49)
Borg (LF, SOB)　　　19,19

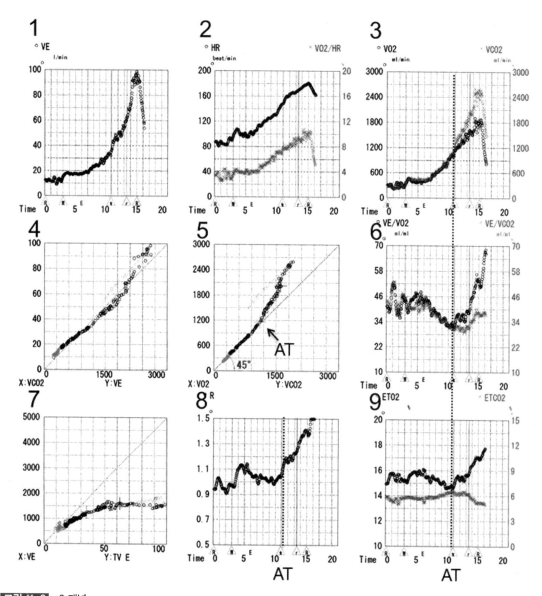

**그림 11-6** 9 패널

해석

- 최대 부하시 R은 1.39, Borg 지수 19/19로 부하 검사에서 최대 부하 시행이 되었다.
- 9 패널(**그림 11-6**)의 패널 5(V-slope)에서 slope 1이 45도에서 멀어지는 시점(화살표)을 AT로 한다. 그 점에 해당하는 시점은 패널 3, 6, 8, 9에서 점선으로 나타난다. 패널 3에서 $\dot{V}CO_2$와 $\dot{V}O_2$의 괴리가 시작하고, 패널 6에서 $\dot{V}E/\dot{V}O_2$가 증가를 시작하며, 패널 8에서 R의 증가 시작, 패널 9에서 $ETO_2$가 증가를 시작하여 어느 방법으로 보아도 AT로서 문제없는 것을 알 수 있다. 여기서 분홍색 선이 RCP이다.

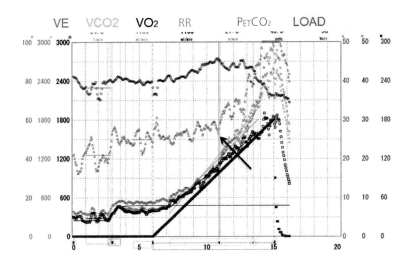

VE  VCO2  **VO₂**  RR  P<sub>ET</sub>CO2  LOAD

**그림 11-7** RR 변동에 의한 호흡수 변동에 의한 P<sub>ET</sub>O₂의 경향 곡선

패널 6에서 $\dot{V}E/\dot{V}CO_2$가 증가를 시작하여, 패널 9에서 $ETCO_2$가 저하하기 시작하고 있다. 이 피검자
는 AT 시 호흡수가 증가하기 시작하고 있다(**그림 11-7 화살표**). 이 피검자에게 '숨차기 시작하는 수준'
이라고 설명하면 그것이 AT이다.

## 3 중증 비만

63세, 남성, 키 166 cm, 체중 116 kg, BMI 42.2.
환자의 과거력: 고혈압, 이상지질혈증, 2형 당뇨병.

**표 11-3** CPX 데이터

| | 안정시 | AT | RCP | peak |
|---|---|---|---|---|
| 심박수 | 95 | 120 | 132 | 134 |
| $\dot{V}O_2$ (mL/min/kg) | | 9.6 | 12.6 | 13.1 |
| (%) | | 62 | | 54 |
| work rate (watt) | | 52 | 83 | 89 |
| R | 0.85 | | | 1.01 |

minimum $\dot{V}E/\dot{V}CO_2$     33.6
$\dot{V}E$ vs. $\dot{V}CO_2$ slope     34.2
peak $\dot{V}O_2$/HR (mL/beat, %)   11.4 (83%)
maximum P<sub>ET</sub>CO₂. (ETCO₂)   44.0 (6.08)
Borg (LF, SOB)     19,14

혈액검사: HbA1c 7.2%, T-cho 104 mg/dL, LDL 48 mg/dL, HDL 34 mg/dL, TG 110 mg/dL.

심 초음파상에 기질적 이상 없음.

E/A 0.78, DT 345 msec, E/E' 7.5, IVST/PWT 12mm/14mm

처방: 니페디핀, 로살탄, 인슐린 리스프로 혼합제 25, 메트포르민, 미글리톨.

CPX 자료(**표 11-3, 그림 11-8**)

**해석**

- 최대 부하시 가스 교환비 1.01로 충분한 부하가 걸리지 않았다. 자각 증상은 Borg 19/14로 가벼운 부하 단계에서 이미 힘들다고 느꼈다.

- 안정시 산소 섭취량은 정상이나, warming up 시에 800 mL/분까지 증가하였다(**그림 11-8**). 에르고미터의 부하는 0 Watt 이지만, 비만한 종아리에 의한 이중 부하가 된 것으로 생각할 수 있었다.

- AT와 peak $\dot{V}O_2$가 각각 62%와 54%로 낮다. 자신의 체중으로 움직이는 운동을 항상 하고 있으므로, 비만한 사람의 실제 $\dot{V}O_2$는 mL/분으로 표현하면 100% 이상이 많으며, 체중이 무거워 그 체중으로 나누어 mL/min/kg로 나타내면 표준치보다 낮은 %가 된다.

- $\dot{V}O_2$보정에 대해, 1980년대에 체중보다 체표 면적이나 키가 낫다거나, 보정을 하면 안 된다는 등의 논란이 있었으나, 간편한 점에서 체중으로 보정하고 있다. 체중이 매우 가벼운 사람이나 무거운 사람의 자료 분석에서는, 보정에 의한 영향을 고려할 필요가 있다. % peak $\dot{V}O_2$가 저하되어 있지만 % peak $\dot{V}O_2$/HR은 80% 이상으로 정상이다. peak $\dot{V}O_2$/HR은 체중으로 보정하지 않으며, 이것으로 진정한 운동 수용능이 거의 정상이라고 추정할 수 있다.

- 운동 중 심 펌프 기능은 % peak $\dot{V}O_2$/HR, maximum $P_{ET}CO_2$ (**그림 11-9**) 어느 쪽으로 평가해도 정상

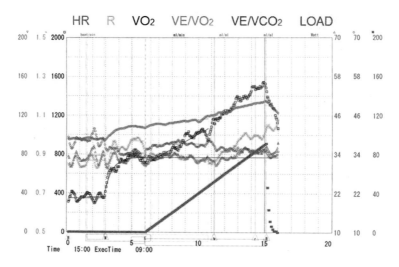

**그림 11-8** 경향 곡선

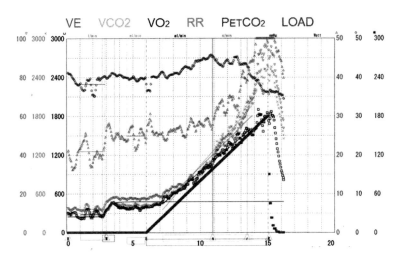

**그림 11-9** $P_{ET}CO_2$의 경향 곡선

이다. 심 초음파에서 E/A<0.78로 저하되고, DT도 연장되어, 이완 장애형에 가까운 패턴이며, 이런 환자에서는 심박수가 110/분이 되면 $\dot{V}O_2$/HR가 안정화되는 경우가 많지만, 이 증례는 HR 134/분까지 계속 증가했다 **(그림 11-10, 패널 2)**. 운동 중 심장 이완능은 양호한 가능성을 생각할 수 있다.

- 이 환자는 호흡곤란을 강하게 호소했으며, 그 원인은 얕고 빠른 호흡 패턴 때문이라고 생각된다**(그림 11-11)**. 비만에 의한 횡격막 위쪽의 압박으로 흉곽 확장이 제한되는 것이 한 원인으로 생각할 수 있다 **(그림 11-12)**. 비만은 폐혈전 색전증 위험 인자의 하나이며, 이것은 노작성 호흡곤란의 원인이 되므로, 이 증례에서도 폐혈전 색전증 유무를 고려할 필요가 있다. CPX에서 폐혈전 색전증이 있으면 % peak $\dot{V}O_2$-minimum $\dot{V}E$/-$VCO_2$ 관계가 위쪽으로 이동하여 **그림 11-13**의 파선으로 둘러싼 부분에 분포하는 것이 많지만, 이 증례는**(그림 11-13 점선 원)**의 위치이며, 폐혈전 색전증의 존재와 그에 따른 호흡곤란 가능성은 적다고 판단할 수 있다.
- 심박 반응도 저하되어 있다**(그림 11-10, 패널 2)**. 비만에 동반한 자율신경 이상이 원인으로 생각된다.

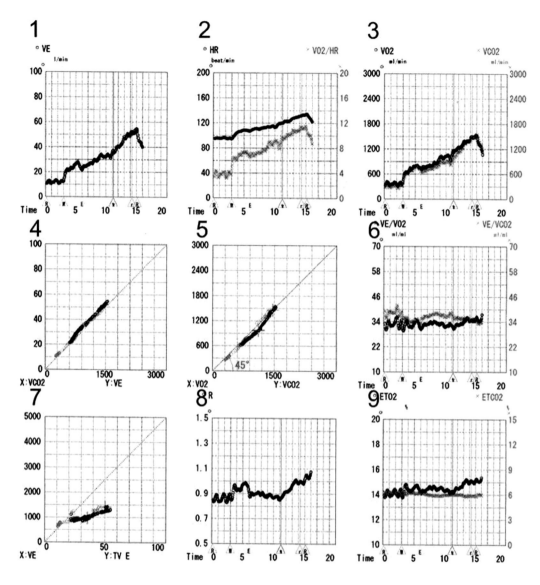

그림 11-10 9 패널

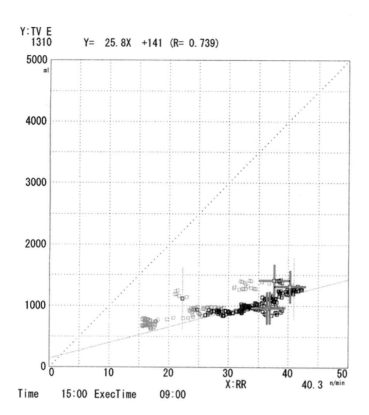

Y= 25.8X +141 (R= 0.739)

Time    15:00  ExecTime    09:00

**그림 11-11**  TV/RR 관계

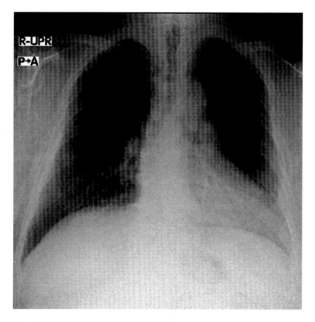

**그림 11-12**  **흉부 방사선 사진**  비만에 의해 횡격막이 올라가 있다.

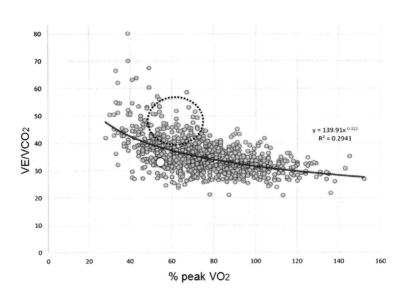

**그림 11-13** % peak V̇O₂-minimum V̇E/V̇CO₂관계

## 4 중증 당뇨병

58세, 남성, 키 172 cm, 체중 77 kg, BMI 26.

환자의 과거력: 2형 당뇨병 20년, HbA1c는 장기간 9% 이상으로 경과. 당뇨병성 신경병증(+), 양측 증식성 망막증, 당뇨병성 신부전 4기, 고혈압, 이상지질혈증, 협심증(좌회선지에 약물 방출성 스텐트 삽입).

혈액검사: HbA1c 8.2%, 무작위 혈당 179 mg/dL, T-cho 167 mg/dL, LDL 87 mg/dL, HDL 52 mg/ dL, TG 172 mg/dL.

심 초음파에서 수축능에는 이상이 없었으나 이완능 장애가 있었다(E/E'15.5).

처방: 텔미살탄, 암로디핀, 피타바스타틴, 인슐린 리스프로, 인슐린 글라진, 메트포르민.

CPX 자료(**표 11-4, 그림 11-14**).

**해석**

- peak R = 11.1로 운동 부하는 충분했다. 운동 수용능은 AT와 peak V̇O₂의 양쪽 지표에서 저하되어 있다(**표 11-4, 그림 11-14**).

- 운동 중 심 기능도 저하되어 있다. % peak V̇O₂가 낮고, P$_{ET}$CO₂도 낮다. V̇O₂/HR은 Ramp 부하 시작 5분 후 증가가 정지되었다(**그림 11-15**). 이 시점의 심박수는 110/분이고, 심전도 상 ST-T 변화는 없었다. 따라서 심근 허혈에 의한 V̇O₂/HR 안정화는 생각하기 어렵고, 이완 장애나 수축 장애 발생으로 생각된다.

- 이 환자는 심박 반응이나 호흡 반응도 비정상이다(**그림 11-14**). 안정시부터 빈맥이었고, 운동 부하

표 11-4  CPX 데이터

|  | 안정시 | AT | RCP | peak |
|---|---|---|---|---|
| 심박수 | 94 | 95 |  | 116 |
| $\dot{V}O_2$ (mL/min/kg) |  | 10.2 |  | 16.1 |
| (%) |  | 66 |  | 66 |
| work rate (watt) |  | 29 |  | 62 |
| R | 0.91 |  |  | 1.11 |

minimum $\dot{V}E/\dot{V}CO_2$       39.6
$\dot{V}E$ vs. $\dot{V}CO_2$ slope       40.8
peak $\dot{V}O_2$/HR (mL/beat, %)   7.0 (50%)
maximum $P_{ET}CO_2$. (ETCO₂)   36.8 (5.23)
Borg (LF, SOB)       17,15

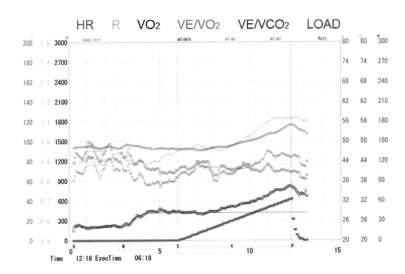

**그림 11-14**  경향 곡선

에 의한 증가가 없었다(chronotropic incompetence). 또 호흡은 얕고 빠른 패턴이다(**그림 11-16**). 모두 당뇨병성 자율신경 장애를 반영하며, 이 환자에서 일반적인 Karvonen 식으로 심박 처방을 계산하면 [(220-58)-94)] × 0.5 + 94=128이 되어 실제 AT 시 심박수 95보다 매우 강한 처방을 작성하는 것이 된다. 심박수변동부전이 있는 환자를 심박수에 의해 운동 처방을 시행하면 과부하가 되므로 주의한다.

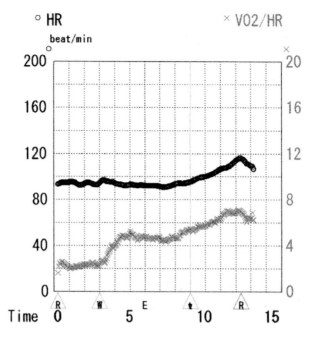

**그림 11-15** V̇O₂/HR 경향 곡선  안정 3분, warming up 3분, 10W Ramp 프로토콜

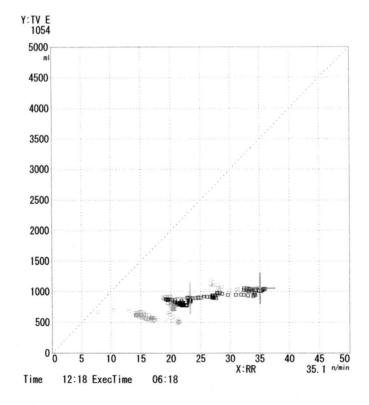

**그림 11-16** TV/RR 관계

70세, 여성, 신장 149 cm, 체중 56 kg, BMI 25.2.

환자의 과거력: 협심증(post PCI: LAd), 고혈압, 2형 당뇨병.

혈액검사: Hb 14.5 g/dL, HbA1c 6.8%, 무작위 혈당 168 mg/dL, T-cho 199 mg/dL, LDL 105 mg/ dL, HDL 69 mg/dL, TG 159 mg/dL.

심 초음파에서 기질적 이상 소견은 없었다.

처방: 아스피린, 암로디핀, 발살탄, 글리메피리드, 메트포르민, 보글리보스, 인슐린 글라진.

CPX 자료(**표 11–5, 그림 11–17**).

**해석**

- 부하 종료시 가스 교환비는 0.86으로 충분한 부하를 걸지 않은 검사였다. 한편 자각 증상은 Borg 지수 19, 13으로 충분하다. 이것은 어떤 이유에 의해 최대 부하를 걸 수 없었던 것을 나타낸다. 그 이유는, 저체력, 심근 허혈출현, 중증 부정맥 출현, 노력 부족 등이다. 의욕 부족이면 검사자가 격려하여 AT까지 시행해야 한다. AT에 발에 열이나서 즉시 중단하는 경우도 많다. 또 자각 증상도 Borg 지수 11 정도가 많다.

- 체력 저하자는 근력 부족으로 AT 보다 peak $\dot{V}O_2$저하 정도가 심하고, AT에 도달하기 전에 하지 피로 증후의 한계가 되는 일이 있다. **그림 11–17**과 같이 이 증례도 AT 전에 하지 피로가 Borg 지수 19에 이르러 부하 종료가 되었다.

- % peak $\dot{V}O_2$/HR이 69%로 낮지만, % peak $\dot{V}O_2$의 50% 보다는 높다. 부하가 충분하지 않고 종료했을 때 % peak $\dot{V}O_2$/HR ≤ % peak $\dot{V}O_2$이면 운동 중 심 기능 이상이라고 판단하나, 이 증례는 반대이므로 심 기능은 정상일 가능성이 높다. ETCO_2는 5.71로 6%에 가까워서 완전히 이상이라고는 말할 수 없다고 추정한다.

**표 11–5** CPX 데이터

| | 안정시 | AT | RCP | peak |
|---|---|---|---|---|
| 심박수 | 81 | | | 118 |
| $\dot{V}O_2$ (mL/min/kg) | | | | 12.0 |
| (%) | | | | 50 |
| work rate (watt) | | | | 44 |
| R | 0.91 | | | 0.86 |

minimum $\dot{V}E/\dot{V}CO_2$    34.7
$\dot{V}E$ vs. $\dot{V}CO_2$ slope    30.6
peak $\dot{V}O_2$/HR (mL/beat, %)    5.7 (69%)
maximum $P_{ET}CO_2$. (ETCO_2)    41 (5.71)
Borg (LF, SOB)    19,13

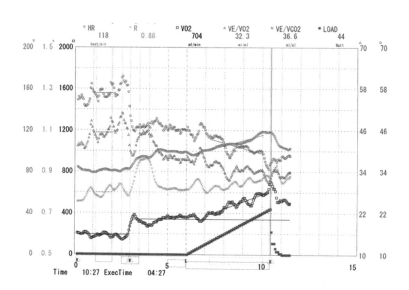

HR    R    VO₂    VE/VO₂    VE/VCO₂    LOAD

**그림 11-17** 경향 곡선

## 6 훈련 된 정상인

45세, 남성, 키 177 cm, 67.8 kg, BMI 21.6.

특기할 과거력 없음.

직업: 중장거리 육상 선수.

심 초음파에서 기질적 이상은 없다.

CPX 자료(**표 11-6, 그림 11-18**).

**표 11-6** CPX 데이터

|  | 안정시 | AT | RCP | peak |
|---|---|---|---|---|
| 심박수 | 77 | 139 | 164 | 176 |
| $\dot{V}O_2$ (mL/min/kg) |  | 36.8 |  | 50.0 |
| (%) |  | 243 |  | 183 |
| work rate (watt) |  | 210 | 280 | 308 |
| R | 0.82 |  |  | 1.22 |

minimum $\dot{V}E/\dot{V}CO_2$      25.4
$\dot{V}E$ vs. $\dot{V}CO_2$ slope      24.6
peak $\dot{V}O_2$/HR (mL/beat, %)      19.3 (118%)
maximum $P_{ET}CO_2$. (ETCO₂)      48.5 (6.87)
Borg (LF, SOB)      15,16

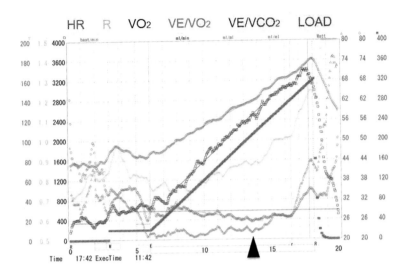

HR  R  VO₂  VE/VO₂  VE/VCO₂  LOAD

**그림 11-18**  경향 곡선

### 해석

- 부하 프로토콜은 20Watt의 warming up과 Ramp 25로 했다.

- 최대 부하시 R에 의해 운동 부하 검사는 충분히 시행되었다. Borg 지수에 의하면, 좀 더 시행 가능했고, 어느 정도 가능성을 생각할 수 있었다.

- 운동 수용능은 굉장히 정상이다. AT는 210 Watt (13분 36초)의 시점이었다(**그림 11-18 화살표 머리, 그림 11-19 패널 5 화살표 머리**). V-slope법에서는 좀 더 후방에서 45도에서 벗어나는 점이 있는 것처럼 보이나(**그림 11-19, 패널 5 화살표**), 9 패널에서 다른 지표를 종합적으로 보아 판단했다(**그림 11-19 패널 3, 6, 9**).

- peak $\dot{V}O_2$/HR은 평균의 118%로 약간 높은 수준이다. 골격근 쪽이 심 펌프 기능보다 트레이닝 효과가 강하게 나오는 것을 시사하고 있다. peak 근처에서 증가가 한계점 도달되어 있다가(**그림 11-19 패널 2**), 최종적으로 100%에 이르는 패턴은 정상이다.

- TV/RR 관계(**그림 11-20**)를 보면, 최대 1회 환기량(TV at plateau)이 증가하여(약 2.8 L) 최대 부하에서 호흡 횟수도 많다(55회/분). 유산소 운동의 트레이닝 효과는 1회 환기량과 호흡수의 양쪽에서 나온다. 이런 증례는 RR threshold (**그림 11-20 화살표**)는 AT(황색 십자)에도 존재하며 RCP[분홍색 십자(화살표)] 보다 명확하다.

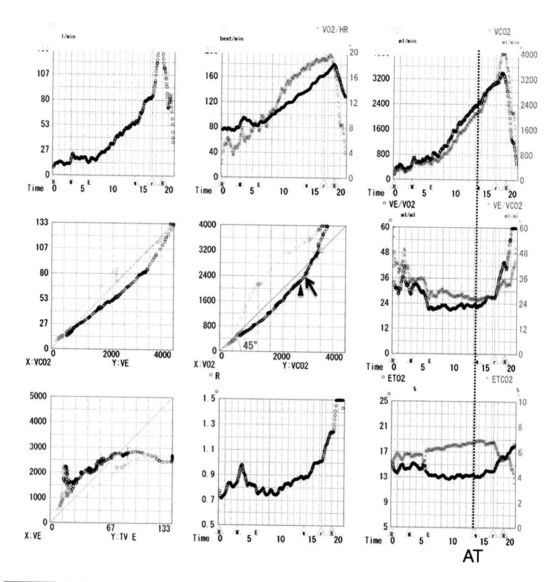

**그림 11-19**  9 패널

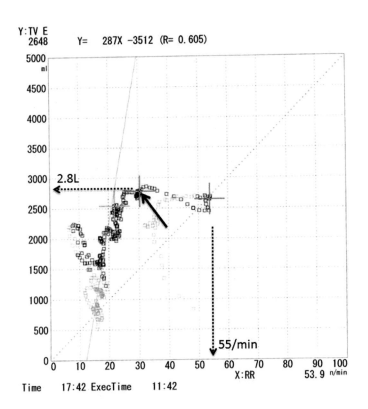

**그림 11-20** TV/RR 관계

## ❓ 협심증(다혈관 미만성 병변, CABG 전·후)

68세, 남성, 키 76 cm, 체중 74 kg, BMI 23.9.

환자의 과거력: 고혈압, 2형 당뇨병, 미세혈관 합병증 있음.

처방: 아스피린, 메트포르민, 빌다그립틴, 글리메피리드, 비소프로롤.

ECG: HR 72/분, 정상 동조율, 정상축, ST-T파에 이상 소견 없음.

심 초음파 소견: EF 60%, Dd 41 mm, Ds 27 mm, IVST 11 mm, PWT 11 mm, LAd 41 mm, AOD 34 mm, E/A 0.79, DT 229 msec, E/E' 8.7, 판막 기능에 이상 없음.

혈액검사: T-Cho 162 mg/dL, LDL-Cho 103 mg/dL, HDL-Cho 38 mg/dL, TG 159 mg/dL, FBS 128 mg/dL, Hb A1c 6.5%, Hb 11.5 mg/dL, BNP 14.4 pg/mL.

CABG전 CAG: 화살표로 나타낸 부분을 중심으로, 세 혈관에 모두 미만성 석회화를 동반한 고도 협착이 있다. 특히 좌전하행지, 제1대각지, 제2대각지, 둔각 번역부지는 고도의 협착 병변이 있다(**그림 11-21**).

CPX 자료[CABG 전(**표 11-7, 그림 11-22A**)].

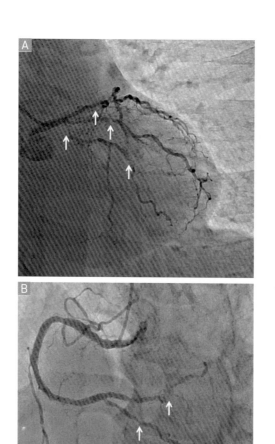

**그림 11-21** CAG. A: 좌관상동맥, B: 우관상동맥

**표 11-7** CPX 데이터

|  | 안정시 | AT | RCP | peak |
|---|---|---|---|---|
| 심박수 | 78 | 97 | 118 | 130 |
| $\dot{V}O_2$ (mL/min/kg) |  | 12.3 |  | 17.2 |
| (%) |  | 79 |  | 73 |
| work rate (watt) |  | 59 | 88 | 102 |
| R | 0.82 |  |  | 1.19 |

minimum $\dot{V}E/\dot{V}CO_2$    40.2
$\dot{V}E$ vs. $\dot{V}CO_2$ slope    41.3
peak $\dot{V}O_2$/HR (mL/beat, %)    9.9 (61%)
maximum $P_{ET}CO_2$. (ETCO$_2$)    37.6 (5.14)
Borg (LF, SOB)    19,19

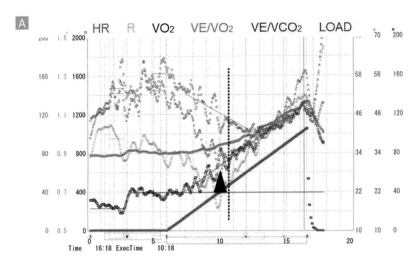

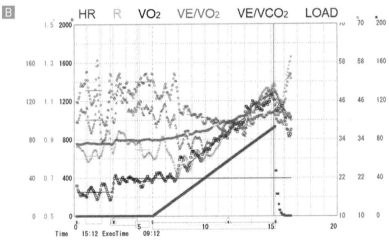

**그림 11-22** 경향 곡선

**그림 11-22** 경향 곡선

**해석**

- CPX중, 부하 시작 6분에 심전도에 허혈 양성(3.5 METs 이후 II, III, aVF, V4-6에서 수평하게 ST가 2.0mm 저하했다. 거의 동시에 $\dot{V}O_2$/HR 증가가 정지하여(**그림 11-23 A**) 허혈에 의한 심 펌프 기능 장애가 인정되었다. 동시에 심박 반응이 증가했으나, SV 증가 장애로 심박수에 의한 보상이 되지 않았다. 그러나 이 증례는 베타-차단제를 사용하고 있었기 때문에 심박수 증가 반응이 충분하지 않았고, 그 결과 허혈 출현 후에 $\dot{V}O_2$의 기울기도 약간 낮아졌다(**그림 11-22 A**). 또한 **그림 11-24** 패널 4를 보면, 허혈 출현 후(화살표 머리), $\dot{V}E$ vs. $\dot{V}CO_2$slope이 급격하게 되어 심 펌프 기능 저하의 영향이라고 볼 수 있다.

- 심박수가 110/분에 가깝게 되면 $\dot{V}O_2$/HR 증가율 감소가 많지만, 이 증례는 90/분 정도에서 완전히 안정화되었다. 일반적으로 이완장애나 수축 장애에 의하는 것으로 생각하나 허혈에 의한 대사 장애를

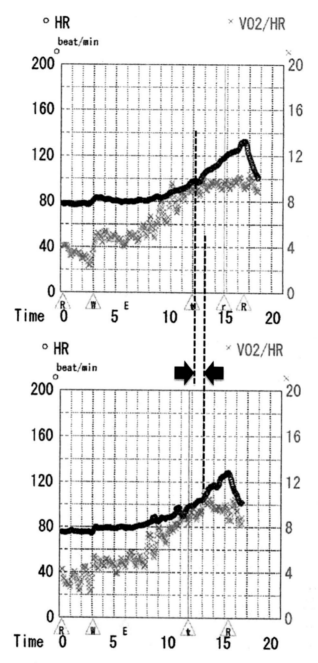

**그림 11-23** V̇O₂/HR 경향 곡선

주된 요인으로 생각할 수 있다.

• 이 증례는 허혈 출현 후, 호흡수도 현저히 증가하고, 호흡곤란도 현저했다. 심근 허혈에 동반하여 흔히 나타나는 현상이며, 흉통이 없어도 이런 현상이 있으면 협심증이라고 생각해야 한다.

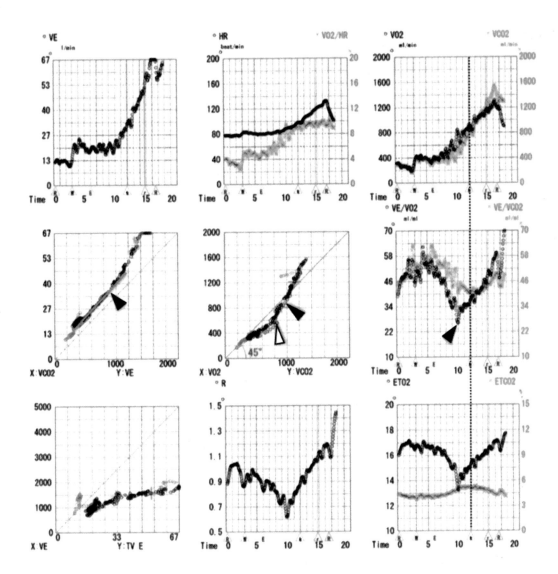

**그림 11-24** 9 패널

- AT로 결정한 59 Watt보다 조금 전 40 Watt 근처에(**그림 11-24 패널 6 화살표 머리**) $\dot{V}E/\dot{V}O_2$의 상승 시작점이 있는 것처럼 보인다. 이 점은 V-slope에서 보면 흰색 화살표 머리의 점이다(**그림 11-24 패널 5**). 그 후 또 하나의 점으로 45도에서 떨어진 점(**그림 11-24 패널 5 검은색 화살표 머리**)이 있는 것을 고려하면, 40 Watt 근처는 contamination이고 59 Watt 쪽이 타당하다고 생각했다. 한편 AT와 peak $\dot{V}O_2$수치를 보면 각각 12.3 mL/min/kg와 17.2 mL/min/kg로, AT는 peak $\dot{V}O_2$의 72%이며, 일반적으로 AT는 peak $\dot{V}O_2$의 50-60%인 것을 생각하면 AT가 너무 높은 감이 있다. 이것은 허혈 출현에 의해 peak $\dot{V}O_2$가 낮아진 것이 원인이라고 생각된다.

표 11-8 CPX 데이터

| | 안정시 | AT | RCP | peak |
|---|---|---|---|---|
| 심박수 | 76 | 98 | | 127 |
| $\dot{V}O_2$ (mL/min/kg) | | 12.2 | | 18.1 |
| (%) | | 78 | | 77 |
| work rate (watt) | | 57 | | 91 |
| R | 0.82 | | | 1.19 |

| | |
|---|---|
| minimum $\dot{V}E/\dot{V}CO_2$ | 37.3 |
| $\dot{V}E$ vs. $\dot{V}CO_2$ slope | 34.5 |
| peak $\dot{V}O_2$/HR (mL/beat, %) | 9.9 (61%) |
| maximum $P_{ET}CO_2$. (ETCO₂) | 40.3 (5.67) |
| Borg (LF, SOB) | 17.17 |

- CPX 자료[CABG 후 4주째 (**표 11-8, 그림 11-22B**)]
- 수술 전에 비해 운동 수능능에 변화는 볼 수 없지만, $\dot{V}O_2$/HR의 평탄화 출현 시기가 운동 부하 시작 7 분, 심박수 105/분 시점으로 이행했다(**그림 11-23 B**). 허혈 개선에 의한 효과라고 생각할 수 있었다. 또 $P_{ET}CO_2$, $\dot{V}E/\dot{V}CO_2$와 $\dot{V}E$ vs. $\dot{V}CO_2$ slope도 개선되어, 허혈에 동반한 심 펌프 기능 저하가 개선되는 것으로 나타났다. CABG 후 4주의 CPX 자료는, **표 11-8, 그림 11-22 B**와 같다.

## 8 협심증(말초 병변)

73세, 남성, 키 153 cm, 체중 59 kg, BMI 25.2.
환자의 과거력: 고혈압, 이상지질혈증.
심 초음파에서 기질적, 기능적 이상 없음.
혈액검사: Hb 13.2 g/dL, WBC 5,870/μL, PLT 18.4만/μL, BUN 20.7, Cr 0.79 mg/dL, AST 19 IU/L, ALT 16 IU/L, T-cho 162 mg/dL, LDL 100 mg/dL, HDL 40 mg/dL, TG 111 mg/dL.
처방: 아스피린, 베자피브레이트, 카베디롤.
CAG(**그림 11-25**): 제1 대각지, 좌회선지 말초에 협착 및 폐색 병변, 측부 혈행로가 있다.
CPX 자료(**표 11-9, 그림 11-26**).

### 해석

- Peak R은 1.06로 증후 한계의 약간 앞에서 종료한 부하 시험이다. 이것은 70 Watt에서 유의한 ST 저하 가 있어 운동을 중단했기 때문이다. 자각 증상은 Borg 지수 15/15로 불충분했으나 흉통은 없었다.
- 운동 수용능은 좋다. % AT에 비해 % peak $\dot{V}O_2$가 약간 낮은 것은 운동 부하 검사를 허혈에 의해 도중 에 중단했기 때문이다. AT는 $\dot{V}E/\dot{V}O_2$가 상승을 시작해 $\dot{V}E/\dot{V}CO_2$와의 평행 관계가 무너지는 13분을

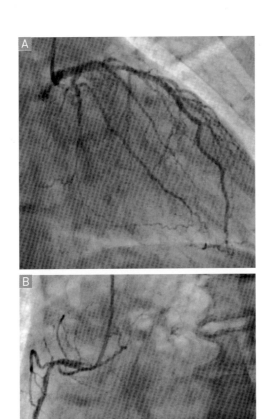

**그림 11-25** CAG

**표 11-9** CPX 데이터

|  | 안정시 | AT | RCP | peak |
|---|---|---|---|---|
| 심박수 | 68 | 115 | 124 | 137 |
| $\dot{V}O_2$ (mL/min/kg) |  | 16.7 |  | 21.5 |
| (%) |  | 106 |  | 95 |
| work rate (watt) |  | 70 |  | 96 |
| R | 0.87 |  |  | 1.06 |

minimum $\dot{V}E/\dot{V}CO_2$     41.2
$\dot{V}E$ vs. $\dot{V}CO_2$ slope     41.0
peak $\dot{V}O_2$/HR (mL/beat, %)     9.4 (87%)
maximum $P_{ET}CO_2$. (ETCO_2)     34.7 (4.87)
Borg (LF, SOB)     17.17

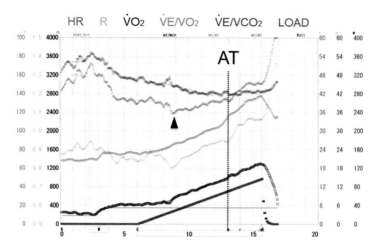

**그림 11-26** 경향 곡선

채택했다(**그림 11-26 점선, 그림 11-27 점선**). 이 시점에서 AT와 peak $\dot{V}O_2$의 비는 0.78이며, 표준 0.6 전후 보다 약간 높다. 따라서 그 직전의 $\dot{V}E/\dot{V}O_2$가 갑자기 상승을 시작하는 점(**그림 11-26 화살표 머리, 11-27 패널 6 화살표 머리**)을 채택하면, AT는 10.6 mL/min/kg가 되어 정상의 64.6%가 된다. R이 1.06으로 최대 부하가 걸리지 않아 % peak $\dot{V}O_2$의 95% 보다 % AT가 낮은 것은 보통 있을 수 없다. 또 **그림 11-27** 패널 3을 봐도 $\dot{V}O_2$와 $\dot{V}CO_2$의 평행 관계가 무너지는 것은 점선 수준이다. 따라서 패널 8을 보면 안정기에서 warming up기에 R이 높아, 과환기가 있었다고 생각한다. 따라서 체내 $CO_2$가 고갈되어 Ramp 부하 초기에, $\dot{V}CO_2$와 $\dot{V}E$가 낮고, $\dot{V}E/\dot{V}O_2$가 아래쪽으로 크게 움직여 pseudo-threshold 를 만든 것으로 생각할 수 있다.

- 이 증례는 심전도에서 유의한 ST 저하가 있었다. 그러나 호기 가스 분석에서는, $\dot{V}O_2$나 $\dot{V}O_2$/HR은 모두 부하량에 따른 증가가 있어(**그림 11-27 패널 2, 3**), 말초 병변에 의한 협심증은 운동 부하에 의한 심전도 변화가 있어도 심 펌프 기능에는 영향이 없는 것을 알 수 있다.

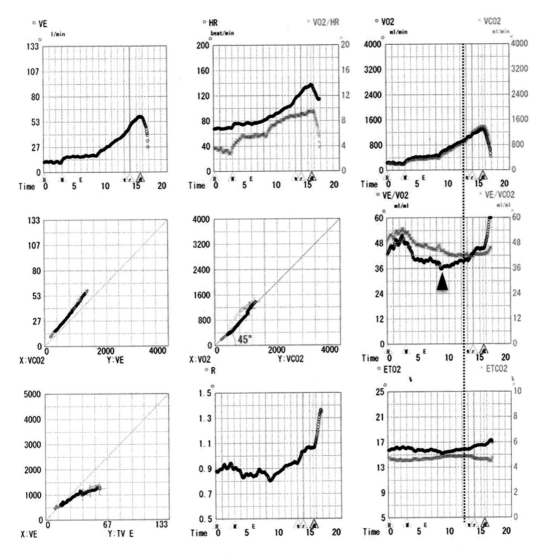

그림 11-27 9 패널

## 9 광범위 심근경색 (peak CPK 9,757 IU/L) 발생 3개월째

62세, 남성, 키 160 cm, 64.6 kg, BMI 25.2.

환자의 과거력: 고혈압.

혈액검사: Hb 13.1 g/dL, WBC 7,230/μL, PLT 16.5만/μL, Cr 1.13 mg/dL, T-BIL 0.6 mg/dL, AST 18 IU/L, ALT 18 IU/L, BUN 22.4 mg/dL, T-cho 138 mg/dL, LDL 80 mg/dL, HDL 29 mg/dL, TG 143 mg/dL, BNP 396 pg/mL.

심 초음파 소견(그림 11-28): 전벽 중격이 광범위하게 얇아져 akinesia 상태. 좌심실 확대가 있다.

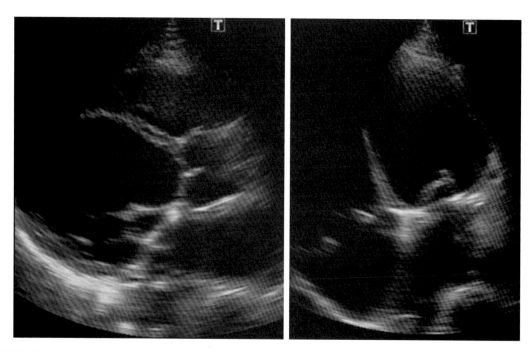

그림 11-28  심 초음파

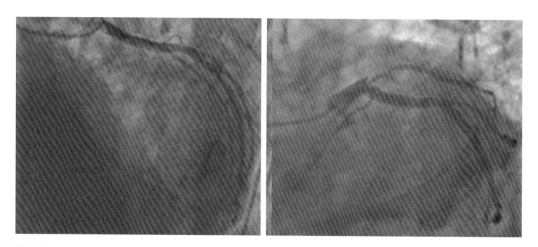

그림 11-29  CAG

EF 13%, Dd 62 mm, Ds 50 mm, IVST 8 mm, PWT 9 mm, E/A 2.32, DT 147 msec, E/E' 13.6, MR moderate, TR moderate.

CAG: 좌전하행지 근위부 폐색 (그림 11-29 왼쪽: LAO cranial, 오른쪽: LAO caudal).

처방: 아스피린, 클로피도그렐, 로살탄, 비소프로롤, 스피로노락톤, 프로세미드.

CPX 자료 (표 11-10, 그림 11-30).

표 11-10 CPX 데이터

| | 안정시 | AT | RCP | peak |
|---|---|---|---|---|
| 심박수 | 94 | 103 | | 142 |
| $\dot{V}O_2$ (mL/min/kg) | | 10.4 | | 14.5 |
| (%) | | 67 | | 59 |
| work rate (watt) | | 34 | | 60 |
| R | 0.81 | | | 1.01 |

minimum $\dot{V}E/\dot{V}CO_2$     46.2
$\dot{V}E$ vs. $\dot{V}CO_2$ slope     44.4
peak $\dot{V}O_2$/HR (mL/beat, %)     6.6 (54%)
maximum $P_{ET}CO_2$. (ETCO$_2$)     30.2 (4.32)
Borg (LF, SOB)     11,14

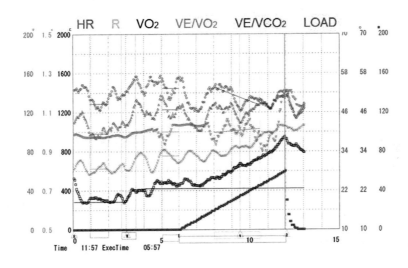

**그림 11-30** 경향 곡선

**해석**

- 최대 부하 시 R은 1.01으로 호기 가스 분석에서 부하가 불충분하고, 자각 증상도 13/15로 아직 계속 시행 가능할 것으로 보이지만, 실제로는 페달의 회전 수를 유지할 수 없어 종료했다. 의욕은 있지만 골격근의 근력 저하로 계속이 불가능했다.

- 운동 수용능은 저하되어 있다. % AT보다 % peak $\dot{V}O_2$가 낮은 것은 하지 골격근 근력 저하가 원인이다. 심 기능 저하가 AT 이후에 나타나서 부하 검사 계속이 어려웠으나 $\Delta\dot{V}O_2/\Delta WR$이 저하되었다(그림 11-30).

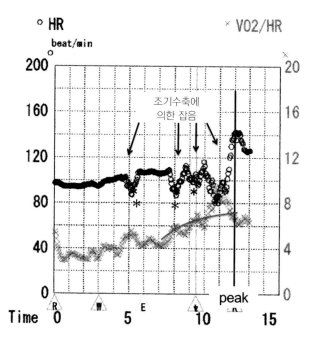

**그림 11-31**  VO₂/HR 경향 곡선

- $\dot{V}O_2$/HR이 최대 부하 직전으로 급격히 저하되었다(**그림 11-31**). 이것은 잡음이다. 심박수와 $\dot{V}O_2$/HR 을 아울러 보면, 심박수가 저하된 부분에서 $\dot{V}O_2$/HR이 증가하고 있다(**그림 11-31 \*부분**). 심전계는 조 기 수축을 카운트하지 않아 이 증례처럼 조기 수축이 많이 발생하면 심박수가 급격히 감소하는 것처 럼 기록될 수 있다(**그림 11-31 화살표**). 이 증례는 10분경부터 조기 수축에 의해 심박수가 저하했다고 기계가 인식하여, $\dot{V}O_2$/HR = $\dot{V}O_2 \div$ HR로 계산했기 때문에 $\dot{V}O_2$/HR이 높게 나와, 언뜻 보기에 부하 10분 후에도 계속 증가하고 있는 것처럼 보인다. 그리고 부하 종료 1분 전에 조기 수축이 감소했기 때 문에, 심박수가 올바르게 기록되어 $\dot{V}O_2$/HR도 올바른 값을 나타내어 일견 급격히 감소하는 것처럼 보 인다. 실제는 적색선처럼 추이하고 있을 것으로 생각된다. 물론 이 증례의 % peak $\dot{V}O_2$/HR은 6.6 mL/ beat (54%)로 심 기능은 저하되어 있다. $P_{ET}CO_2$ (**그림 11-32**)를 보면 부하를 시작하여 거의 증가하지 않아 운동 중 심 박출량이 증가하지 않는 것으로 추측된다.
- 자율신경 기능에 대해, 안정시 심박수가 높고 심박 반응이 나쁜 것에서 교감신경 활성 우위가 추측된 다. 덧붙여 이 증례는 안정시 심박수가 94/분으로 높고, 조기 수축도 있어, 베타-차단제 투여량이 불충 분하다고 생각된다.
- $\dot{V}O_2$도 약간 주기성 호흡 경향이다. 순환 시간의 지연, 화학 수용체 감수성 항진, 과환기 등이 있는 것 으로 생각된다. 베타-차단제 사용량의 적정화와 심장 재활치료에 의한 골격근 기능이 개선될 것으로 생각한다.

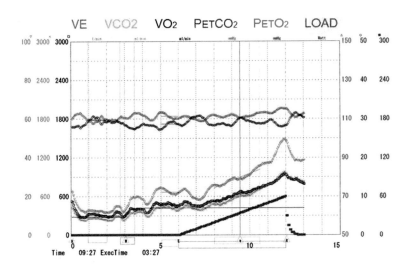

VE  VCO2  VO2  PETCO2  PETO2  LOAD

Time  09:27  ExecTime  03:27

**그림 11-32**  PETCO₂ 경향 곡선

## 10 확장성 심근병증

42세, 남성, 키 174 cm, 체중 70.8 kg, BMI 23.4.

환자의 과거력: 이상지질혈증, 발작성 심방세동(ablation 시행)

혈액검사: Hb 15.1 g/dL, WBC 7,100/μL, PLT 20.2만/μL, Cr1.20 mg/dL, BUN 19.9 mg/dL, T-BIL 0.9 mg/dL, AST 20 IU/L, ALT 29 IU/L, T-cho 130 mg/dL, LDL 72 mg/dL, HDL 33 mg/dL, TG 150 mg/dL, BNP 1438 pg/mL.

심초음파 소견: EF 17%, Dd 68 mm, Ds 64 mm, IVST 8 mm, PWT 9 mm, LAd 54 mm, MR trivial, TR moderate (**그림 11-33**).

처방: 카베디롤 5 mg, 칸데살탄 4 mg, 스피로노락톤 25 mg, 아미오다론 100 mg, 프로세미드 20 mg, 디곡신 0.125 mg, 와파린 2mg.

흉부방사선(**그림 11-34**): 현저한 심비대가 있다. 폐 울혈은 심하지는 않다.

CPX 자료(**표 11-11, 그림 11-35**).

### 해석

- 최대 부하 시 R을 보면 부하 검사는 비교적 충분히 시행되었다. 호흡곤란에 의한 증후 한계로 검사를 종료했다.
- 운동 수용능은 매우 저하되어 있다. AT는 V-slope(**그림 11-36 패널 5**)에서 Ramp 부하 시작시부터 이미 45도 이상이 되어 있으며, $\dot{V}E/\dot{V}O_2$도 Ramp 부하 검사가 시작될 때 이미 상승을 시작하고 있다.

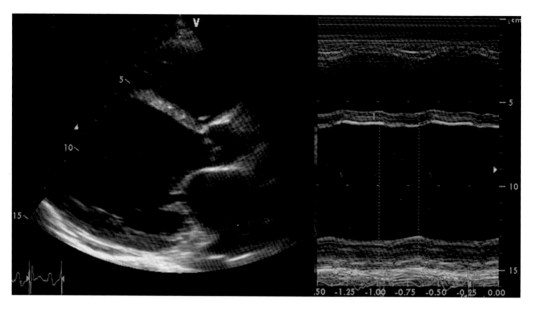

**그림 11-33** 심 초음파

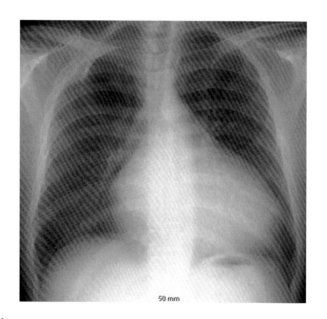

**그림 11-34** 흉부 방사선

warming up 3분에 V̇O₂는 평탄화하고 있어(**그림 11-36 패널 3**), warming up 중에 AT에 도달했다고는 생각할 수 없다.

- 운동 중 심 기능은 나쁘다. 베타-차단제와 아미오다론을 투여하고 있으며, 심박수변동부전에 의해 최

표 11-11  CPX 데이터

|  | 안정시 | AT | RCP | peak |
|---|---|---|---|---|
| 심박수 | 89 | 94 | 94 | 105 |
| $\dot{V}O_2$ (mL/min/kg) |  | 6.3 |  | 12.8 |
| (%) |  | 39 |  | 46 |
| work rate (watt) |  | 1 |  | 52 |
| R | 1.0 |  |  | 1.12 |

minimum $\dot{V}E/\dot{V}CO_2$      39.9
$\dot{V}E$ vs. $\dot{V}CO_2$ slope      51.0
peak $\dot{V}O_2$/HR (mL/beat, %)   8.7 (55%)
maximum $P_{ET}CO_2$. (ETCO2)   35.0 (4.65)
Borg (LF, SOB)          13.15

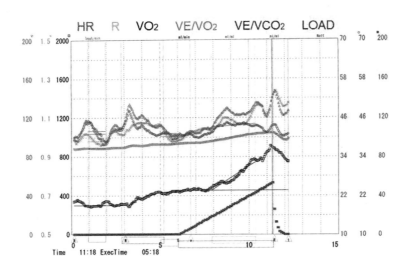

그림 11-35   경향 곡선

고 심박수가 낮아도 peak $\dot{V}O_2$/HR가 55%에 불과하다. $P_{ET}CO_2$에서 심 박출량 저하가 나타나고 있다 (그림 11-36 패널 9).

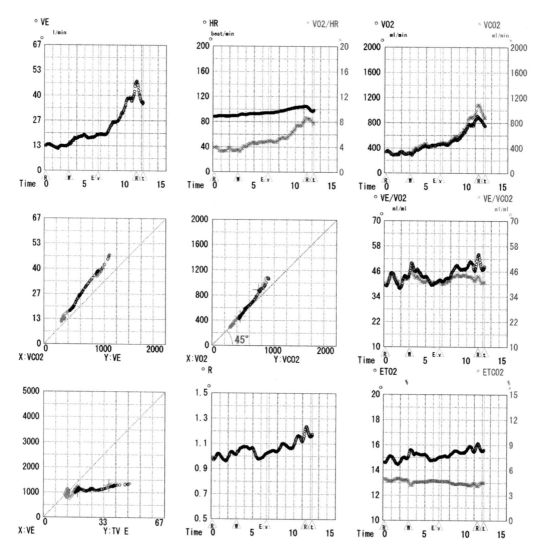

**그림 11-36** 9 패널

## 11 대동맥 판막 폐쇄 부전증

57세, 남성, 176 cm, 체중 60.6 kg, BMI 19.6.

자각 증상 없음.

과거력: 선천성 대동맥 이첨판.

심 초음파 소견: EF 65%, Dd 70 mm, Ds 45 mm, IVST 12 mm, PWT 12 mm, LAd 34 mm, E/A 1.41, DT 283 msec, severe AR (**그림 11-37**).

혈액검사: Hb14.2 g/dL, WBC 6,080/μL, PLT 16.1만/μL, Cr 1.00 mg/dL, AST 20 IU/L, ALT 151 U/L, BUN

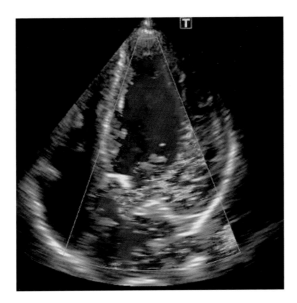

**그림 11-37** **심 초음파** 대동맥에서 좌심실로 역류가 있다.

**표 11-12** CPX 데이터

| | 안정시 | AT | RCP | peak |
|---|---|---|---|---|
| 심박수 | 67 | 91 | 158 | 165 |
| $\dot{V}O_2$ (mL/min/kg) | | 14.1 | | 25.8 |
| (%) | | 87 | | 102 |
| work rate (watt) | | 54 | | 125 |
| R | 0.87 | | | 1.31 |

minimum $\dot{V}E/\dot{V}CO_2$ 32.4
$\dot{V}E$ vs. $\dot{V}CO_2$ slope 32.5
peak $\dot{V}O_2$/HR (mL/beat, %) 9.4 (59%)
maximum $P_{ET}CO_2$. (ETCO_2) 42.4 (5.52)
Borg (LF, SOB) 17.15

16.3 mg/dL, BNP 6.78 pg/mL.

처방: (-)

CPX 자료(표 11-12, 그림 11-38).

**해석**

- peak R에 의해 운동 부하 검사는 충분히 시행되었다고 생각할 수 있다.
- 운동 수용능은 거의 정상이다. peak R, % peak $\dot{V}O_2$에서 노력하는 사람으로 생각된다. 운동 중에는 심박수가 증가하여 심 주기가 단축되었으며, 이것은 주로 이완기 단축에 의한다. 따라서 AR은 운동 중

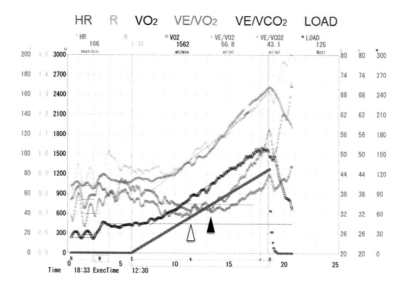

**그림 11-38** 경향 곡선

악화되지 않을 것이다.

- 이 증례예는 중증 AR이지만, 일상생활에 자각 증상은 없다. 좌심실 확대에 의해 심 박출량이 보상 되어 운동 수용능이 유지되어, 운동 중에 AR 증세가 악화되지 않는 이유로 생각할 수 있다.

- $\dot{V}O_2$ 증가 패턴이나 peak $\dot{V}O_2$는 정상이나(**그림 11-38**), 11.5분 후에 $\dot{V}O_2$/HR 증가 정지와 동시에 HR 이 증가했다(**그림 11-39 화살표 머리**). $ETCO_2$도 최대치가 5.52%로 낮아 운동 중 심 박출량이 완전히 정상은 아닌 것을 알 수 있다(**그림 11-40**). 심장이 기질적 한계까지 보상하고 있어, 운동 중 SV 증가 예비능이 적을 가능성이 있어, 수술 적응 시기를 판단하는 근거의 하나가 될 것으로 생각한다.

- 덧붙여 이 증례의 V-slope는 slope가 45도에서 멀어지는 점이 2곳이다(**그림 11-41 청색 십자와 황색 십자**). $\dot{V}O_2$가 1,045 mL/분의 점은(**그림 11-41 황색 십자**)이 최종적으로 45도에서 벗어난 점이며, 운동에 관여하는 골격근 전체가 AT가 된 시점의 가능성이 있다. 그러나 $\dot{V}E$/$\dot{V}O_2$의 경향 곡선을 보면 이 시점(73 Watt)에서 이미 R이 1 이상으로 되어 있다(**그림 11-38 검은색 화살표 머리**). 따라서 그 전의 54Watt 시점(**그림 11-38 흰색 화살표 머리**)을 AT라고 생각했다. 이 증례도 warming up에 과환기가 있어 흰색 화살표는 pseudo-threshold일 가능성을 부정할 수 없다.

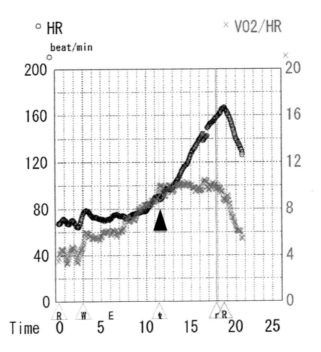

**그림 11-39** $\dot{V}O_2$/HR 경향 곡선

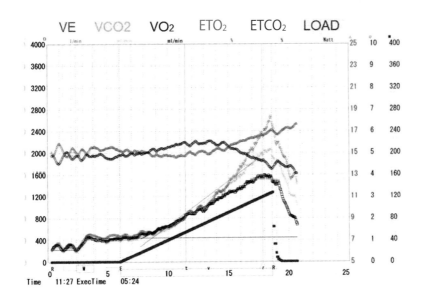

**그림 11-40** $ETCO_2$ 경향 곡선

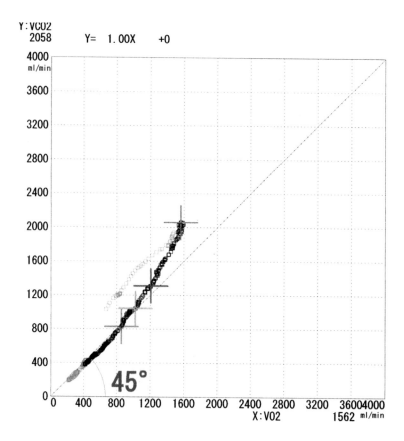

Y : VCO2
2058    Y= 1.00X    +0

그림 11-41 V–slope  청색 십자에서 1차 45도 이상의 경사가 있으나 다시 45도 이하가 되고, 황색 십자에서 45도 이상이 되었다. 분홍색 십자가 RCP.

## 12 승모판 폐쇄부전증

62세, 여성, 키 167 cm, 체중 74 kg, BMI 26.5.

환자의 과거력: 고혈압, 이상지질혈증, 발작성 심방세동.

혈액검사: Hb 12.9 g/dL, WBC 4,110/μL, PLT 21만/μL, BUN 13.5 mg/dL, Cr 0.72 mg/dL, AST 23 IU/L, ALT 25 IU/L, T-cho 162 mg/dL, LDL 100 mg/dL, LDL 38 mg/dL, TG 109 mg/dL, BNP 98 pg/dL.

심 초음파 소견: EF 67%, Dd 58 mm, Ds 36 mm, IVST 11 mm, PWT 10 mm, LAd 47 mm, E/A 1.44, DT 174 msec, E/E′ 10.2, moderate-severe MR due to MV prolapse.

처방: 올메살탄 20 mg, 로슈바스타틴 5 mg, 아픽사반 10 mg.

CPX 자료(표 11–13, 그림 11–42).

표 11-13  CPX 데이터

|  | 안정시 | AT | RCP | peak |
|---|---|---|---|---|
| 심박수 | 76 | 119 | 143 | 151 |
| $\dot{V}O_2$ (mL/min/kg) |  | 11.6 |  | 14.6 |
| (%) |  | 73 |  | 61 |
| work rate (watt) |  | 54 |  | 84 |
| R | 0.80 |  |  | 1.08 |

minimum $\dot{V}E/\dot{V}CO_2$     31.1
$\dot{V}E$ vs. $\dot{V}CO_2$ slope     21.7
peak $\dot{V}O_2$/HR (mL/beat, %)     7.2 (68%)
maximum $P_{ET}CO_2$. (ETCO₂)     44.5 (6.14)
Borg (LF, SOB)     17,17

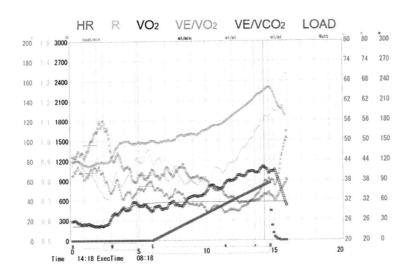

그림 11-42  경향 곡선

**해석**

- 운동 부하 검사는 거의 최대 부하까지 시행되었다.

- 이 증례는 일상생활에 무증상이지만, CPX에서 운동 수용능 저하가 있다. 승모판 탈출에 의한 판막증으로 서서히 체력이 저하되어 자각 증상을 느끼지 못했다고 생각된다.

- 운동 중 SV는 저하되었다. **그림 11-42**처럼 $\Delta\dot{V}O_2/\Delta WR$이 Ramp 부하중 peak에서 일정하나 HR은 11분 근처부터 급격하게 되어 있다. 이것은 이 시점에서 SV가 한계점에 도달한 것을 시사한다. $\dot{V}O_2$/HR도 11분부터 안정화되어 SV 증가가 이 시점에서 정지한 것을 생각하게 한다(**그림 11-43**).

- % peak $\dot{V}O_2$/HR이 68%이며, 최대 부하 시 SV가 표준치보다 작다. 그러나 **그림 11-44**에서 보듯이 peak $P_{ET}CO_2$가 42.4에 이르러 심박출양은 거의 정상이라고 생각할 수 있다. SV 증가가 정지한 시점

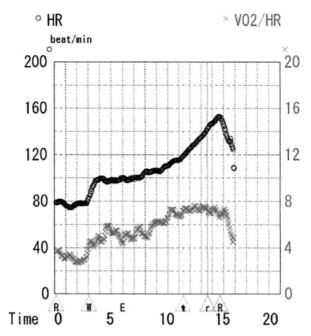

**그림 11-43** $\dot{V}O_2/HR$ 경향 곡선

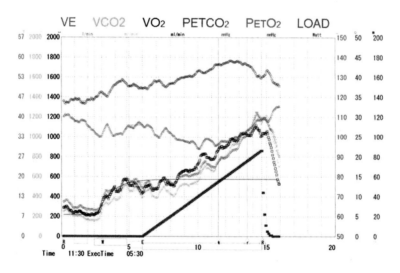

**그림 11-44** PetCO₂ 경향 곡선   보통 PETCO₂와 PETO₂는 반대가 된다.

의 심박수는 110/분이며, 이 심박수는 이완 장애나 수축 장애의 영향을 받기 시작하는 심박수이다. 그러나 이 증례는 운동 중 MR이 악화될 가능성을 생각할 수 있다.

# 13 승모판 협착증

67세, 여성, 키 153 cm, 체중 51.4 kg, BMI 22.0.

환자의 과거력: 심방세동.

혈액검사: Hb 14.0 g/dL, WBC 5.240/μL, PLT 20.1만/μL, BUN 15.2 mg/dL, Cr 0.89 mg/dL, AST 18 IU/L, ALT 14 IU/L, BNP 98 pg/dL.

심 초음파 소견: EF 71%, Dd 45 mm, Ds 27 mm, IVST 10 mm, PWT10 mm, LAd 54 mm, MVA 1.4 cm².

처방: 와파린.

CPX 자료(**표 11-14, 그림 11-45**).

**표 11-14** CPX 데이터

|  | 안정시 | AT | RCP | peak |
|---|---|---|---|---|
| 심박수 | 104 | 107 | 146 | 182 |
| $\dot{V}O_2$ (mL/min/kg) |  | 10.4 |  | 14.6 |
| (%) |  | 66 |  | 60 |
| work rate (watt) |  | 45 |  | 60 |
| R | 0.90 |  |  | 1.06 |

minimum $\dot{V}E/\dot{V}CO_2$      24.4
$\dot{V}E$ vs. $\dot{V}CO_2$ slope      29.9
peak $\dot{V}O_2$/HR (mL/beat, %)      4.1 (47%)
maximum $P_{ET}CO_2$. (ETCO₂)      42.8 (5.89)
Borg (LF, SOB)      13,13

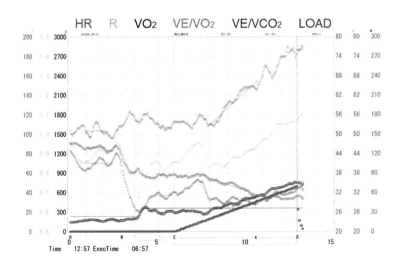

**그림 11-45** 경향 곡선

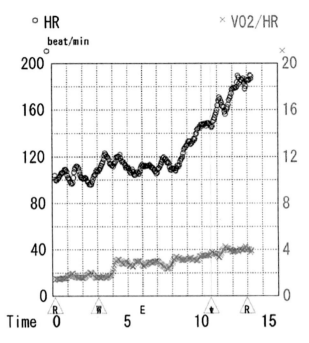

○ HR            × VO2/HR

**그림 11-46**   V̇O₂/HR 경향 곡선

### 해 석

- 운동부하 검사는 거의 최대 부하까지 시행되었다.

- 운동 수용능은 저하되어 있다. 운동 중 SV도 저하되었고, Ramp 부하 중 증가 반응도 약하다(**그림 11-46**). Ramp 부하 중 심박 반응 과잉으로, 67세의 예측 최고 심박수 220-67=153보다 빠른 182/분에 이르러, V̇O₂(=CO)에 대해 거의 직선적으로 증가했다(**그림 11-47**). 심방세동에서 이런 일이 가끔 일어난다. SV 증가 부족을 심박수로 보상한 결과, peak $P_{ET}CO_2$는 거의 정상치가 되어(**그림 11-48**), CO가 유지되는 것으로 생각되었다. 그럼에도 불구하고 운동 수용능이 낮은 것은 일상 운동 부족에 의한 골격근 기능 저하에 원인 가능성이 있었다. 거의 정상이지만 약간의 CO 저하도 최대 부하에 영향을 준 것으로 생각된다. 따라서 peak 근처에서 CO 부족으로 % AT > % peak V̇O₂가 될 가능성을 생각할 수 있다.

- 이 증례의 MVA는 1.4 cm²이다. 승모판구 통과 혈류는 고작 2 m/초이다. 심박수 100/분, QRS 폭이 400 msec에서 확장 시간은 200 msec가 된다. 이 200 msec 사이에 1.4 cm² (140 mm²)의 판막구를 2 m/초(2, 000 mm/초)에 혈액이 통과했을 때 혈액량(SV)은 56 mL이다. 그리고 운동 중에 QT 시간이 단축되고, 승모판구 통과 속도가 증가해도, 이완 시간 단축도 현저하여 승모판구 면적이 확대되지 않는 한 SV 증가를 기대할 수 없다. 따라서 심박수 증가에 의한 CO 확보 필요성이 나온다. 이 증례는 심박수가 180/분이 되어 $P_{ET}CO_2$가 42.8이 되었다. 67세 연령에서 예측 최고 심박수는 153/분이지만, 실제로 180/분이 되었기 때문에 MS는 중등증-중증이라고 생각할 수 있다. 그런데도 maximum $P_{ET}CO_2$가

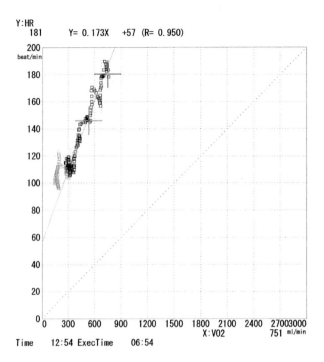

**그림 11-47** $\dot{V}O_2$/HR 관계

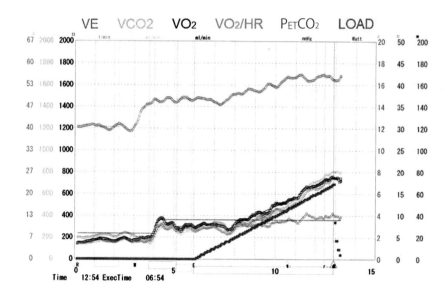

**그림 11-48** $P_{ET}CO_2$ 경향 곡선

45도에 도달하지 못했기 때문에 중등증-중증이라고 생각한다. 그러나 이 점에 대한 실제 수치 기준이 아직 없어, 향후 자료 축적이 필요하다.

## 14  심방 중격 결손증

56세, 여성, 키 164 cm, 체중 61.2 kg, BMI 22.8.

환자의 과거력: 특기 사항 없음.

심 초음파 소견: 심박중격 이차공에 19 mm의 결손이 있으며, Qp/Qs 1.80, 우심계 확대, TR (-), PAH (-), 좌심실은 우심실에 눌려 약간 편평화되어 있으나 수축은 양호하게 유지되고 있다.

우심실 카테터 검사: Qp/Qs 1.97, L-R shunt 51.9%, R-L shunt CO 2.43(Fick 법).

혈액검사: Hb 14.0 g/dL, WBC 5,240/μL, PLT 20.1만/μL, BUN 15.2 mg/dL, Cr 0.89 mg/dL, AST 18 IU/L, ALT 14 IU/L, PT-INR 2.05, BNP 251 pg/dL.

처방:(-).

CPX 자료(표 11-15, 그림 11-49).

### 해석

- 운동 부하 검사에서 거의 충분한 최대 부하가 되었다.
- 운동 수용능은 저하되어 있다. Ramp 부하 중 $\dot{V}O_2$는 순조롭게 증가했다. 10분경부터 심박 반응이 급격하게 되어, SV 증가 불량이 생기기 시작한 것을 시사한다. 최대 부하 근처의 $\dot{V}O_2$평정화로 보이는 동요는 $\dot{V}E$ 증가가 정지하여 마스크에서 공기 누출이 원인이라고 생각할 수 있다(그림 11-50 파란 선). $SpO_2$가 93%로 저하하여 운동을 중단했다. RCP에 도달하지 못했다.

**표 11-15**  CPX 데이터

| | 안정시 | AT | RCP | peak |
|---|---|---|---|---|
| 심박수 | 71 | 91 | | 151 |
| $\dot{V}O_2$ (mL/min/kg) | | 10.0 | | 18.2 |
| (%) | | 63 | | 76 |
| work rate (watt) | | 45 | | 92 |
| R | 0.85 | | | 1.09 |
| $SpO_2$ (%) | 97 | 97 | | 93 |

| | |
|---|---|
| minimum $\dot{V}E/\dot{V}CO_2$ | 31.9 |
| $\dot{V}E$ vs. $\dot{V}CO_2$ slope | 28.8 |
| peak $\dot{V}O_2$/HR (mL/beat, %) | 7.4 (73%) |
| maximum $P_{ET}CO_2$. (ETCO$_2$) | 42.0 (5.69) |
| Borg (LF, SOB) | 15,13 |

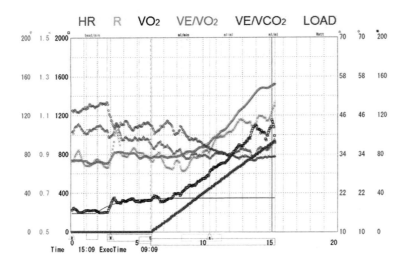

**그림 11-49** 경향 곡선

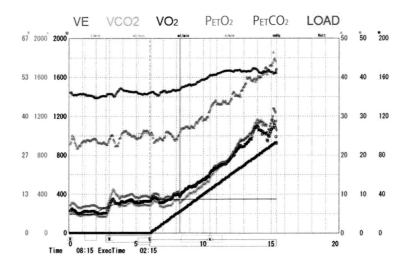

**그림 11-50** P$_{ET}$CO$_2$ 경향 곡선

- 최대 운동시 SV는 낮았다. 검사 시작 10분에 V̇O$_2$/HR 증가가 정지했다(**그림 11-51**). 한편 maximum P$_{ET}$CO$_2$는 42.0으로, CO가 약간 저하되었다고 판단할 수 있다. 심박수에 의한 보상이 양호하기 때문이라고 생각할 수 있다.

- 맥박산소측정기(pulse oxymetry)서 안정시 SpO$_2$ 98%가 부하 종료시 93%로 저하되어, 폐동맥압 상승에 의한 폐혈류량 저하와 우심계압 상승으로 우좌단락이 증가할 가능성이 있었다. 그러나 P$_{ET}$CO$_2$의 급격한 증가 현상은 없어 과환기의 영향으로 V̇E/V̇CO$_2$가 저하하기 시작하는 RCP까지는 우좌단락 증가가 없었던 것으로 생각된다. SpO$_2$가 93%로 저하한 것도 RCP 이후와 모순되지 않는다.

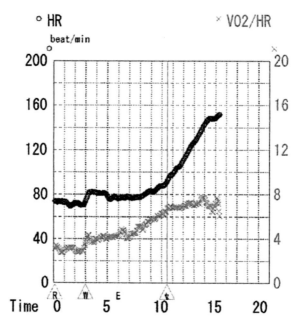

○ HR　　　　　　　× VO2/HR

그림 11-51　$\dot{V}O_2$/HR 경향 곡선

- 이 증례는 % AT와 % peak $\dot{V}O_2$저하도에 비해 $\dot{V}E/\dot{V}CO_2$는 유지되고 있다. 좌우단락에 의해 폐혈류량이 증가하고, 이것이 $\dot{V}/\dot{Q}$ mismatch를 개선시켜 $\dot{V}E/\dot{V}CO_2$를 유지한 것으로 생각된다.

## 15 폐기종

74세, 남성, 키 163 cm, 체중 66.8 kg, BMI 25.1.

환자의 과거력: 협심증(좌회선지 말초 병변), 고혈압, 이상지질혈증, 흡연력 20개피 × 50년.

PFT: % VC 97%, FEV1.0%, (G) 60%, IC 2.62, MVV 72 L/분.

심 초음파 소견: 기질적 이상 없음.

처방: 아스피린 100 mg, 텔미살탄 20 mg, 암로디핀 2.5 mg.

흉부 방사선: 폐야의 투과성 약간 항진, 폐야 말초 혈관 영상 협소화, 물방울 모양 심장.

CPX 자료(표 11-16, 그림 11-52).

### 해석

- 운동 수용능은 경도 저하되어 있다. $\dot{V}O_2$는 14분경부터 안정화되었다(그림 11-52 A). 이것은 $\dot{V}E$ 증가가 없기 때문이다(그림 11-52 B 검은색선). 이 증례의 peak $\dot{V}E$는 58.3 L/분으로, MVV는 72 L이므로 14분의 시점(그림 11-52 점선)에서 호흡 예비능이 81.0%가 되어, 그 이상 $\dot{V}E$를 증가시킬 수 없다고

표 11-16  CPX 데이터

|  | 안정시 | AT | RCP | peak |
|---|---|---|---|---|
| 심박수 | 75 | 85 | 116 | 140 |
| $\dot{V}O_2$ (mL/min/kg) |  | 11.6 |  | 16.6 |
| (%) |  | 73 |  | 74 |
| work rate (watt) |  | 50 |  | 97 |
| R | 0.83 |  |  | 1.11 |
| SpO₂ (%) | 96 | 96 | 95 | 93 |

minimum $\dot{V}E/\dot{V}CO_2$          39.3
$\dot{V}E$ vs. $\dot{V}CO_2$ slope          39.2
peak $\dot{V}O_2$/HR (mL/beat, %)     7.9 (61%)
maximum $P_{ET}CO_2$. (ETCO₂)     35.0 (4.84)
Borg (LF, SOB)          17,19

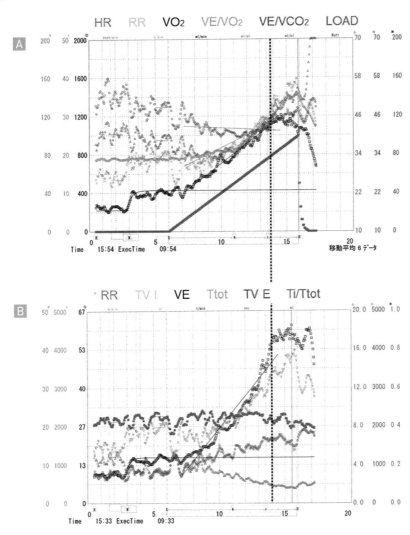

그림 11-52  경향 곡선

생각할 수 있다. Ti/Ttot (그림 11–52 B 붉은 선)를 보면, 부하중 0.45를 유지하고 있었지만, 13분을 지나며 저하되기 시작해 부하 종료 전에 급격히 저하했다. air trapping이 생긴 것을 시사한다. 이 air trapping으로 $\dot{V}E$이 증가할 수 없게 된 것이라고 생각된다.

- minimum $\dot{V}E/\dot{V}CO_2$ 39.3와 % peak $\dot{V}O_2$ 74%를 **그림 11–13**에 그리면 평균 곡선보다 위쪽에 플롯된다. 이것은 폐포 저환기에 의해 생리적 사강량/1회 환기량 (VD/VT)의 증가로 $\dot{V}/\dot{Q}$ mismatch 증가가 원인으로 생각된다. 또 폐포압이 모세혈관압 이상이 되어도 $\dot{V}/\dot{Q}$ mismatch를 증가시키는 원인이 된다.


## 16 ▶ LVAS 삽입 수술후

41세, 남성, 키 171 cm, 체중 50.8 kg, BMI 17.4.

환자의 과거력: 특기 사항 없음.

LVAS 삽입 전(IABP 장착 중).

심 초음파 소견: EF 20%, Dd 75 mm, Ds 68 mm, IVST 7 mm, PWT 8 mm, LAd 48 mm, MR moderate-severe, TR mild.

혈액검사: Hb 10.7 g/dL, WBC 9,160/μL, PLT 28.3만/μL, Cr 1.23 mg/dL, BUN 18.0 mg/dL, T-BIL 0.9 mg/dL, AST 169 IU/L, ALT 82 IU/L, BNP 941 pg/mL.

처방: 카베디롤 2.5 mg, 로살탄 25 mg, 스피로노락톤 25 mg, 프로세미드 20 mg, tolvaptan 3.75mg.


LVAS 삽입 1개월 후

심초음파 소견: EF 29%, Dd 45 mm, Ds 39 mm, IVST 8 mm, PWT 11 mm, LAd 30 mm, MR (-), TR mild.

혈액검사: Hb 12.0 g/dL, WBC 11,800/μL, PLT 30.6만/μL, Cr 0.92 mg/dL BUN 14.2 mg/dL, T-BIL 0.7 mg/dL, AST 20 IU/L, ALT 11 IU/L, BNP 221 pg/mL.

처방: 메인테이트 10 mg, 스피로노락톤 25 mg, 프로세미드 20 mg, 아스피린 100 mg, 와파린 4.0mg.

흉부 방사선 (**그림 11–53**): 울혈(-).

CPX 자료(**표 11–17**).


LVAS 삽입 1년 후

TTE: EF 58%, Dd 40 mm, Ds 58 mm, IVST 9 mm, PWT 9 mm, LAd 31 mm, MR (-), TR (-).

혈액검사: Hb 14.0 g/dL, WBC 8,890/μL, PLT 27.0만/μL, Cr 1.33 mg/dL, BUN 12.9 mg/dL, T-BIL 0.3 mg/dL, AST 23 IU/L, ALT 16 IU/L, BNP 83.10 pg/mL.

처방: 에날라프릴 5 mg, 메인테이트 10 mg, 스피로노락톤 25 mg, 프로세미드 20 mg, 아스피린 100 mg,

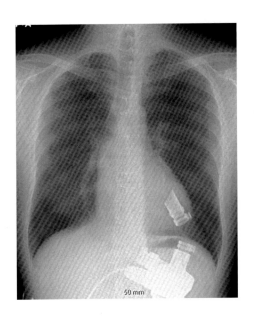

50 mm

**그림 11-53** 흉부 방사선

**표 11-17** CPX 데이터

|  | 안정시 | AT | RCP | peak |
|---|---|---|---|---|
| 심박수 | 91/75 | 98/99 | −/133 | 108/154 |
| $\dot{V}O_2$ (mL/min/kg) |  | 10.4/14.0 | −/20.3 | 13.3/23.0 |
| (%) |  | 67/91 |  | 47/82 |
| work rate (watt) |  | 44/70 | −/95 | 62/119 |
| R | 0.90 |  |  | 1.13 |

minimum $\dot{V}E/\dot{V}CO_2$     45.6/32.5
$\dot{V}E$ vs. $\dot{V}CO_2$ slope     42.0/25.3
peak $\dot{V}O_2$/HR (mL/beat, %)     6.3 (42%) /10.3 (67%)
maximum $P_{ET}CO_2$. (ETCO2)     33.1 (4.70) / 42.5 (5.95)
Borg (LF, SOB)     13,17 /15,15

와파린 4.5mg.

CPX 자료(**표 11-17, 그림 11-54**).

**해석**

- 삽입 1개월에는 운동 수용능, 환기 효율, 운동 중 심 기능 등이 모두 매우 현저히 저하되어 있었다. 심박 반응도 저하되어 있었다. 심장 재활치료 결과 1년 후에는 모든 항목에서 매우 명확한 개선이 있었다.

- $\dot{V}O_2/HR$, 심박 반응과 호흡 패턴, $P_{ET}CO_2$개선 모습을 각각 **그림 11–55, 11–56, 11–57**에 나타낸다.

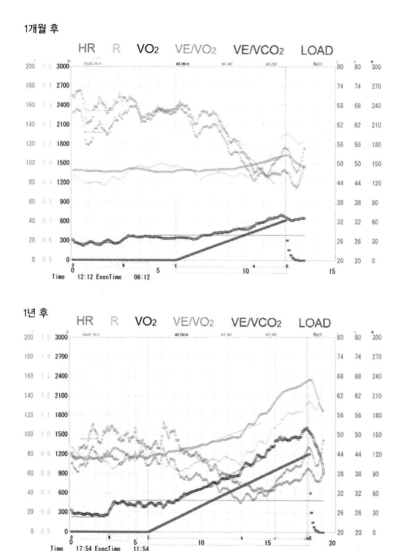

**그림 11–54** 경향 곡선

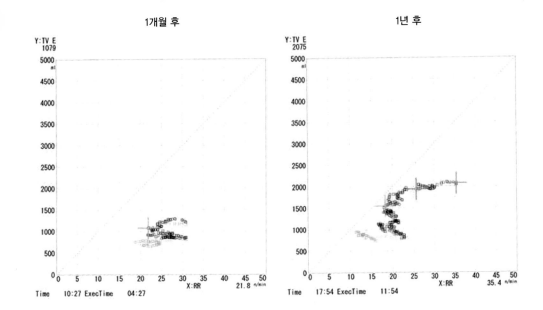

**그림 11-55** TV/RR 관계

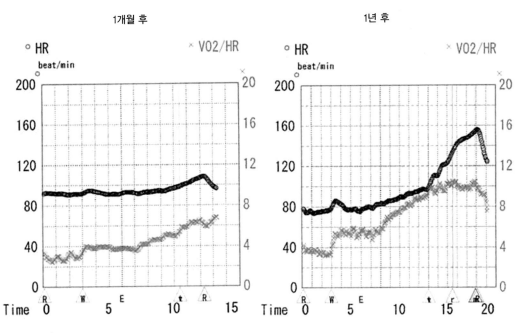

**그림 11-56** $\dot{V}O_2$/HR 경향 곡선

1개월 후

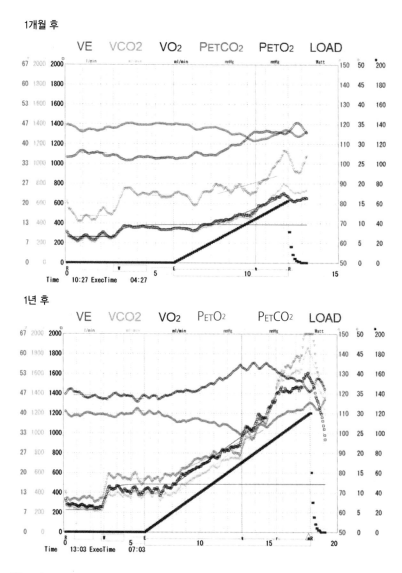

그림 11-57 $P_{ET}CO_2$ 경향 곡선   위 그림과 아래 그림에서 $P_{ET}O_2$와 $P_{ET}CO_2$의 색이 반대로 되어있는 것에 주의.

# 12장
# 호기 가스 분석 장치;[01★]
# 미나토 AE310S 분석 순서

이 장치는 운동 처방에 필요한 AT를 정확히 구할 수 있으며, 심부전 환자의 병태 파악이나 숨찬 느낌의 감별에 필요한 호흡·환기에 관련된 다양한 파라미터 평가에 우수하다. 일반적 분석 순서와 파라미터 계산법을 설명한다.

## 1  AT 결정

최초의 분석 화면은 그림 12-1과 같다. AE310S는 처음에 이동 평균을 설정해 두면, 2번째 이후에는 자동적으로 이동 평균을 조정한 화면이 나타난다.

먼저 패널 3의 V slope에서 $\dot{V}O_2$-$\dot{V}CO_2$ 관계가 45도 이상이 되는 마지막 시점을 찾아 결정한다. 결정된 장소에 녹색 십자 마크가 나타나는 동시에 패널 1에도 녹색 파선(波線, 물결 모양 곡선)이 나타난다(**그림 12-2**).

패널 1을 보고, 녹색 파선이 $\dot{V}E/\dot{V}CO_2$와 $\dot{V}E/\dot{V}CO_2$의 병행 관계가 무너지는 부위와 일치하는 것을 확인하며, 거의 일치하고 있으면 'Trend의 AT'를 결정한다. 패널 1 상부의 바를 클릭하여 청색으로 하고 enter 키를 눌러 팝업 메뉴에 있는 '포인트 설정'에서 'Time Trend AT point'를 선택한다. 패널 1으로 커서를 이동시켜 RCP에 맞추어 'RCP point'도 설정한다. 다시 패널 3으로 돌아와, 엔터 키를 눌러 V-slope법에 의한 AT를 최종 결정한다. 패널 3에서 엔터 키를 '포인트 설정' 메뉴에서 '설정'한다.

## 2  각 구간의 결정 (그림 12-3)

다음에 안정기, warming up, Ramp 부하, 최대 부하, 회복기 시간을 결정한다. 팝업 메뉴에서 'Rest' 버튼을 클

역자주*
01  국내 (2017년 5월 현재) 주요 병원에 설치되어 있는 CPX는 주로 Quark 社 (Italy)의 제품이며, 모델명의 상세한 정보는 개별확인 요망함.

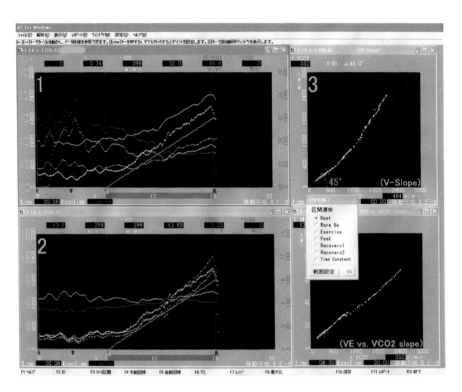

**그림 12-1**　**최초의 분석 화면**　패널 1은 X축에 시간, Y축에 Load(부하량, 적색), $\dot{V}O_2$(흰색), $\dot{V}E/\dot{V}O_2$(녹색), $\dot{V}E/\dot{V}CO_2$(분홍색), R(황색), 심박수(HR, 옅은 청색)이 나타나도록 되어 있다. 패널 2는 X축에 시간, Y축에 $\dot{V}O_2$(흰색), $\dot{V}CO_2$(황색), $\dot{V}E$(옅은 청색), $ETO_2$(녹색), $ETCO_2$(분홍색), 부하량(적색)을 표시하고 있다. 패널 3은 V-slope, 패널 4는 $\dot{V}E$ vs. $\dot{V}CO_2$ slope이다.

릭하여 '범위 설정'을 클릭 후 안정시의 중앙 부분 1분간을 선택한다. 본원에서는 안정이 3분간이므로 1분에서부터 2분 부분을 선택한다.

　　이어서 'warming up' 버튼을 클릭 후 '범위 설정'을 클릭하여 warming up 측정 범위를 결정한다. 본원에서는 warming up이 3분간이므로 2분에서 3분 사이에서 1분간 범위를 선택한다.

　　그 후 Ramp 부하 범위를 선택한다. 'Exercise', '범위 설정' 버튼을 차례로 클릭하여 $\dot{V}O_2$가 증가하기 시작한 부분부터 AT의 1분까지를 선택한다. 이 예에서 $\dot{V}O_2$는 부하량을 나타내는 적색 직선과 끝까지 병행하여 증가하고 있지만, 증례에 따라서는 $\dot{V}O_2$증가율이 AT 이후에 둔화하거나 급격하게 증가하는 일이 있어 AT의 1분 후까지를 분석 구간으로 한다.

　　그리고 'Peak', '범위 설정' 버튼을 차례로 클릭하여 최대 부하 범위를 결정한다. 이 예는 최대 부하 수준에서 $\dot{V}E$가 저하되어(**그림 12-3 패널 2 엷은 청색 선**) 마스크에서 호기 가스가 누출될 가능성이 있다. 따라서 $\dot{V}O_2$도 최대 부하 수준 직전에 피크를 나타내고 있다. 이럴 때에는 $\dot{V}O_2$ peak를 포함하여 최대 부하 범위를 결정한다.

　　본원에서는 부하 종료 1분 후에 페이스 마스크를 벗으므로 회복기 완화시간(τ off)은 측정하지 않는다. τ off를 측정하면, 부하 시험 종료 후 Cool down을 하지 않고 6분 정도 호기 가스 샘플링을 계속한다.

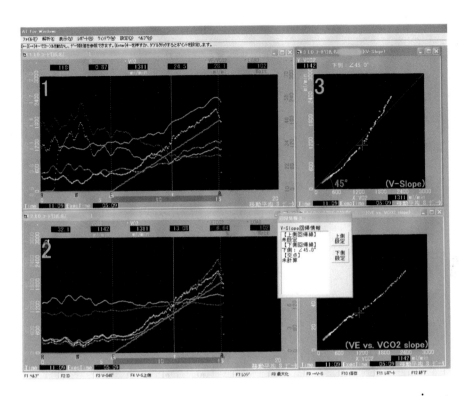

**그림 12-2** **AT 결정시 화면**  패널 3에서, 45도에서 최종적으로 멀어지는 부분을 AT로 하고, 그 시점에서 V̇O₂와 같아지는 점을 패널 1에서 찾고, 녹색의 V̇E/V̇O₂가 증가하기 시작하는 점과 거의 일치하면 AT이다. AT는 peak V̇O₂의 약 60%라는 것도 참고 한다. R은 AT보다 조금 늦는 것이 많다. 패널 2에서 AT로 정한 시점에서 ETO₂가 증가하기 시작하는 것도 확인한다.

마지막으로, 완화 시간(τ on)을 계산한다. warming up 시작시의 V̇O₂가 증가하기 시작하는 시점(**그림 12-3** ①)에서부터 V̇O₂가 정상 상태가 되는 시점(**그림 12-3** ②)까지 왼쪽으로 3분간을 선택한다. 다음에 V̇O₂ plateau 일부(**그림 12-3**③)와 V̇O₂ 완화 직전 부분(**그림 12-3** ④)을 각각 클릭하면, warming up 시 V̇O₂의 처음 시작 부분이 트레이스되어 τ on이 계산된다.

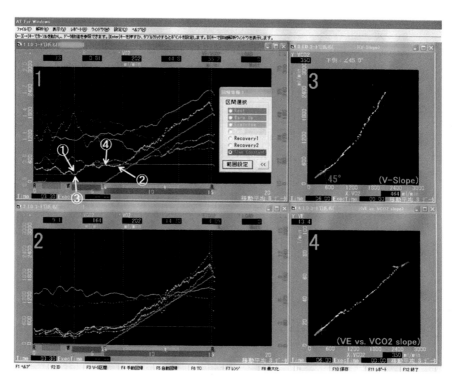

**그림 12-3** 각 구간 결정 화면   각 구간을 설정하면 팝업 창에 각 항목의 색깔이 표시됨.

## 3 $\dot{V}E$ vs. $\dot{V}CO_2$ slop 결정, 인쇄 (그림 12-4)

패널 4 상부의 엷은 청색 바를 클릭하면 '회귀 정보 4'라는 팝업 메뉴가 나타난다. 'slope 설정'버튼을 눌러, 패널 4의 고휘도 부분의 왼쪽끝에서부터 slope가 급격히 윗쪽으로 이동하는 부분까지의 직선 부분을 선택한다. 'point 설정' 메뉴에서 '설정'을 클릭하여 결정한다. 본원에서는, $\dot{V}E$ vs. $\dot{V}CO_2$ slope 화면을 화면 상부 메뉴 바의 '파일'내에 있는 인쇄 메뉴(선택 화면 인쇄)를 사용하여 출력을 하고 있다(**그림 12-5**).

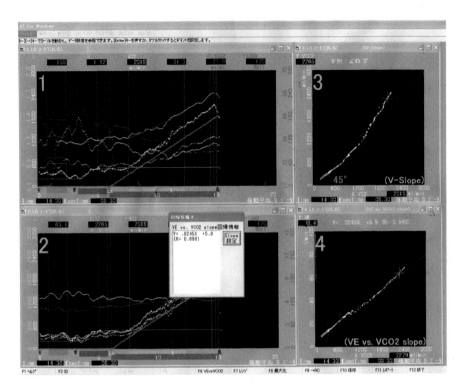

**그림 12-4** $\dot{V}E$ vs. $\dot{V}CO_2$ slope 결정 화면   마지막에 팝업윈도우에서 '설정' 버튼을 누르면, 붉은 slope가 나타나며, 패널 상부에 회귀식이 표시된다. 계수를 1,000배하면 $\dot{V}E$ vs. $\dot{V}CO_2$ slope 값이 1,000배가 되는 것은 $\dot{V}E$가 L/분, $\dot{V}CO_2$가 mL/분이기 때문이다.

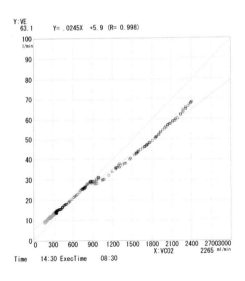

**그림 12-5** $\dot{V}E$ vs. $\dot{V}CO_2$ slope의 인쇄물

## 4 V̇E/V̇O₂-V̇E/V̇CO₂ 관계 표시 그래프 인쇄

이상의 분석이 끝나면, 상부 메뉴 바의 '리포트'메뉴에서 'CPX', '데이터','그래프'를 인쇄한다(**그림 12–6,12–7,12–8**).

---

| 검사일자 | No. 1121 | | | |
|---|---|---|---|---|

### 심폐운동부하검사(CPX) 보고서

| ID 데이터 | | | | 부하법 | | | | | |
|---|---|---|---|---|---|---|---|---|---|
| 등록번호 | | | | 측정모드 | Ramp20 | | | | |
| 성명 | | | | 검사자 | HA | | | | |
| 성별 | 남성 | 연령 | 44 | 체지방률 | 0.0% | 데이터 수 | 317 | 기온 | 27.6℃ |
| 체중 | 64kg | Nu배설량 | 0 mg/min | BSA | 1.80m2 | 습도 | 29% | 기압 | 100hPa |
| 키 | 178cm | FRC | 0L | | | | | | |

측정 데이터

| 데이터 명 | 단위/구간 | Rest | Warm up | AT Trend | AT V–Slope | Rc | Peak |
|---|---|---|---|---|---|---|---|
| Real Time | Min : Sec | 00:48 | 05:00 | 11:09 | 11:09 | 14:39 | 14:48 |
| Start/End | Min : Sec | 02:21 | 06:00 | | | | 15:00 |
| Exec Time | Min : Sec | | | 05:09 | 05:09 | 08:39 | 08:48 |
| HR | beat/min | 50 | 82 | 118 | 118 | 160 | 161 |
| V̇O₂ | ml/min | 344 | 432 | 1311 | 1311 | 2046 | 2070 |
| V̇CO₂ | ml/min | 274 | 329 | 1142 | 1142 | 2316 | 2349 |
| V̇O₂/W | ml/gk/min | 5.4 | 6.7 | 20.5 | 20.5 | 32.0 | 32.4 |
| V̇E | l/min | 12.3 | 13.6 | 32.1 | 32.1 | 65.1 | 66.8 |
| V̇E/V̇CO₂ | ml/ml | 44.9 | 41.4 | 28.1 | 28.1 | 28.1 | 28.4 |
| RR | n/min | 17.8 | 18.1 | 21.2 | 21.2 | 27.8 | 30.0 |
| ETCO₂ | % | 5.08 | 5.44 | 6.64 | 6.64 | 6.13 | 6.12 |
| LOAD | Watt | 0 | 0 | 102 | 102 | 172 | 178 |
| TV E | ml | 712 | 762 | 1542 | 1542 | 2344 | 2244 |

분석결과

| 데이터명 | 단위 | 분석치 | 비(%) | 기준치 | 데이터명 | 단위 | 분석치 | 비(%) | 기준치 |
|---|---|---|---|---|---|---|---|---|---|
| Peak V̇O₂/W | ml/kg/min | 32.4 | 117 | 27.6 | AT V–Slope V̇O₂/W | ml/kg/min | 20.5 | 135 | 15.2 |
| Peak V̇O₂/HR | | 12.8 | 78 | 16.5 | AT trend V̇O₂/W | ml/kg/min | 20.5 | 127 | 16.1 |
| Peak HR | beat/min | 161 | 92 | 176 | minimum V̇E/V̇CO₂ | ml/ml | 27.2 | 97 | 28.0 |
| Presume V̇O₂/WMax | ml/kg/min | 39.1 | 142 | 27.6 | V̇E vs. V̇CO₂ slope | | 24.5 | 98 | 25.1 |

회귀 계산

| 데이터명 | 단위 | 분석치 | 비(%) | 기준치 | 회귀식 |
|---|---|---|---|---|---|
| △V̇CO₂/ △V̇O₂VsU | | | | | |
| △V̇CO₂/ △V̇O₂VsD | | | | | |
| △V̇O₂/ △LOAD | | 10.3 | 100 | 10.3 | Y= 10.3X +247 R= 0.992 |
| △HR/ △LOAD × 100 | | 46.9 | | | Y= 0.469X +71 R= 0.975 |
| V̇O₂ Tc | sec | 46 | | | Y= 287[1−Exp[−(X −214)/ +46.2)] +198 |

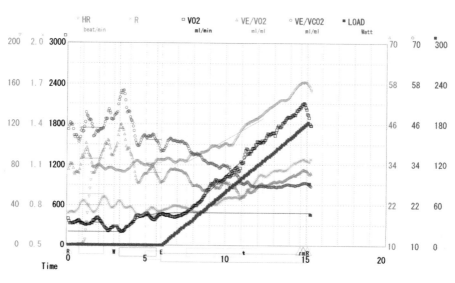

**그림 12–6** CPX 보고서 화면

# 측정 데이터

| ID 데이터 | | | | | | | | | |
|---|---|---|---|---|---|---|---|---|---|
| 등록번호 | | | | 부하법 | | | | | |
| 성명 | | | | 측정모드 | Ramp20 | | | | |
| 성별 | 남성 | 연령 | 44 | 검사자 | HA | | | | |
| 체중 | 64kg | Nu배설량 | 0 mg/min | 체지방률 | 0.0% | 데이터 수 | 317 | 기온 | 27.6℃ |
| 키 | 178cm | FRC | 0L | BSA | 1.80m2 | 습도 | 29% | 기압 | 100hPa |

| 참고사항 |
|---|
|  |

시계열데이터

| Time min:sec | VE l/min | RR n/min | VO2 ml/min | VCO2 ml/min | R | HR beat/min | FIO2 % | FEO2 % | ETO2 % | FICO2 % | FECO2 % | ETCO2 % | VE/VO2 ml/ml | VE/VCO2 ml/ml | VO2/W ml/kg/min | LOAD Watt | RPM rpm | MK |
|---|---|---|---|---|---|---|---|---|---|---|---|---|---|---|---|---|---|---|
| **Rest** | | | | | | | | | | | | | | | | | | |
| 00:30 | 10.2 | 15.0 | 330 | 245 | 0.74 | 0 | 19.94 | 16.18 | 13.86 | 0.43 | 3.37 | 5.23 | 30.9 | 41.5 | 5.1 | 0 | 1 | |
| 01:00 | 11.9 | 15.5 | 330 | 273 | 0.83 | 1 | 20.00 | 16.73 | 14.62 | 0.39 | 3.20 | 5.06 | 36.1 | 43.6 | 5.1 | 0 | 0 | |
| 01:30 | 10.9 | 19.6 | 300 | 229 | 0.76 | 60 | 19.84 | 16.63 | 14.02 | 0.51 | 3.08 | 5.20 | 36.3 | 47.6 | 4.7 | 0 | 16 | |
| 02:00 | 13.1 | 16.8 | 370 | 294 | 0.80 | 80 | 19.99 | 16.67 | 14.59 | 0.40 | 3.14 | 4.98 | 35.4 | 44.5 | 5.8 | 0 | 0 | |
| 02:30 | 10.0 | 14.0 | 257 | 218 | 0.85 | 75 | 20.06 | 17.01 | 14.87 | 0.36 | 3.02 | 4.91 | 38.9 | 45.9 | 4.0 | 0 | 0 | |
| 03:00 | 8.4 | 14.5 | 209 | 161 | 0.77 | 77 | 19.82 | 16.91 | 14.04 | 0.55 | 2.89 | 5.22 | 40.0 | 52.1 | 3.3 | 0 | 0 | |
| **Warm Up** | | | | | | | | | | | | | | | | | | |
| 00:30 | 9.0 | 17.5 | 202 | 163 | 0.81 | 73 | 19.94 | 17.32 | 14.67 | 0.44 | 2.64 | 4.90 | 44.8 | 55.4 | 3.2 | 0 | 0 | |
| 01:00 | 11.5 | 18.1 | 299 | 235 | 0.79 | 77 | 19.94 | 16.90 | 14.47 | 0.44 | 2.94 | 5.01 | 38.5 | 48.9 | 4.7 | 0 | 0 | |
| 01:30 | 12.6 | 16.4 | 432 | 314 | 0.73 | 84 | 19.93 | 15.97 | 13.47 | 0.44 | 3.49 | 5.47 | 29.2 | 40.1 | 6.8 | 0 | 61 | |
| 02:00 | 14.4 | 19.2 | 459 | 340 | 0.74 | 79 | 19.85 | 16.15 | 13.80 | 0.52 | 3.40 | 5.38 | 31.4 | 42.4 | 7.2 | 0 | 62 | |
| 02:30 | 12.6 | 17.1 | 381 | 296 | 0.78 | 81 | 19.87 | 16.35 | 13.93 | 0.51 | 3.37 | 5.44 | 33.1 | 42.7 | 6.0 | 0 | 61 | |
| 03:00 | 14.3 | 19.5 | 482 | 355 | 0.74 | 87 | 20.02 | 16.12 | 13.54 | 0.36 | 3.39 | 5.52 | 29.7 | 40.3 | 7.5 | 0 | 60 | |
| **Exercise** | | | | | | | | | | | | | | | | | | |
| 00:30 | 14.1 | 19.3 | 436 | 340 | 0.78 | 85 | 19.89 | 16.29 | 13.93 | 0.48 | 3.42 | 5.45 | 32.4 | 41.6 | 6.8 | 10 | 60 | |
| 01:00 | 14.2 | 20.0 | 438 | 347 | 0.79 | 84 | 20.00 | 16.38 | 13.98 | 0.39 | 3.38 | 5.50 | 32.4 | 40.9 | 6.8 | 20 | 58 | |
| 01:30 | 15.0 | 20.5 | 474 | 370 | 0.78 | 84 | 19.95 | 16.26 | 13.79 | 0.42 | 3.43 | 5.58 | 31.7 | 40.6 | 7.4 | 30 | 60 | |
| 02:00 | 16.2 | 19.6 | 581 | 436 | 0.75 | 90 | 19.96 | 15.80 | 13.35 | 0.40 | 3.69 | 5.75 | 27.9 | 37.2 | 9.1 | 40 | 59 | |
| 02:30 | 18.0 | 20.9 | 667 | 497 | 0.74 | 92 | 19.97 | 15.67 | 13.14 | 0.39 | 3.77 | 5.90 | 27.0 | 36.2 | 10.4 | 50 | 60 | |
| 03:00 | 22.3 | 21.2 | 790 | 638 | 0.81 | 96 | 20.02 | 15.86 | 13.63 | 0.37 | 3.86 | 5.84 | 28.3 | 35.0 | 12.3 | 60 | 59 | |
| 03:30 | 25.2 | 24.5 | 924 | 750 | 0.81 | 98 | 20.00 | 15.69 | 13.56 | 0.39 | 4.03 | 6.00 | 27.3 | 33.6 | 14.4 | 68 | 56 | |
| 04:00 | 29.0 | 26.9 | 1025 | 869 | 0.85 | 100 | 20.03 | 15.84 | 13.79 | 0.39 | 4.05 | 5.97 | 28.3 | 33.4 | 16.0 | 80 | 56 | |
| 04:30 | 29.6 | 26.3 | 1086 | 929 | 0.86 | 102 | 20.06 | 15.70 | 13.78 | 0.36 | 4.20 | 6.07 | 27.2 | 31.8 | 17.0 | 90 | 59 | |
| 05:00 | 30.6 | 20.8 | 1244 | 1067 | 0.86 | 115 | 20.05 | 15.22 | 13.21 | 0.36 | 4.62 | 6.51 | 24.6 | 28.7 | 19.4 | 100 | 63 | |
| 05:30 | 35.4 | 24.0 | 1367 | 1261 | 0.92 | 122 | 20.09 | 15.44 | 13.58 | 0.34 | 4.69 | 6.56 | 25.9 | 28.1 | 21.4 | 110 | 60 | |
| 06:00 | 42.4 | 22.9 | 1527 | 1540 | 1.01 | 126 | 20.13 | 15.71 | 14.09 | 0.30 | 4.74 | 6.46 | 27.8 | 27.5 | 23.9 | 120 | 63 | |
| 06:30 | 45.5 | 23.8 | 1621 | 1647 | 1.02 | 133 | 20.14 | 15.77 | 14.23 | 0.29 | 4.72 | 6.41 | 28.1 | 27.7 | 25.3 | 130 | 65 | |
| 07:00 | 47.6 | 22.5 | 1639 | 1730 | 1.06 | 139 | 20.12 | 15.86 | 14.34 | 0.32 | 4.76 | 6.43 | 29.0 | 27.5 | 25.6 | 138 | 64 | |
| 07:30 | 53.1 | 25.8 | 1834 | 1925 | 1.05 | 143 | 20.15 | 15.88 | 14.48 | 0.29 | 4.72 | 6.33 | 28.9 | 27.6 | 28.7 | 150 | 61 | |
| 08:00 | 58.2 | 26.2 | 1905 | 2077 | 1.09 | 148 | 20.12 | 16.05 | 14.76 | 0.32 | 4.68 | 6.20 | 30.6 | 28.0 | 29.8 | 160 | 61 | |
| 08:30 | 63.7 | 27.0 | 2011 | 2266 | 1.13 | 159 | 20.11 | 16.15 | 14.95 | 0.34 | 4.69 | 6.15 | 31.7 | 28.1 | 31.4 | 170 | 62 | |
| **Peak** | | | | | | | | | | | | | | | | | | |
| 08:53 | 69.4 | 30.4 | 2081 | 2397 | 1.15 | 162 | 20.14 | 16.36 | 15.12 | 0.31 | 4.53 | 6.05 | 33.3 | 28.9 | 32.5 | 178 | 58 | |

Data No. 1121   Page 1

**그림 12-7** 데이터 화면   본원에서는 30초 마다의 인쇄하고 있지만 15초 마다 인쇄도 가능하다 .

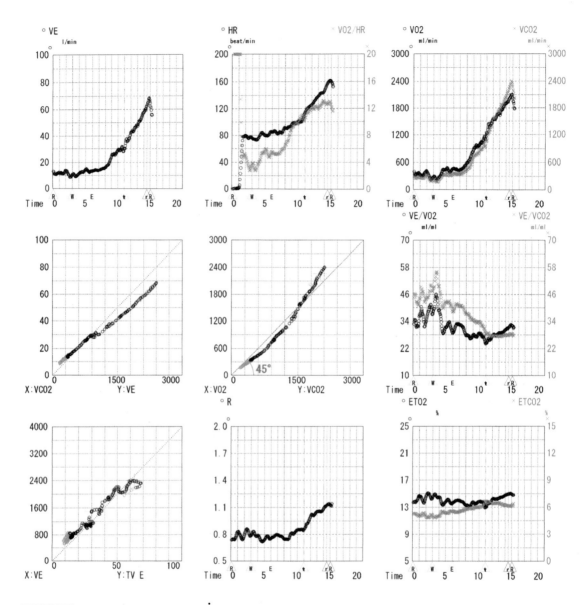

**그림 12-8** **패널 화면** 9 패널 화면이다. VO₂/HR 패턴을 볼 때나, 심박 반응, 호흡 예비능을 볼 때 특히 중요하다.

## 5 HR-VO₂ 관계의 회귀

다음에 $\Delta HR / \Delta \dot{V}O_2$를 분석한다.

메뉴 바의 '윈도우'를 왼쪽 클릭하여 풀 다운 메뉴의 '열기'를 클릭한다(**그림 12-9**). 이것을 사용하면 자유롭게 패널을 준비할 수 있다. 본원에서는, X축에 $\dot{V}O_2$, Y축에 HR를 표시하는 패널을 준비하고 있다. 이것은 UCLA의 패널 5 그래프이며, 이것으로 심박 반응을 평가할 수 있다.

'HR-$\dot{V}O_2$관계' 메뉴를 클릭하면(**그림 12-10**), '패널 5'에 HR-$\dot{V}O_2$관계 그래프가 나타난다(**그림 12-11**). 메뉴 바의 '분석'메뉴에서 'V-slope (X-Y) 회귀'에 커서를 두고 '수동 회귀(아래 쪽)'를 클릭한다. 회귀 분석한 HR-$\dot{V}O_2$ 관계를 '파일'메뉴에서 인쇄한다.

## 6 TV/RR slope의 회귀

다음에 메뉴 바의 '윈도우'내 '열기'에서 TV-RR 관계를 선택하여, HR-$\dot{V}O_2$관계처럼 첫 시작 부분을 회귀 분석하여 인쇄한다(**그림 12-12**).

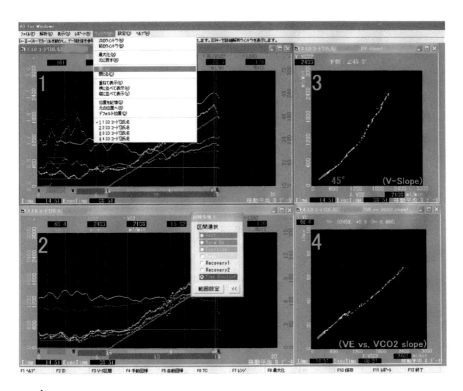

**그림 12-9** HR-$\dot{V}O_2$ 관계를 표시하기 위한 최초 단계

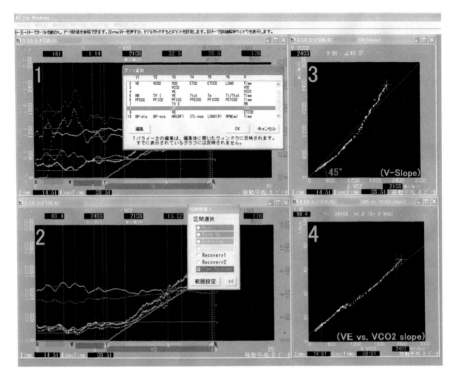

**그림 12-10** HR-V̇O₂ 관계를 표시하기 위한 다음 단계

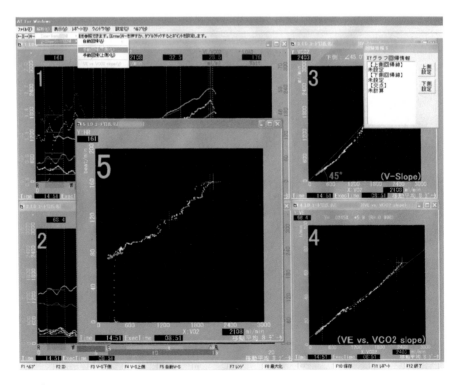

**그림 12-11** HR-V̇O₂ 관계. 패널 5에 표시

## 7 Ti/Ttot 평가

다음에 같은 조작으로 Ti/Ttot 그래프를 만든다(**그림 12-13**). 이 그래프에서 주목하는 요점은 최대 부하 직전의 패턴과 최대 부하시의 값이다. 녹색 커서 최대 부하에 맞추어 우상의 윈도우에 최대 부하시의 Ti/Ttot 수치가 나오게 한다.

## 8 RR 곡선 평가

집에서 시행할 운동 처방의 작성에는 호흡수가 어느 정도에서 항진되기 시작하는지 확인하기 위해 호흡수(RR)를 플롯한 그래프를 작성한다.

그래프 2 상부의 옅은 청색 바를 클릭하여 그래프를 활성화시킨다. 다음에 메뉴 바의 '표시'에서 '범위·파라미터 변경'을 선택하여 파라미터 전체의 'RR'을 클릭하고 '4'버튼을 클릭해 Y4를 RR로 변경한다(**그림 12-14**). 같은 방법으로 '파라미터 선택'에서 'TV'를 선택하고 '5'를 클릭하여 Y5의 'ETCO$_2$'를 'TV'에 옮기고(**그림 12-15**) 'OK'를 눌러 결정한다. 그러면 패널 2에 RR와 TV의 경향 곡선을 표시할 수 있다(**그림 12-16**). 이 예는 AT를 경계로 호흡 수가 증가하기 시작하는 패턴을 보이지 않았다.

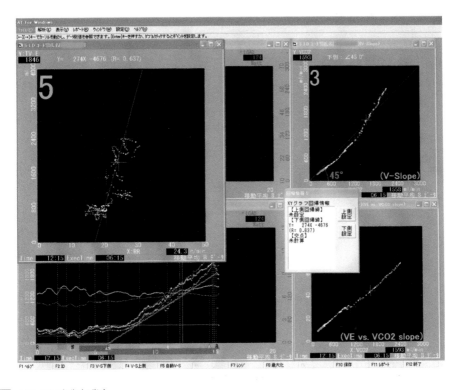

**그림 12-12**   TV-RR 관계의 패널

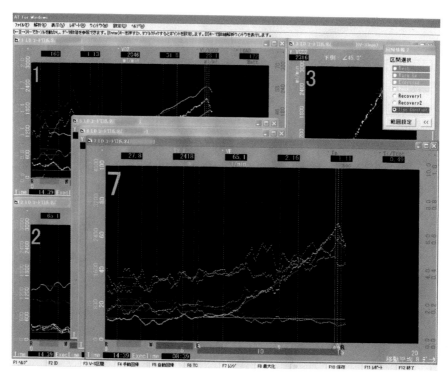

**그림 12-13** Ti/Ttot 표시 패널  Ti/Ttot를 적색선으로 표시하면 보기 쉽다. 인쇄할 때는 커서를 피크에 놓으면 우상방의 윈도우에 피크 수치가 기록된다.

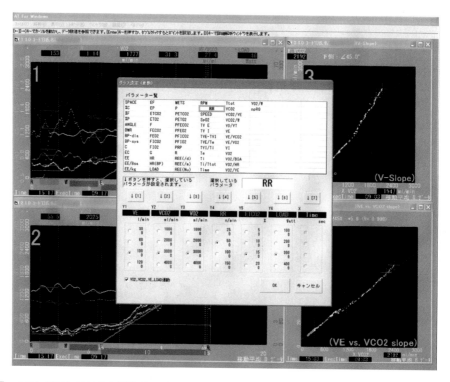

**그림 12-14**  호흡수 곡선을 표시하기 위한 최초 단계

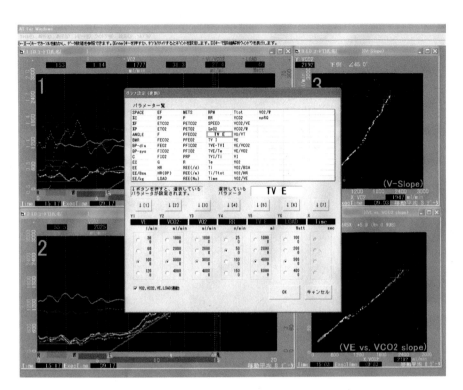

**그림 12-15** 호흡수 곡선을 표시하기 위한 다음 단계

## 9 에너지 소비량 평가

환자의 비만이 문제가 될 때 AE310S에서 에너지 소비량을 그래프화할 수 있다.

RR 곡선의 패널 2를 이용한다. '표시', '범위·파라미터 변경'을 사용하여 에너지 소비량(EE[02]*/kg)을 [1], 탄수

역자주*  ─────

02  EE (Energy Expenditure)

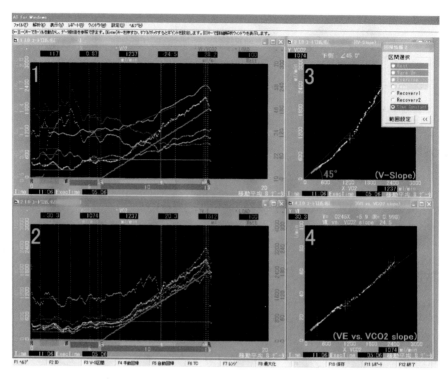

**그림 12-16** 패널 2에 호흡수 곡선을 표시한 상태　호흡수가 녹색으로 표시

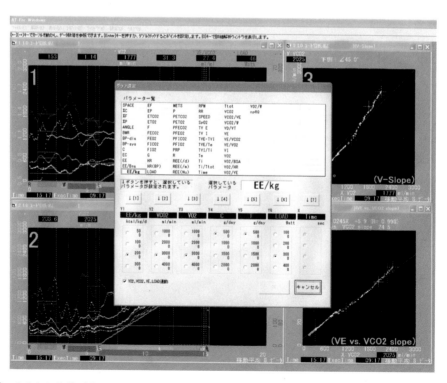

**그림 12-17** 에너지 소비량(EE)을 표시하기 위한 최초 단계

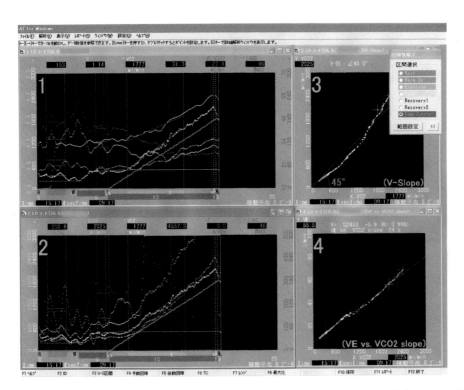

**그림 12-18** **에너지 소비량, 지방 소비량, 탄수화물 소비량을 표시한 패널** 에너지 소비량은 옅은 청색, 지방 소비량은 분홍색, 탄수화물 소비량은 녹색

화물 소비량 (C)을 [4], 지방질 소비량 (F)을 [5]에 넣는다(**그림 12-17**), 그림 12-18과 같이 운동 중 에너지 소비량과 지방 소비량이 작성된다. 심장 재활에서 비만 환자의 (기초) 대사의 개선도를 시간을 두고 관찰할 때 유용하다.

# 부록
# 심전도

CPX 시행에서 심전도를 잘 이해하지 않으면 안 된다. 그림 A-1은 심전도의 기본형이며, 표 A-1은 심전도 판독 순서이다. 항상 이 순서대로 판독하면 중요한 소견을 놓치지 않는다.

운동 부하 검사 중 심박수가 증가하며, 부정맥이 있으면 모니터 화면에 표시되는 심박수가 잘못될 수 있다. RR 간격을 보아 심박수를 대략 추측한다. 그림 A-2는 심박수를 아는 간편한 방법이다.

그림 A-3에 기본이 되는 동율의 심전도 파형이다. 그림 A-4부터 A-10까지는 부정맥의 파형, 그림 A-11, A-12는 각종 차단의 파형, 그림 A-13은 급성 심근경색의 심전도 변화, 그림 A-14는 심박 반응이다. 그리고 표 A-2에 빈맥의 감별, 표 A-3는 운동 부하 검사를 중단해야 할 부정맥이다.

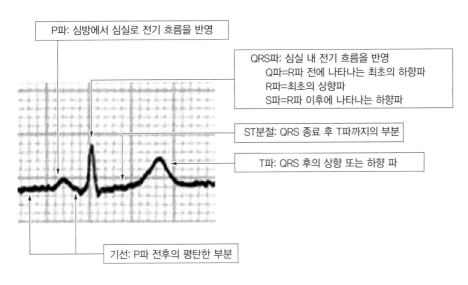

**그림 A-1**  심전도 기본형

**표 A-1** 심전도 판독 순서

| 항목 | | |
|---|---|---|
| 심박수 | 50~100/분 | HR = 150은 부정맥이 많다 |
| 리듬 | P파가 있는가 | 심방세동 |
| | P파와 QRS가 1:1인가 | 방실 차단, 심실 조기 수축, 심실빈맥 |
| | RR(PP) 간격 일정 | 심방세동, 조기 수축, 동성 부정맥 |
| | 이상한 파형 | 조기 수축 |
| PQ 시간 | 0.12~0.20초 | 방실차단 |
| QRS 폭 | 0.06~0.12초 | QRS 폭이 넓은 경우<br>　각차단<br>　심실내 전도 지연(심부전에 많다)<br>　인공심박동기 심전도<br>　조기 흥분 증후군(WPW 증후군 등)<br>　고칼륨혈증 |
| QT 시간 | 0.40초 이내(심박수 의존) | 연장되는 경우<br>　Long QT 증후군<br>　항부정맥약 사용중<br>　심근 허혈 급성기<br>　저칼슘혈증<br>단축하는 경우<br>　고칼슘혈증 |

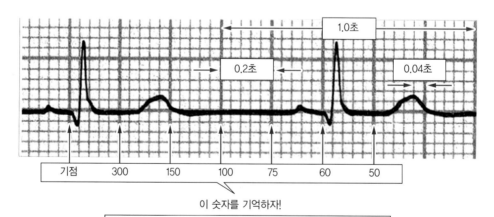

이 숫자를 기억하자!

기록지 이동 속도가 25 mm/초에서,
5 mm에 1회 파형이 나타나면 심박수는 300회/분
10 mm에 1회면 150회/분, 15 mm에 1회면 100회/분
20 mm에 1회면 75회/분, 25 mm에 1회면 60회/분이다.

**그림 A-2** 심박수를 아는 법

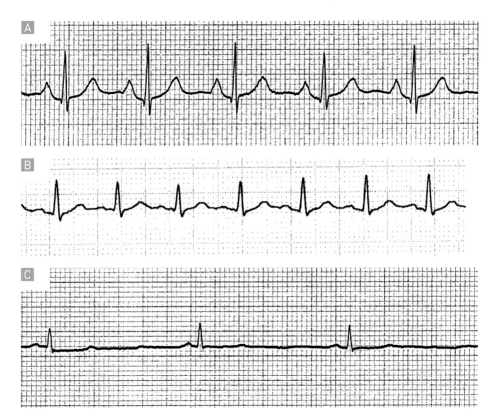

**그림 A-3** **동조율 파형** 정상 동조율의 조건: P파가 정상 형태로 항상 같은 형태로 존재. P파가 거의 일정한 리듬. QRS파가 항상 같은 형태로 존재. QRS 리듬이 일정. P파와 QRS파가 1대 1. QRS파 전에 P파 존재. PQ 간격이 정상이고 일정.
A: 정상 동조율(심박수 80/분), B: 동성 빈맥(심박수 120/분), C: 동성 서맥(심박수 47/분)

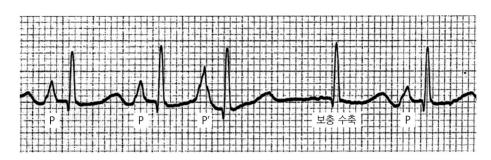

**그림 A-4** **심방 조기 수축(PAC)** PAC는 선행하는 P'파 동반하고 QRS 폭이 좁다. 이 심전도에서 P'파는 선행 T파와 겹쳐져 있다. T파의 형태가 다른 T파와 다른 것에 주목.

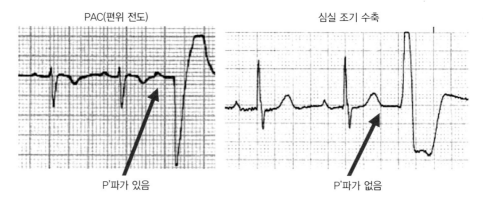

PAC(편위 전도)　　　　　　　　　심실 조기 수축

P'파가 있음　　　　　　　　　　　P'파가 없음

**그림 A-5**　심실 조기 수축(PVC)과 심방 조기수축 편위전도(aberrant)
PVC에는 선행하는 P'파를 동반하지 않고, QRS 폭이 넓으며, PAC의 변행 전도는 QRS와 비슷하고 선행하는 P'파를 동반

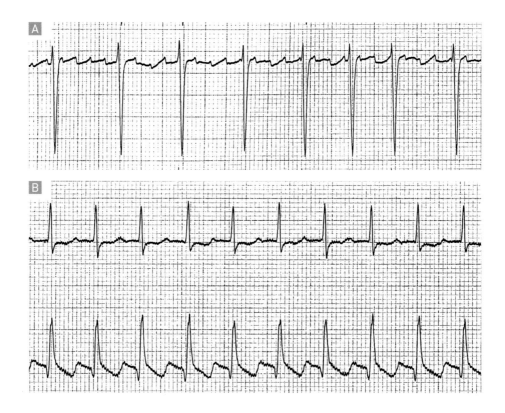

**그림 A-6**　심방세동 (A.Fib)과 심방조동 (A.Flutter)　A.Fib (A)는 기저선 대신에 f파가 있고, QRS 폭이 좁다. RR 간격은 불규칙하다. A.Flutter (B, C)는 톱니 모양파(F파)가 있고, RR 간격은 규칙적. 심박수는 2:1 전도에서 150/분, 3:1에서 100/분, 4:1에서 75/분이다. 유도에 따라서 f파가 확실하지 않고 sinus rhythm처럼 보이는 것에 주의한다(B).

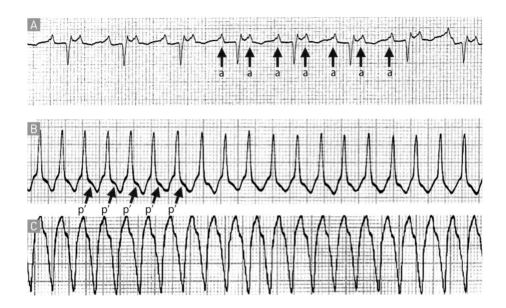

**그림 A-7** **상심실성 빈맥** [A: 심방빈맥(Atrial tachycardia: AT), B: 방실 결절 회귀성 빈맥(AVNRT), C: 방실 회귀성 빈맥(AVRT)]
AVNRT (B)는 방실 결절 근처의 reentry 회로에 의한 빈맥. QRS 직후에 P'파가 있다. AVRT (C)는 부전도로를 통한 reentry성 빈맥.
QRS 보다 약간 떨어진 T파의 정상 근처에 P'파가 있는 것이 많다. 이 증례는 P'파가 명확하지 않다. AT는 동결절 이외의 심방에서
전기 자극이 나타나는 빈맥이며 RR 연장이 관찰되며, P'파가 정기적으로 출현하면 진단하기 쉽다.

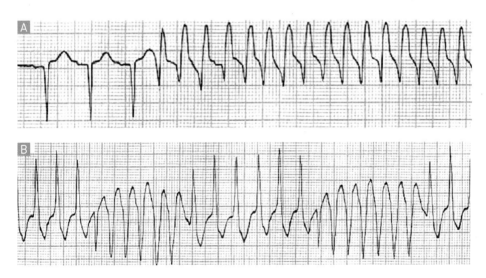

**그림 A-8** **심실 빈맥(VT)** 폭이 넓은 QRS가 연속하여 3회 이상 나타나는 것. A는 후반 부분에 폭이 넓고 규칙적인 QRS가 연
속하고 있다. B는 Torsades de Pointes라는 중증 부정맥이다.

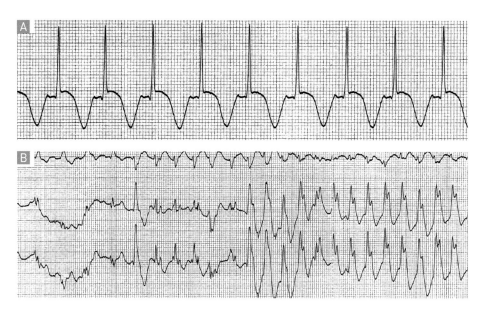

**그림 A-9** **QT 연장에 의한 심실세동(VF)** long QT (A)를 나타내던 환자가 나중에 VF (B)가 된 예. QT 연장에서 VT/VF가 되기 쉬운 것에 주의가 필요하다.

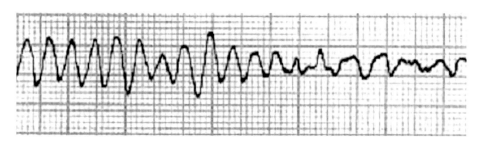

**그림 A-10** **V.fib** QRS 폭, 진폭이 모두 불균일한 빈맥. 혈압이 급격히 떨어지므로 즉시 BLS 시행이 필요하다.

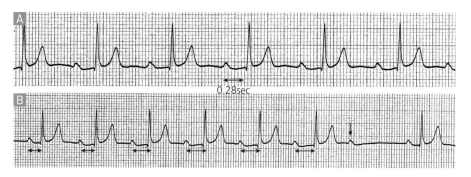

**그림 A-11** **방실 차단.** A: 1도 방실 차단(PQ 시간 0.20초 이상), B: Wenckbach형 2도 방실 차단(PQ 간격이 서서히 연장되어 최종적으로 QRS파가 소실한다). 이것이 스포츠 선수에서 나타나는 일이 있으며, 운동 중에는 정상화되는 것이 많다. 진행된 방실 차단으로 Mobitz형 2도 방실 차단(PQ 간격은 일정하나 갑자기 QRS파가 소실된다)과 완전 방실 차단(P파 자극이 완전히 심실에 전도되지 않아 QRS파가 P파와 독립해 나타난다)이 있으며 순환기내과 진료가 필요하다.

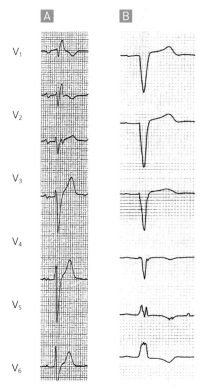

$V_1$

$V_2$

$V_3$

$V_4$

$V_5$

$V_6$

**그림 A-12**  **우각 차단(A)과 좌각 차단(B)**  우각 차단(RBBB)은 $V_1$ 유도에서 폭이 넓은 RR'파를 나타내며, 좌각 차단(LBBB)은 V6 유도에서 Q파를 동반하지 않는 폭이 넓은 R파를 가진다.

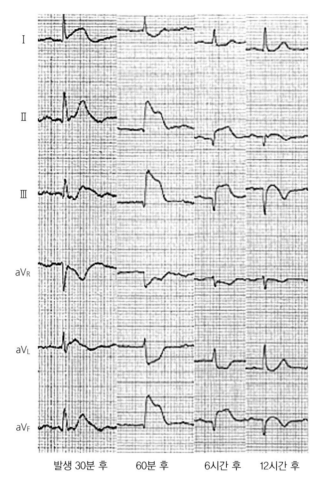

발생 30분 후    60분 후    6시간 후    12시간 후

**그림 A-13** **급성 심근경색의 시간에 따른 심전도 변화** 발생 초기에 T파가 높고, 다음에 ST 부분이 상승된다. 수시간 경과하고 Q파가 나타난다. 관상동맥 중재술에서 풍선으로 혈류를 차단하면 30초 정도에 ST 상승이 나타난다.

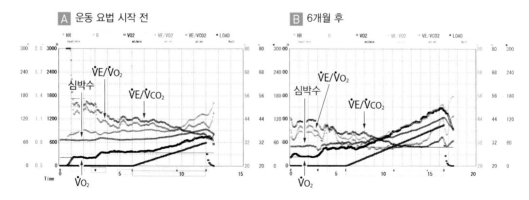

**그림 A-14** **심부전에 의한 심박 반응 이상의 심장 재활에 의한 개선 효과** 안정시 빈맥 및 운동에 대한 심박수 저하(A)가 운동 요법에 의해 개선(B).

**표 A-2** 빈맥의 감별

| RR 간격 | QRS 폭 | | |
|---|---|---|---|
| 규칙적 | 좁다 | 동성 빈맥<br>심방 빈맥<br>심방 조동<br>SVT(상심실성 빈맥)<br>(AVRT, AVNRT) | 서서히 시작하여 서서히 끝난다<br>비교적 갑자기 시작하여 갑자기 끝난다<br>톱니 모양 파형<br>QRS파 후에 P'파 존재<br>AVRT의 RR 간격은 70 mmsec 이상 |
| | 넓다 | 좌각 차단의 동성 빈맥<br>WPW 증후군의 동성 빈맥<br>심실 빈맥<br>WPW 증후군의 SVT/동성 빈맥<br>항부정맥약 복용 시 동성 빈맥<br>심실 pacing 리듬 | QRS와 관계 없는 P가 존재<br>(wide QRS의 80%가 이것)<br>P파가 각 QRS 전에 존재<br>스파이크 존재 |
| 불규칙 | 좁다 | 심방세동 | f파 존재 |
| | 넓다 | WPW 증후군의 심방세동<br>좌각 차단의 심방세동<br>항부정맥약 복용 중 심방세동<br>심실세동 | |

**표 A-3** 운동 부하 검사를 중지해야할 부정맥

| |
|---|
| 심실세동(Vf) |
| 심실빈맥(VT), Torsades de pointes |
| 위험한 심실 조기 수축(R on T형), 다원성 심실 조기 수축 |
| 심박수 20/분 이하의 서맥 |
| 동정지 |
| Mobitz II형 방실 차단 |
| 완전 방실 차단 |
| 동기능 부전 증후군 |
| 동방 차단 |
| WPW 증후군의 심방세동성 빈맥 |
| 운동 중 발생한 심방세동 |
| 심방조동 |

# 약어집

**A**

| | | |
|---|---|---|
| AAA | abdominal aortic aneurysm | 복부 대동맥류 |
| AAE | annuloaortic ectasia | 대동맥판륜 확장증 |
| ABI | ankle brachial index | 발목-상완지수 |
| ACLS | advanced cardiacvascular life support | 전문심장소생술 |
| ACS | acute coronary syndrome | 급성 관상동맥 증후군 |
| Af | atrial fibrillation | 심방세동 |
| AF | atrial flutter | 심방조동 |
| AMI | acute myocardial infarction | 급성 심근경색 |
| Ao | aorta | 대동맥 |
| AP | angina pectoris | 협심증 |
| APC | atrial premature contraction | 심방 조기 수축, 심방 기외 수축 |
| AR | aortic regurgitation | 대동맥판막 역류(폐쇄 부전) |
| ARVD | arrhythmogenic right ventricular dysplasia | 부정맥 유발성 우심실이형성증 |
| AS | aortic stenosis | 대동맥판막 협착 |
| ASD | atrial septal defect | 심방중격 결손증 |
| ASO | arteriosclerosis obliterans | 폐쇄성 동맥경화증 |
| AT | anaerobic threshold | 무산소성 역치 |
| AT | atrial tachycardia | 심방빈맥 |
| AVR | aortic valve replacement | 대동맥판막 치환술 |
| AVNRT | aterioventricular nodal reentrant tachycardia | 방실결절 회귀성 빈맥 |

**B**

| | | |
|---|---|---|
| BP | blood pressure | 혈압 |
| (SBP) | systolic blood pressure | 수축기 혈압 |
| (DBP) | diastolic blood pressure | 이완기 혈압 |
| brady | bradycardia | 서맥 |

**C**

| | | |
|---|---|---|
| CABG | coronary artery bypass graft | 관상동맥 우회술 |
| CAG | coronary angiography | 관상동맥 조영술 |
| CAVI | cardio ankle vascular index | 심장 발목혈관 지수 |
| CHD | congenital heart disease | 선천성 심질환 |
| CHF | congestive heart failure/chronic heart failure | 울혈성 심부전/만성 심부전 |
| CKD | chronic kidney disease | 만성 신부전, 만성 신장병 |
| CLBBB | complete left bundle branch block | 완전 좌각 차단 |
| CO | cardiac output | 심 박출량 |
| COPD | chronic obstructive pulmonary disease | 만성 폐쇄성 폐질환 |
| CP | constrictive pericarditis | 교착성 심막염 |
| CRBBB | complete right bundle branch block | 완전 우각 차단 |
| CRT | cardiac resynchronization therapy | 양심실 조율기 |
| CS | coronary sinus | 관상 정맥동 |
| CSA | coronary spastic angina | 연축성 협심증, 이형 협심증 |
| CVP | central veneous pressure | 중심 정맥압 |

## D

| | | |
|---|---|---|
| DAA | dissecting aortic aneurysm | 박리성 대동맥류 |
| DCM | dilated cardiomyopathy | 확장성 심근병증 |
| DES | drug-eluting stent | 약물 용출성 스텐트 |
| DL | dyslipidemia | 이상지질혈증 |
| DM | diabetes mellitus | 당뇨 |
| DP | double product | 이중적(二重積) |
| DVT | deep vein thrombosis | 심부정맥 혈전증 |

## E

| | | |
|---|---|---|
| EAP | effort angina pectoris | 노작성 협심증 |
| ECG | electrocardiogram | 심전도 |
| EF | ejection fraction | 좌심실 구혈률 |

## H

| | | |
|---|---|---|
| HCM | hypertrophic cardiomyopathy | 비후성 심근병증 |
| HD | hemodialysis | 혈액 투석 |
| HHD | hypertensive heart disease | 고혈압성 심질환 |
| HNCM | hypertrophic non-obstructive cardiomyopathy | 비폐쇄성 비후성 심근병증 |
| HOCM | hypertrophic obstructive cardiomyopathy | 폐쇄성 비후성 심근병증 |
| HR | heart rate | 심박수 |
| HT | hypertension | 고혈압 |

## I

| | | |
|---|---|---|
| IABP | intra aortic balloon pumping | 대동맥내 풍선펌프 |
| ICD | implantable cardioverter-defibrillator | 삽입형 제세동기 |
| IE | infective endocarditis | 감염성 심내막염 |
| IHD | ischemic heart disease | 허혈성 심질환 |
| IVC | inferior vena cava | 하대정맥 |
| IVUS | intravascular ultrasound | 혈관내 초음파 |

## L

| | | |
|---|---|---|
| LA | left atrium | 좌심방 |
| LAA | left atrial appendage | 좌심이 |
| LAD | left anterior descending coronary artery | 좌전하행지 |
| LV | left ventricle | 좌심실 |
| LVH | left ventricular hypertrophy | 좌심실 비대 |

## M

| | | |
|---|---|---|
| MI | myocardial infarction | 심근경색 |
| MR | mitral regurgitation | 승모판 역류(폐쇄 부전) |
| MS | mitral stenosis | 승모판 협착증 |
| MVD | multivessel disease | 다혈관 관상동맥 질환 |
| MVP | mitral valve plasty | 승모판 성형술 |
| MVR | mitral valve replacement | 승모판 치환술 |

## O,P

| | | |
|---|---|---|
| OMI | old myocardial infarction | 진구성 심근경색 |
| PAF | paroxysmal atrial fibrillation | 발작성 심방세동 |
| PAP | pulmonary artery pressure | 폐동맥압 |
| PAT | paroxysmal atrial tachycardia | 발작성 심방성 빈맥 |
| PCI | percutaneous coronary intervention | 경피적 관상동맥 중재술 |

| | | |
|---|---|---|
| PCPS | percutaneous cardiopulmonary support | 경피적 심폐 체외순환 |
| PCWP | pulmonary capillary wedge pressure | 폐모세혈관 쐐기압 |
| PE | pericardial effusion | 심낭삼출 |
| PH | pulmonary hypertension | 폐동맥 고혈압 |
| PIA | post infarct angina | 경색 후 협심증 |
| PMI | pacemaker implantation | 인공 심박동기 삽입 |
| POBA | plain old balloon angioplasty | 풍선 확장술 |
| PS | pulmonic valve stenosis | 폐동맥판 협착증 |
| PSVT | paroxysmal supraventricular tachycardia | 발작성 상심실성 빈맥 |
| PTE | pulmonary thromboembolism | 폐동맥 색전증 |
| PV | pulmonary vein | 폐정맥 |
| PVC | premature ventricular contraction | 심실 조기 수축, 심실 기외 수축 |
| PWV | pulse wave velocity | 맥파 전파 속도 |

**Q, R**

| | | |
|---|---|---|
| Qp/Qs | pulmonary/systemic flow ratio | 폐/체 혈류량비 |
| RA | right atrium | 우심방 |
| RCP | respiratory compensation point | 호흡성 보상 시작점 |
| RV | right ventricle | 우심실 |
| r/o | rule out | -의증 |

**S**

| | | |
|---|---|---|
| SOB | shortness of breath | 호흡곤란 |
| SSS | sick sinus syndrome | 동기능 부전 증후군 |
| SV | stroke volume | 심 박출량 |
| s/p | status post | -후 |
| s/o | suspect of | -의심 |

**T**

| | | |
|---|---|---|
| TAA | thoracic aortic aneurysm | 흉부 대동맥류 |
| TEE | transesophageal echocardiography | 경식도 심 초음파 검사 |
| TTE | transthoracic echocardiography | 경흉부 심 초음파 검사 |
| TV | tricuspid valve | 삼첨판 |

**U**

| | | |
|---|---|---|
| UAP | unstable angina pectoris | 불안정 협심증 |
| UCG | ultrasonic cardiogram | 심초음파 |

**V**

| | | |
|---|---|---|
| VAS/VAD | ventricular assist system/device | 심실 보조 장치 |
| V̇E | minute ventilation | 분당 환기량 |
| Vf | ventricular fibrillation | 심실세동 |
| VF | ventricular flutter | 심실조동 |
| V̇O$_2$ | oxygen uptake | 산소 섭취량 |
| V̇CO$_2$ | carbon dioxide output | 이산화탄소 배출량 |
| VT | ventricular tachycardia | 심실빈맥 |

**W**

| | | |
|---|---|---|
| WNL | within normal limits | 정상 범위내 |

# 색인